LYON ET LES LYONNAIS AU XVIIIe SIÈCLE

MAURICE GARDEN

LYON ET LES LYONNAIS AU XVIIIe SIÈCLE

FLAMMARION

L'édition intégrale de ce livre a été publiée en 1970 par le Centre Lyonnais d'Histoire Économique et Sociale, volume XVIII de la Bibliothèque de la Faculté des Lettres de Lyon, et sa diffusion a été assurée par « Les Belles-Lettres ». Il a ensuite été publié en 1975 aux Éditions Flammarion, dans la collection « Science » dirigée par Joseph Goy.

PREMIÈRE PARTIE

LA DÉMOGRAPHIE LYONNAISE

CHAPITRE PREMIER

LA CROISSANCE URBAINE

INTRODUCTION : LES VISIONS DE LA VILLE

Deux visions de Lyon sont possibles : celle de l'étranger, français ou non, arrivant pour la première fois dans la cité baignée par le Rhône et la Saône. Il peut être sensible à la majesté des « deux fleuves », à la lumière de la ville et à sa grandeur, à l'immensité du paysage découvert vers la plaine du Dauphiné, à l'éclat de la lumière qui fait porter le regard jusqu'aux montagnes des Alpes. Ensuite son contact avec la ville n'est plus qu'une suite d'émerveillements et Lyon devient une des plus belles villes du monde, comparée et égalée aux grandes capitales européennes ou aux cités d'art italiennes. C'est, par exemple, le point de vue de l'Allemand Reichardt en 1790. S'il arrive du Dauphiné, plus encore s'il rentre d'Italie, si des pensées économiques s'ajoutent au seul spectacle de la ville, le jugement peut devenir beaucoup plus sévère. Un an avant Reichardt, l'Anglais Young avait été beaucoup plus rude envers la métropole lyonnaise. Rien ne trouve grâce à ses yeux, ni les rivières, ni les monuments, ni la musique ou le théâtre, ni les... hommes, le voyageur étant alors plus sensible à leur détresse qu'au décor extérieur. Visiteurs français, et Lyonnais eux-mêmes ne sont guère plus précis.

Brissot, de passage à Lyon en 1782, admire avant tout « le spectacle ravissant » des jardins et des bosquets qui longent la Saône, la riante perspective offerte par l'appartement de son ami sur la Saône et le « coteau charmant de Fourvière, dont Jean-Jacques a fait un tableau si séduisant ». Quant à l'opinion des paysans des provinces voisines, des gens du peuple venant à Lyon en quête d'emploi, ils n'ont laissé aucun témoignage de leur admiration ou de leur surprise lors de leur premier contact avec la ville.

Les rares descriptions lyonnaises, elles, sont souvent imitées d'œuvres parisiennes identiques :

Le meilleur exemple en est *l'Histoire et description de la ville de Lyon, de ses antiquités, de ses monuments et de son commerce*, œuvre de l'avocat André Clapasson en 1741 : cet ouvrage est directement inspiré, de l'aveu même de l'auteur, d'une description de Paris par Brice à la fin du XVIIe siècle. Mais, plus que la ville, ce sont les monuments civils et religieux qui en sont l'ornement, qui retiennent l'attention. Quelques phrases concernent les promenades habituelles des Lyonnais sur les remparts d'Ainay ou dans les Brotteaux, mais il n'y a rien sur les rues et le visage particulier de l'ensemble de la ville.

L'iconographie peut-elle pallier les insuffisances des textes? Vues et plans de Lyon ne sont pas rares au XVIe et au XVIIe siècle. Rien ne peut remplacer l'admirable précision du plan scénographique des années 1550 ou les trois vues successives de la ville de Lyon dessinées par Simon Maupin dans la première partie du XVIIe siècle.

Les documents du XVIIIe siècle sont plus sobres, et Lyon n'a pas l'équivalent du plan de Turgot à Paris. Le meilleur plan lyonnais est dû à Claude Séraucourt, et il a donné lieu à de multiples copies. Il est possible de suivre les grandes innovations de l'urbanisme lyonnais du XVIIIe siècle à travers la succession de ces plans, jusqu'à celui de l'Indicateur de 1810, même si certains documents sont plus des projets d'aménagement que des réalisations (les derniers de Morand pour les Brotteaux par exemple).

Le « plan géométral et proportionnel de la ville de Lyon où sont désignés ses 28 quartiers ou pennonages » gravé en 1747 par Clair Jacquemin, joint aux éditions de la description de la ville par Clapasson, ajoute d'intéressantes précisions sur les limites des quartiers de la ville. Mais il n'existe pas, pour toute cette période, un seul plan contenant les limites des paroisses de la ville.

En réalité, la ville a été peu transformée : ses limites sont restées les mêmes : elle ne déborde pas de ses remparts et les faubourgs restent encore des bourgs semi-ruraux dans lesquels les constructions bourgeoises n'apparaissent encore qu'à peine. Mais il y a eu un remodelage incessant pendant les XVIIe et XVIIIe siècles. Il semble bien qu'un habitant du temps des guerres de religion n'aurait pas reconnu sa ville de Lyon au début du règne de Louis XV : l'opposition est totale entre le plan scénographique de 1550 et la très belle « Vue panoramique de Lyon, vu du quai Saint-Antoine », dédiée par Cléric à François de Neuville, duc de Villeroy en 1730. D'un côté de petites maisons basses, avec de rares et faibles ouvertures, encore souvent séparées les unes des autres par des ruelles; sur les quais, les maisons des bords du Rhône et de la Saône ne sont encore souvent que de petites constructions de pêcheurs ou entrepôts de commerçants. Pour retrouver ces maisonnettes et ces hangars en planches au XVIIIe, si l'on en croit les dessins de Jean-Jacques de Boissieu, il faut aller vers les faubourgs de Lyon, au-delà de la porte Saint-Clair par exemple. La vue de Cléric représente de belles constructions de pierres de quatre ou cinq étages, aux fenêtres à balcons protégées par les jalousies lyonnaises (ou à l'italienne) qui longent les quais de la Saône : la dimension de la ville est la même, mais plus encore que les monuments publics, les demeures privées se sont modifiées.

Dessins, gravures ou tableaux sont d'autant plus rares, que les influences italiennes diverses exercées sur les artistes lyonnais, ou les préférences personnelles d'un Jean-Jacques de Boissieu, déforment les réalités urbaines, ou privilégient la peinture de la campagne. Les meilleures représentations sont l'œuvre de Jean-Baptiste Lallemand, ou encore les dessins d'artistes de la première moitié du XIXe siècle : Alexandre Dunouy, Joseph Desombrages, ou Laurent Hippolyte Leymarie.

Rien n'a changé sur la place des Cordeliers entre une gravure de Lallemand et un dessin de Leymarie soixante-quinze ans plus tard. En dehors de la colonne centrale, toujours surmontée de la même statue de la Gnomonique, les maisons qui l'entourent sont toujours aussi irrégulières : elles ont de deux à cinq étages, des tourelles d'escaliers complètent certaines, de hauts greniers ouverts en terminent d'autres. Il n'est pas jusqu'à l'encombrement qui ne soit resté semblable : les boutiques, les échoppes, les voitures à cheval ou à bœufs, l'affaneur qui roule son tonneau. L' « entrée de l'ancienne rue de la Barre » par Desombrages (1836) est encore un document du XVIIIe siècle : la rue étroite et encombrée, les maisons alignées en façade mais hétéroclites : la pierre voisine encore avec le pisé et les poutres apparentes; les galetas des soupentes ou des mansardes aménagées sous les toits sont encore ouverts, les toits gris ou noirs s'échelonnent selon le nombre des étages des maisons : il n'y en a qu'un ou deux vers le pont de La Guillotière où règnent les cabarets, cinq ou six vers la rue Bellecordière ou la place Le Viste.

D'ailleurs aujourd'hui encore la ville offre de nombreux exemples de ces irrégularités des constructions juxtaposées au cours des siècles : non seulement sur la rive droite de la Saône, mais aussi sur l'autre quai. Dans ce quartier voué à la démolition, le long du quai Saint-Antoine, entre la rue Grenette et les Célestins, on peut encore voir tous les types de maisons. Plus que les décalages des toits (les maisons ont toutes au moins quatre étages sur le rez-de-chaussée) gris des vieilles tuiles lyonnaises, c'est l'aspect hétéroclite des façades qui se remarque le plus. Les maisons sont parfois très étroites : sur 33 visibles encore aujourd'hui, deux ne comportent qu'une seule fenêtre par étage sur le quai, une a neuf fenêtres à chaque étage. Les unes ont des grilles de ferronnerie continues aux premiers étages, d'autres simplement des balcons, d'autres rien. La hauteur des fenêtres et des étages diminue vers le haut de la maison. Dans l'une d'entre elles se voit encore très bien le grenier ouvert qui servait à l'entrepôt ou au séchage des cuirs ou des draps.

Le quai rehaussé et planté d'arbres, la chaussée, le bord de la rivière ont changé depuis une vue d'optique du début du XIXe siècle, mais les maisons sont encore exactement les mêmes.

I. — LA MESURE DE LA CROISSANCE

Écrire l'histoire démographique d'une grande ville demeure une tâche difficile. Les documents, aussi nombreux soient-ils, ne livrent jamais une donnée certaine, immédiatement exploitable. Deux types de sources sont essentiels : les dénombrements de toutes sortes et les registres paroissiaux. Le défaut premier des « recensements » provient de la sous-administration de la monarchie française. Que ce soit l'état, ou plus modestement les autorités municipales, qui prennent l'initiative d'un comptage global des hommes, les exécutants ne disposent presque jamais de consignes assez précises, de modèles assez rigoureux pour que leurs enquêtes livrent des résultats valables, présentés toujours de la même façon et immédiatement comparables les uns aux autres. Deux fois dans la première moitié du XVIIIe siècle, le corps municipal organise un comptage complet des habitants de Lyon. Le premier en 1709 a un motif purement alimentaire : l'approvisionnement de la ville est rendu difficile par les mauvaises récoltes et par la rigueur de l'hiver. Le consulat veut connaître les réserves de grains et de farines entreposées chez les particuliers et le nombre de bouches à nourrir dans toutes les familles qui n'ont pu se constituer de stocks. Mais l'administration de la ville ne peut fournir aux officiers des 35 quartiers des formulaires tous semblables. Les officiers chargés du comptage, chacun dans son secteur, agissent donc selon leur propre compétence ou conscience professionnelle. Les résultats transmis sont très dissemblables. Tel officier fournit un grand nombre de renseignements, analyse la population de chaque maison, famille par famille, et donne le détail de la composition de chaque ménage. Dans le quartier du Plâtre par exemple, le nombre d'enfants et leur âge est porté à côté des chefs de famille, des domestiques, des ouvriers et compagnons et même des pensionnaires logés dans les auberges. Les métiers ou qualités des habitants ne figurent que dans 4 quartiers sur 35, privant ainsi la démographie de son support socio-professionnel. Mais dans la plupart des cas, les documents parvenus dans les archives de la ville ne sont guère utilisables. La présentation de certains est des plus défectueuses. Dans le quartier Saint-Vincent par exemple, ne sont fournis que les noms des 932 chefs de famille, avec le chiffre total d'individus composant le ménage, sans aucune précision sur la composition exacte de celui-ci, l'âge, le métier. Quant à la valeur des totaux, elle reste également très critiquable. Jamais le recomptage minutieux effectué dans chaque quartier n'a redonné le même chiffre que celui transmis aux autorités. Dans 13 des 35 quartiers, deux totaux sont indiqués, le premier en début de mai, le second en juin après une vérification : les seconds chiffres sont toujours supérieurs aux premiers, la différence pouvant atteindre près de

20 % comme pour le Gourguillon ou être de quelques unités seulement comme dans celui de Bonrencontre. Et il s'agit de la meilleure source d'ensemble de la démographie lyonnaise du XVIIIe siècle!

A défaut de recensements sérieux (celui de 1746 est particulièrement médiocre), il faut recourir aux registres paroissiaux dont l'utilisation statistique, à laquelle recoururent les premiers « démographes » du XVIIIe siècle, pose de délicats problèmes dans le cadre d'une grande ville.

Le premier est dû à la multiplication du nombre des paroisses. La ville de Lyon est, avec ses faubourgs, divisée en quatorze paroisses, d'importance très diverse : la moyenne annuelle des baptêmes dans celle de Fourvière est de peu supérieure pendant le XVIIIe siècle à 5, alors qu'elle dépasse 1 500 dans celle de Saint-Nizier. La partie la plus ancienne de la ville, côté Fourvière, est divisée en huit paroisses, dont trois débordent les murs de la ville, celles de Saint-Just et de Saint-Irénée à l'ouest, celle de Saint-Pierre-ès-liens de Vaise au nord. Certaines, situées auprès de la primatiale Saint-Jean, sont toutes petites (Saint-Pierre-le-Vieux ne couvre que cinq hectares) alors que celles des faubourgs peuvent être cent fois plus étendues sans être beaucoup plus peuplées. Dans la presqu'île, cinq paroisses seulement se partagent le territoire, jusqu'au faubourg de la Croix-Rousse dont la plus grande partie dépend des paroisses urbaines de la Platière et de Saint-Pierre et Saint-Saturnin. Enfin une seule paroisse, Notre-Dame-de-Grâce, couvre tout le faubourg de La Guillotière et les Brotteaux, encore bien peu habités. La série des registres paroissiaux est complète pour le XVIIIe siècle, et même pour le dernier quart du XVIIe. On ne peut déplorer que quelques avaries minimes, comme l'incendie qui brûla en 1826 la plus grande partie des registres de Saint-Martin d'Ainay, dont les doubles ont été heureusement conservés. Dans les dernières années du XVIIe siècle, les registres sont encore souvent tenus imparfaitement, mais à la fin du règne de Louis XIV, tous sont utilisables, malgré certaines différences entre les paroisses. Les ordonnances de 1736 ne modifient pas leur aspect : les réformes ne s'adressaient pas aux curés et vicaires des villes. Tout juste peut-on signaler la note humoristique qu'ajoute à sa tâche le vicaire de Sainte-Croix qui décore ses registres... de dessins des personnages de la comédie italienne! sans pour autant négliger l'écriture des actes d'état civil.

Le deuxième problème provient du nombre même des actes : plus de quatre cent mille baptêmes, presque autant de sépultures, plus de cent mille mariages en un siècle dans la ville de Lyon : les simples comptages, dont on sait combien l'interprétation est difficile, deviennent une œuvre imposante. On ne peut se fier aux tables très diverses qui complètent les registres : certaines sont modernes, d'autres, anciennes, sont assez bien faites, mais certaines, comme celles de La Guillotière, sont presque inutilisables, même pour des comptages grossiers.

Un dernier facteur complique enfin l'étude de la démographie lyonnaise : le profil démographique fourni par le mouvement des baptêmes et des sépultures est faussé dans des proportions considérables par l'existence, à côté des paroisses, de deux hôpitaux très importants. Il suffit d'un chiffre pour souligner leur rôle : de 1750 à 1774, sur un total de 91 663 sépultures, 59 557 sont inscrites dans les registres des quatorze paroisses de la ville, et 32 106 (35,2 %) dans les deux hôpitaux.

La complexité est encore plus grande pour les baptêmes : de 1780 à 1789 furent enregistrés dans les paroisses 43 200 baptêmes, mais il faudrait y ajouter 16 480 baptêmes dans les deux hôpitaux pendant la même décennie (27,6 % du total). Dans quelle mesure doit-on corriger le mouvement des naissances à Lyon en faisant intervenir dans le bilan celui des hôpitaux?

L'importance du nombre des habitants d'une ville échappait souvent aux contemporains; dans les mémoires ou descriptions, les chiffres les plus surprenants sont avancés. Le prêtre bolonais Sébastien Locatelli, dans la relation de son voyage en France de 1664, parle des 300 000 habitants de la ville de Lyon. Dans un très sérieux mémoire de 1755 en faveur de la très sérieuse communauté des maîtres chirurgiens de Lyon, le procureur se plaint de la rareté des pharmaciens « pour une cité de 600 000 habitants ». C'est faire de Lyon l'égale de Paris ou de Londres! Il semble bien que dans ce dernier cas l'auteur se soit contenté de reprendre sans les modifier, et sans s'apercevoir de la différence, les termes d'un écrit parisien sur le même sujet.

Les estimations plus sérieuses et plus honnêtes ne manquent cependant pas pendant tout le XVIIIe siècle.

Saugrain, partant d'un nombre de feux fantaisiste (peut-être le nombre des maisons), avance un chiffre de 95 000 habitants, proche de celui auquel s'arrête l'intendant Lambert d'Herbigny dans son *Mémoire sur le gouvernement de Lyon* de 1697. Le dénombrement de 1709 propose des totaux très voisins, entre 87 000 et 90 000, qui signifient sans doute une légère récession après la très meurtrière crise de 1693-94, dont les effets n'ont pas encore été entièrement effacés.

Le relevé des baptêmes, mariages et décès de la fin du règne de Louis XIV permet, par comparaison avec ce dénombrement, une analyse plus précise de la population lyonnaise.

Trois auteurs, l'abbé Expilly dans le *Dictionnaire géographique des Gaules*, Messance, subdélégué à Saint-Étienne, dans ses *Recherches sur la population*, et l'abbé Lacroix, membre de l'Académie de Lyon, dans ses *Considérations sur le nécrologe* utilisent des comptages qui permettent de suivre l'évolution de la population lyonnaise depuis la fin du XVIIIe siècle.

Messance a relevé 37 749 naissances de 1690 à 1699 — soit une moyenne annuelle de 3 775 pour l'ensemble des 14 paroisses de la ville et des faubourgs. Pour la décennie 1699-1708, Expilly a compté 41 362 naissances — avec une moyenne annuelle de 4 136 — soit une augmentation très sensible (près de 10 %) d'une période à l'autre. La différence serait un peu moins marquée pour la décennie 1700-1709, le nombre des naissances ayant connu un net fléchissement pour l'année 1709 (3 300 baptêmes contre une moyenne de 4 136 pour les dix années précédentes). Les faubourgs étant compris dans ces totaux, il faudrait supprimer au moins 150 naissances par an (110 pour La Guillotière et 40 pour Vaise), ce qui laisse pour la ville proprement dite des 35 quartiers entre 3 900 et 3 950 naissances annuelles. Messance propose un coefficient de multiplication de 28 du chiffre annuel des naissances, Expilly le coefficient 30 : leur estimation de la population lyonnaise devient de 105 700 habitants pour Messance en 1700, de 124 086 pour Expilly en 1708 (faubourgs compris — 101 700 et 119 600 sans eux). Dans les deux cas, le chiffre obtenu est très supérieur à celui proposé par Lambert d'Herbigny et à celui fourni par le dénombrement de 1709 (notons que le coefficient 28 appliqué aux naissances de 1709 donne une population de 92 400, très voisine des résultats du dénombrement). Les deux auteurs justifient leur méthode de calcul par le fait qu'on doit attribuer à une grande ville un coefficient plus élevé à cause des « différentes classes de citoyens vivant dans le célibat », et

« à cause du commerce prodigieux qui se fait dans la ville de Lyon ». L'enquête sur la domesticité à Lyon au moment du recensement de 1709 confirme d'ailleurs ce grand nombre de célibataires dans la ville et justifie l'emploi d'un coefficient plus fort pour les grandes villes.

La valeur exacte de la population lyonnaise doit se trouver comprise entre les estimations de Messance et le résultat du dénombrement de 1709. Le chiffre moyen des naissances de la période 1699-1708 pour une population de 90 000 habitants suppose un taux de natalité de 45 ‰, ce qui semble peu vraisemblable dans une ville dont 40 % des adultes sont célibataires (même si la fécondité des familles est particulièrement grande). Messance établit à 35,7 ‰ ce taux de natalité, Expilly le réduit à 33,3 ‰, ce qui est peut-être un peu faible (le nombre moyen d'enfants par mariage passe de 4,32 pour la décennie 1690-1699 à 4,83 pour les dix années suivantes : c'est évidemment une des conséquences de la grande mortalité de 1693-1694 qui a frappé un grand nombre d'adultes et défait de nombreux ménages encore féconds).

Si l'on ajoute que les baptêmes des hôpitaux ne sont pas inclus dans les chiffres précédents, il semble à peu près certain que dès le début du XVIIIe siècle la population de Lyon était déjà légèrement supérieure à 100 000 habitants, sans doute voisine de 110 000 avec ses faubourgs. L'histoire démographique du règne de Louis XIV dans les grandes villes reste à faire à peu près totalement : les quelques sondages effectués dans les registres paroissiaux pour la période 1650-1700 prouvent que la ville a connu alors une remarquable expansion. De 1650 à 1660 la moyenne annuelle des baptêmes est voisine de 2 700, ce qui correspond à une population de 75 000 habitants. La progression des baptêmes est très rapide jusqu'à la décennie 1680-1689 où ils atteignent le rythme de 4 000 par an, pour stagner ou légèrement décroître dans les années suivantes. Au moins jusqu'en 1709 et malgré les crises très dures, la population lyonnaise reprend sa croissance et atteint sans doute un maximum entre 1705 et 1708. La chute brutale des naissances en 1709 a déjà été signalée. Comme tout le pays, la ville est très durement touchée par la mauvaise conjoncture économique et la rigueur de l'hiver. Les abandons d'enfants sont des plus nombreux, et même si le nombre des décès reste moins élevé qu'en 1693-1694, il l'emporte cependant largement sur celui des naissances.

1709 ne fut-elle qu'une année de crise violente, mais passagère, comme en 1693, ou est-ce le début d'une récession démographique plus durable et plus importante ?

En comparant les baptêmes à Lyon de 1690 à 1699 d'une part, et ceux de 1752 à 1761 d'autre part, Messance conclut à une augmentation de la population lyonnaise d'un peu moins d'un dixième. Mais il faut remarquer qu'il n'a pas choisi les années de départ les plus favorables (ou bien 1680-1689, ou 1700-1709). S'il avait comparé la première décennie du siècle avec les années 1750-1759, la progression des naissances serait devenue nulle : la population de Lyon semble stagner pendant la première moitié du XVIIIe siècle. Le tableau donné par Expilly indique mieux la véritable évolution que les comparaisons de Messance, trop éloignées les unes des autres.

DÉNOMBREMENT DES MARIAGES, DES NAISSANCES ET DES MORTS DES PAROISSES DE LA VILLE ET DES FAUBOURGS DE LYON, DEPUIS 1679 JUSQU'EN 1758
(Source : *Dictionnaire d'Expilly*)

Périodes de 10 ans	Mariages	Naissances	Morts	Nombre des habitants
1679-1688	10 030	39 071	27 423	117 213
1689-1698	8 806	38 109	27 394	114 327
1699-1708	8 552	41 362	22 411	124 086
1709-1718	8 264	35 527	22 481	106 581
1719-1728	9 153	35 498	23 347	106 494
1729-1738	9 599	38 695	23 381	116 085
1739-1748	9 501	41 193	23 928	123 579
1749-1758	10 297	42 023	23 786	126 069

Dans son commentaire, Expilly note une augmentation des naissances (donc de la population) d'un quatorzième au terme de ces quatre-vingts années. Mais entre la décennie 1699-1708 et celle de 1749-1758, il n'y a qu'une progression très faible des naissances (1,5 %), très inférieure à celle notée par Messance. Et surtout le relevé d'Expilly met en lumière une évolution : si le résultat final de cette première moitié du XVIIIe siècle se traduit par une stagnation, il cache l'évolution réelle : après 1709 il y a un profond recul du nombre des baptêmes, sans aucun doute diminution de la population dans la ville, la reprise n'étant guère sensible avant 1730. Autrement dit, la première moitié du XVIIIe siècle est tout juste une période de rattrapage des pertes subies les dernières années du règne de Louis XIV. « On remarque que l'année 1709 semble avoir enlevé à la ville de Lyon plus de 18 000 âmes », note Expilly, soit 14 % de la population totale. Ce n'est pas la mortalité seule qui est responsable de cette chute, mais tout un ensemble de facteurs. Plusieurs périodes de difficultés économiques rapprochées, le travail irrégulier de la Fabrique se traduisent par un ralentissement de l'immigration vers la ville. Les vides causés par la crise de 1693-1694 provoquent de véritables classes creuses vers 1715, d'où une chute brutale du nombre des mariages (baisse de 18 % entre 1688 et 1718). Pour l'ensemble des quatorze paroisses de la ville, ce n'est qu'à partir de 1750 que l'on peut vraiment parler d'une progression, d'ailleurs réduite, des naissances jusqu'en 1780. Dans la paroisse la plus peuplée de la ville, Saint-Nizier, le niveau des baptêmes atteint entre 1700 et 1709 n'est jamais dépassé pendant tout le XVIIIe siècle. Même dans les paroisses qui ont connu une expansion plus importante dans le cours du siècle, comme la paroisse Saint-Georges, ou plus encore Ainay ou le faubourg de La Guillotière, la chute est sensible entre 1710 et 1730, la reprise plus ou moins rapide, plus ou moins marquée ensuite.

Enfin, partout, sauf dans les paroisses des faubourgs qui continuent leur progression, la dernière période avant la Révolution (1780-1789) connaît un nouveau et assez net repli, très sensible dans les paroisses les plus peuplées du centre, comme Saint-Nizier, ou dans les quartiers populaires du côté Fourvière (Saint-Paul ou Saint-Georges). Cependant ce recul des naissances ne concerne vraiment que les deux dernières années de l'Ancien Régime : c'est en 1788 et 1789 que le niveau des baptêmes redescend à celui du milieu du siècle, parfois plus bas. Une fois encore la crise de la Fabrique après 1786 trouve une répercussion immédiate sur l'évolution démographique. « Ce dernier tableau, écrit Messance en commentant l'évolution des naissances pendant le siècle, présente une augmentation progressive dans la population de Lyon; et ce qui doit étonner, c'est qu'on y était persuadé que le nombre des habitants avait diminué durant les dix années de 1776 à 1786 : on ne parlait que d'émigrations et de maisons à louer; c'est ainsi que les erreurs se répandent, et qu'elles s'accréditent. » La remarque de Messance est tout à fait justifiée : si une baisse se fait sentir, c'est après 1786 seulement, et la population de Lyon aurait augmenté depuis 1700 « dans le rapport de 37 à 45 ». La population de la ville serait de 126 000 habitants en appliquant le même coefficient 28 que pour les périodes précédentes, de 135 500 habitants avec la multiplication par 30 effectuée par Expilly.

En réalité, toutes les estimations, même celle de Messance, sont nettement supérieures à ce chiffre. Dans les nouvelles recherches, Messance utilise le coefficient 29 pour les plus grandes villes du royaume (et 30 pour Paris seulement). Mais surtout il n'applique pas ce coefficient aux seules naissances des paroisses, mais à un total nettement supérieur, comprenant au moins une partie des naissances des hôpitaux. Il accorde donc 151 786 habitants à Lyon. Necker, et les dictionnaires de la fin du siècle, les autorités municipales ou l'administration royale avancent des chiffres semblables : 30 000 feux, 138 000 habitants dans la ville, 150 000 avec les faubourgs et la population flottante. Peuchet, dans le *Dictionnaire universel de la France commerçante*, cite les dernières évaluations à la veille de la Révolution : toutes sont proches de ces 150 000 habitants.

Ce dernier chiffre est-il acceptable? Il est sans conteste trop fort si l'on retient les mêmes bases de calcul que pour les périodes précédentes : l'augmentation des naissances reste limitée ou même insignifiante dans les paroisses et il serait anormal de conclure à une augmentation de la population de l'ordre de 40 % en face d'une progression de 20 % seulement des naissances. Cependant, si Messance, le meilleur et le plus précis analyste de la population des villes, accepte cette différence, les arguments ne manquent pas pour justifier cette apparente contradiction.

On ne peut en effet étudier la démographie à travers la seule évolution des naissances. Or, à côté de la faible progression du total des baptêmes, le nombre des mariages célébrés dans la ville au cours du XVIIIe siècle augmente beaucoup plus rapidement.

Entre 1710 et 1719, le nombre des mariages à Lyon a connu son minimum : à peine plus de 800 par an en moyenne. Ensuite le chiffre ne cesse d'augmenter : dans les dix dernières années avant la Révolution la moyenne est supérieure à 1 300 par an. La progression est de l'ordre de 60 %. Les structures démographiques n'ont pas varié au point de juxtaposer une population stagnante et une progression des mariages de plus de la moitié. Avec un taux de nuptialité proche de 9 ‰ pendant tout le siècle, l'évolution de la population constatée au cours du XVIIIe siècle serait à peu près la suivante :

— 97 000 habitants vers 1700;
— 114 000 habitants vers 1760;
— 146 000 habitants vers 1785 : l'accélération de la progression est évidente dans la dernière partie du siècle, beaucoup plus nette que celle indiquée par l'examen des naissances. Cette constatation pose cependant un nouveau problème : le nombre moyen d'enfants par mariage connaîtrait une baisse fort importante dans les années qui précèdent la Révolution : très supérieur à 4 dans les premières décennies, il ne serait plus que de 3,5 et même un peu moins dans la dernière. L'examen précis des baptêmes dans les hôpitaux permet cependant de nuancer cette affirmation.

Les deux hôpitaux de Lyon prennent en charge en effet de très nombreux enfants. Les interventions de ces hôpitaux sont de plusieurs natures. La forme la plus connue de leur assistance aux enfants délaissés est l'adoption des orphelins légitimes.

Le statut des enfants délaissés, abandonnés ou exposés par leurs parents est très différent : ils sont recueillis par l'Hôtel-Dieu jusqu'à l'âge de 6 ans et 7 mois et par l'hôpital de la Charité ensuite. Dans l'ensemble, le rythme de l'abandon des enfants est très variable et il suit le plus souvent les vicissitudes de la conjoncture économique. « Le lien entre la montée de la misère et celle des abandons est évident. » La crise de 1693-1694 se traduit ainsi par une « formidable augmentation » de ceux-ci : 567 en 1692, 906 en 1693, 1 545 en 1694, pour retomber à 404 en 1695. Le même phénomène s'observe en 1709 : 454 en 1708, 1 884 en 1709 et 589 en 1710 une fois la crise terminée. Deux raisons ont poussé les auteurs du XVIIIe siècle à ne pas tenir compte de ces enfants exposés, baptisés par l'Hôtel-Dieu quand il les prend en charge, dans les statistiques générales des baptêmes. Messance les résume : « Parce qu'il est à présumer qu'une partie des enfants trouvés ont été baptisés dans la paroisse où ils sont nés, et que le baptême qui leur est administré à l'Hôtel-Dieu formerait, dans ce cas, un double emploi : d'ailleurs ces enfants trouvés ne sont pas tous de la ville, un grand nombre est apporté des petites villes et paroisses voisines. » L'abbé Lacroix estime pour sa part qu'au moins la moitié de ces enfants trouvés vient de la campagne. Il faut retenir de l'opinion de Messance qu'il reconnaît qu'une partie au moins des exposés n'avait pas reçu de baptême avant leur abandon. Les registres des abandons d'enfants sont très imprécis sur ce point. Les études des abandons d'enfants ont insisté à juste titre sur les billets accrochés au cou ou au poignet des enfants, donnant le nom de l'enfant et les raisons du délaissement par les parents, et suppliant les recteurs de l'Hôtel-Dieu de prendre soin de l'enfant trouvé. Mais ces billets émouvants ne se trouvent que dans 35 à 40 % des cas : l'incertitude reste totale pour les autres, la majorité. Dans l'ensemble il faut admettre que les enfants âgés de plus de trois ou quatre jours lors de leur abandon ont déjà reçu le baptême : celui-ci intervient en effet, le plus souvent, ou le jour, ou le lendemain de la naissance. Psychologiquement cependant, les parents qui ont décidé d'abandonner un nouveau-né peuvent avoir la tentation de ne pas le baptiser : les recherches effectuées par les recteurs pour retrouver les parents ont moins de chance d'aboutir quand l'enfant n'a pas déjà reçu le sacrement officiel du baptême (et le sentiment religieux qui exige ce sacrement ne peut empêcher l'abandon, dans la certitude où sont les parents que celui-ci leur sera administré dès leur entrée à l'hôpital). La proportion des nouveau-nés parmi les enfants abandonnés est très variable d'une année à l'autre et au cours du siècle. D'une façon générale elle est faible (20 % environ) lors des fortes crises que l'on peut appeler de type ancien (1693, 1709); elle est déjà beaucoup plus forte les années normales, elle est enfin beaucoup plus importante dans la deuxième moitié du XVIIIe siècle. D'après des sondages dans les registres de l'Hôtel-Dieu en 1755 et 1769, de la Charité en 1785 environ 150 à 200 naissances annuelles seraient ainsi à ajouter aux baptêmes enregistrés dans les paroisses pour la période 1750-1789.

Mais les enfants exposés ne sont pas les seuls dont l'Hôtel-Dieu assure l'entretien. Deux catégories d'enfants naissent à l'hôpital même : des enfants légitimes de pauvres femmes de la ville, « qui étant hors d'état par leur indigence de faire leurs couches chez elles, sont reçues dans l'hôpital lorsqu'elles s'y présentent aux approches de l'accouchement, et y reçoivent tous les secours nécessaires jusques à leur parfait rétablissement ».

Les relevés de l'abbé Lacroix, et des sondages dans quelques autres années montrent l'importance de cette pratique. De 1750 à 1774, l'Hôtel-Dieu enregistre la naissance et le baptême de 8 479 enfants légitimes qui sont baptisés sur place : tous ces nouveau-nés ne sont donc pas comptés une deuxième fois dans les registres paroissiaux de la ville : c'est autant de naissances supplémentaires dans la ville (339 par an en moyenne pour ces 25 ans, soit l'équivalent d'une paroisse). La plupart de ces femmes sont des habitantes de la ville : plusieurs sondages dans les registres de l'Hôtel-Dieu, en 1746, 1755 et 1781, indiquent que 95 % des enfants légitimes nés à l'hôpital sont de parents domiciliés dans la ville : quelques-uns seulement sont originaires des villages ou des petites villes du Lyonnais.

Il semble que dans la première moitié du XVIIIe siècle leur nombre soit nettement plus faible : par le fait de ces enfants, la progression des naissances à Lyon est en fait un peu plus forte déjà que ne le marque l'enregistrement des baptêmes dans les paroisses (plus de la moitié des enfants nés à l'Hôtel-Dieu ont des parents domiciliés dans la paroisse Saint-Nizier, la paroisse dans laquelle est situé l'hôpital; c'est une des raisons de la stagnation de la natalité dans ce quartier de Lyon dans la deuxième moitié du siècle).

Enfin les « bâtards » ou enfants illégitimes constituent une troisième catégorie parmi les enfants de l'Hôtel-Dieu. Le Recteur chargé du soin des enfants doit faire arrêter « avec tous les ménagements que la prudence peut lui suggérer » toute fille qui lui est signalée enceinte dans la ville « ou dans les lieux circonvoisins » : elles accouchent alors dans une salle qui leur est réservée à l'Hôtel-Dieu. Les naissances illégitimes de l'Hôtel-Dieu sont presque aussi nombreuses que les légitimes : 8 075 de 1750 à 1774 (323 par an). Ce chiffre ne concerne que les seuls illégitimes nés dans l'hôpital : à partir de 1746, en effet, le frère chargé de tenir le registre des enfants distingue deux catégories d'enfants illégitimes : les bâtards nés dans la maison, et les enfants illégitimes nés hors de l'Hôtel-Dieu et « traités » dans l'hôpital : le plus souvent ces derniers sont des enfants abandonnés ou illégitimes nés dans la ville ou dans la campagne proche, mais dont les mères sont obligées de remettre leurs enfants à l'hôpital, à la suite de leur déclaration de grossesse. Aussi les statistiques de la dernière partie du siècle enflent-elles beaucoup le nombre des illégitimes qui sont une moyenne de 837 par an inscrits sur les registres de l'Hôtel-Dieu de 1775 à 1782 : la moitié d'entre eux ne sont pas nés à l'hôpital et le même problème se pose pour eux que pour les exposés : ils ont pu être baptisés dans les paroisses ou dans les villages ruraux avant leur admission à l'Hôtel-Dieu. Ni Messance, ni l'abbé Lacroix ne retiennent ces naissances illégitimes dans leur calcul de la population lyonnaise. La raison de leur exclusion serait que la majorité de ces filles enceintes seraient des habitantes de la campagne venues en ville seulement pour accoucher.

En réalité, beaucoup de ces filles étaient depuis longtemps à Lyon avant leur grossesse. Les déclarations qu'elles font devant notaire accusent presque toujours des Lyonnais, soit compagnons de travail, soit patrons, d'être les responsables de leur état. Les conditions de vie des ouvrières lyonnaises (dévideuses, ou servantes) suffiraient d'ailleurs à expliquer une proportion de naissances illégitimes très supérieure à celle des campagnes voisines.

Ainsi encore 150 à 200 enfants naissent chaque année de parents lyonnais et ne sont pas comptés dans les statistiques des registres paroissiaux. Les naissances de l'Hôtel-Dieu permettent donc une correction importante des chiffres précédents : dans la deuxième moitié du siècle, et en nette augmentation sur la première moitié, ce sont au moins 600, souvent plus de 700 naissances supplémentaires qui s'ajoutent aux baptêmes des quatorze paroisses de la ville. Cela ne signifie pas que l'on puisse appliquer le même coefficient de multiplication à ces naissances qu'aux autres, et ajouter ainsi 20 000 habitants à la ville : cela suffit à justifier l'emploi d'un coefficient assez élevé pour la ville de Lyon. En effet, la multiplication par 30 des 4 518 naissances annuelles des paroisses pour la période de 1776 à 1785 indiquerait une population de 135 000 habitants pour Lyon : si l'on ajoute les 750 naissances non indiquées dans ce total chaque année (exposés non baptisés, légitimes et bâtards nés dans l'hôpital), le taux de natalité réel serait de 39 ‰, ce qui serait très élevé dans une ville où les célibataires restent très nombreux et où l'âge au mariage des femmes est en moyenne très élevé.

L'étude des naissances et l'examen des mariages sont donc finalement à peu près concordants : la population lyonnaise, très élevée au début du XVIIIe siècle, sans doute déjà supérieure à 100 000 habitants, après un net repli à la fin du règne de Louis XIV et au début de celui de Louis XV, connaît une progression sensible et continue jusqu'aux toutes dernières années de l'Ancien Régime. Si la crise de 1786-1787 a des répercussions sérieuses sur la démographie urbaine, il paraît probable cependant que la population de Lyon entre 1780 et 1785 est proche de 150 000 habitants.

Ainsi la ville de Lyon a connu une croissance, peut-être modérée, mais incontestable, au cours du XVIIIe siècle. Les statistiques du XVIIIe siècle trouvèrent l'explication de cette croissance dans l'excédent des naissances sur les décès. L'abbé Lacroix par exemple calcule un excédent de 39 000 baptêmes entre 1750 et 1774 : un tel écart correspondrait à une augmentation de la population supérieure à 1 % par an, plus forte donc encore que ne l'indiquent les diverses estimations. Cette simple constatation suffit à prouver que les données fournies par les registres paroissiaux urbains sont insuffisantes : il ne saurait être question d'analyser la démographie d'une grande ville en la coupant arbitrairement de sa région. Celle-ci joue en effet un rôle très important.

2. — LA POPULATION DANS LA VILLE : CROISSANCE ET TOPOGRAPHIE URBAINE

a) *L'exiguïté urbaine.*

« Lyon, ville grande, riche, belle, ancienne, très peuplée, fort commerçante, très célèbre et la plus considérable du royaume après Paris », ainsi commence l'article Lyon du *Dictionnaire* d'Expilly.

Réputée ville de guerre, puisque ancienne ville-frontière, la ville de Lyon était entourée de remparts. Depuis longtemps, la vocation militaire de Lyon est oubliée, et les anciens remparts ne sont plus entretenus. Du règne de Louis XIII datent les derniers grands travaux de défense de la ville : la ville est fermée par des fortifications aussi bien le long du Rhône (grands travaux faits en 1626 sous le gouverneur M. d'Halincourt) que sur le plateau de la Croix-Rousse entre la ville et le faubourg (jusqu'en 1636). Mais depuis cette date les remparts ne sont plus aménagés; ils tombent progressivement en ruine pendant le XVIIIe siècle. Certains sont même détruits par les grands travaux d'urbanisme, en particulier le long du Rhône entre la porte Saint-Clair au nord jusqu'à celle d'Ainay au sud : les travaux de Perrache jettent à bas ces derniers remparts de la presqu'île et leurs promenades ombragées si appréciées des Lyonnais. Vaise, Saint-Irénée et La Guillotière sont totalement situés hors des murs de la ville.

Un calcul établi en 1742, et maintes fois repris, estime la superficie de la ville à 2 800 bicherées de Lyon, soit environ 364 hectares. Hors des murs la superficie dépendant de la ville de Lyon est bien sûr beaucoup plus grande. Mais la ville effective est bien (exception faite à la fin du XVIIIe siècle des premières constructions du quartier Perrache dans l'ancienne île Moigniat reliée à la presqu'île par les travaux en cours) celle qui avait été fermée de murailles. L'examen des plans montre même que la ville occupe une surface encore plus restreinte que ces 364 hectares : la plupart des pentes de la Croix-Rousse sont encore garnies de jardins ou de vignes; il en est de même d'une grande partie de la paroisse d'Ainay et de tous les coteaux de la rive droite de la Saône, au-delà de la grande rue Saint-Georges et de la montée du Gourguillon. Les maisons couvrent tout l'espace compris entre la place Bellecour et celle des Terreaux; elles sont encore importantes dans la vieille ville, mais la largeur de la zone construite à partir des quais de la Saône ne dépasse jamais deux cents mètres. Le long du quai Saint-Vincent, sur la rive gauche, les maisons sont encore moins nombreuses. Sur les pentes de la Croix-Rousse elles bordent la Grand-Côte et les quelques autres voies d'accès, laissant de larges clos de verdure. Elles n'existent encore presque pas le long des remparts de la Croix-Rousse, sauf auprès des portes. La surface totale utile se trouve ainsi réduite à cent cinquante hectares environ à la fin du XVIIIe siècle. C'est extrêmement peu pour une « grande ville ».

Le mémoire de 1742 propose d'étendre la superficie utile de la ville aux dépens des propriétés ecclésiastiques qui en auraient couvert les trois quarts. Le rôle des contributions foncières de 1791 permet de mesurer l'étendue de ces propriétés non bâties, jardins ou vignes surtout, qui occupent surtout les pentes de la Croix-Rousse et de la rive droite de la Saône. Moins du tiers de ces « espaces verts » (118 sur 371) est propriété ecclésiastique dans la section du nord-ouest, pourtant remarquable par la densité de ses maisons religieuses.

Les meilleurs sites pour la construction sont les terrains plats gagnés sur le Rhône en aval de son confluent ou de l'autre côté du Rhône aux Brotteaux. Il est vrai qu'il s'agit là encore dans bien des cas de propriétés ecclésiastiques. Quand Soufflot et ses associés cherchent à construire le nouveau quartier Saint-Clair gagné sur le cours du Rhône, ils se heurtent pendant de longues années à la résistance des Dames de Saint-Pierre qui avaient un droit de directe sur ces terrains. Mais leur opposition, pas plus que celle de la famille Tolozan qui venait de faire construire son somptueux hôtel à proximité de ces travaux, ne purent empêcher les lettres patentes de 1758 et la réalisation du projet. L'Hôtel-Dieu et les comtes de Lyon, propriétaires de la majeure partie du sol des Brotteaux, s'opposèrent aussi longuement aux projets de Morand pour construire le pont entre le quartier de Saint-Clair et la rive gauche du Rhône, mais ils s'inclinèrent enfin, dans la perspective de réaliser d'excellentes affaires financières : la mise en vente des parcelles tracées par Morand aux Brotteaux donna lieu à une grande spéculation immobilière qui fit hausser considérablement la valeur des terrains. Un registre malheureusement endommagé de 1789 récapitule ces achats de terrains aux Brotteaux à la suite du projet Morand : 36 acheteurs payent en tout 505 312 livres pour les terrains nus, répartis en plusieurs classes selon leur emplacement : les prix atteignent jusqu'à deux livres le pied carré de terrain (1/10e de mètre carré). Parmi les acheteurs, se retrouvent de grands noms de l'aristocratie financière lyonnaise, des négociants comme Fulchiron, un Trésorier de France comme Flachon de la Jomarière, qui en 1789 habite la demeure qu'il s'est fait construire aux Brotteaux place Montgolfier, le notaire Coste, l'ancien échevin Guillin de Pougelon et son fils Guillin d'Avenas. A leur côté figurent des entrepreneurs, marchands de bois ou maîtres charpentiers comme Damien Garnier, et bien sûr les cafetiers et marchands de vin ou aubergistes qui veulent continuer de donner aux Brotteaux leur rôle traditionnel de lieu de réunion pour les dimanches lyonnais.

Une vue optique du musée historique de Lyon illustre cette exiguïté de la ville : c'est une « Vue perspective de la ville de Lyon » depuis les remparts de la Croix-Rousse, et présentant en enfilade la presqu'île jusqu'au confluent des deux rivières : les demi-lunes et contregardes des murs forment le premier plan; toute la pente de la colline est occupée par les enclos de vergers, puis la ville se rétrécit de plus en plus dans le lointain. Dans sa partie la plus peuplée de la paroisse Saint-Nizier, elle n'a pas quatre cents mètres de large entre Rhône et Saône. Les témoins du temps sont très sensibles à ce manque d'espace. Arthur Young notait, parlant des travaux Perrache : « La ville serait sans doute mieux placée sur ce terrain égal à la moitié de l'espace qu'elle couvre actuellement. » L'abbé Guillon dc Montléon, décrivant sa ville à la veille du siège de 1793, fait une remarque semblable : « La troisième partie de Lyon est dans une basse plaine oblongue, entre le Rhône et la Saône, depuis la seconde montagne jusqu'au territoire Perrache qui, situé au sud de la ville, en pourrait devenir la prolongation, puisqu'il va demi-lieue plus bas se terminer en péninsule au confluent du Rhône et de la Saône. » Mais ces agrandissements étaient réservés au XIXe siècle.

Dans cet espace restreint la ville ne peut se permettre beaucoup d'espaces libres : les rues sont « étroites et tortueuses » dans tous les quartiers. Le consulat essaye plusieurs fois, au cours du XVIIIe siècle, de prendre des mesures pour améliorer les conditions de circulation. Les décisions d'urbanisme sont nombreuses, concernant l'éclairage nocturne ou les alignements des façades. Le corps municipal avait dès 1680 réalisé un plan général d'alignement. Le but général est d'améliorer la circulation dans la ville en supprimant progressivement les étranglements. Quelques décisions du voyer de la ville, au XVIIIe siècle encore, illustrent bien l'archaïsme de certains secteurs. En 1723 et 1724, une expertise est faite pour l'ensemble de la rue des Prêtres, voie des plus passantes à proximité de la porte Saint-Georges et du pont de bois de l'Archevêché. Sa largeur est de neuf pieds (3 mètres) et deux charrettes ne peuvent s'y croiser. La rue du Bœuf, encore plus utilisée, à la sortie du Chemin Neuf, est resserrée, sur les deux tiers de sa longueur, entre trois maisons, avec la même largeur de neuf pieds. Dans le centre plus récent, les conditions ne sont guère meilleures. Rue du Plat d'Argent, un teinturier a dressé des perches d'étendage devant sa maison — si basses qu'elles gênent la circulation, si longues qu'elles empiètent de trois pieds au-delà du milieu de la rue, si chargées de draps qu'elles interceptent le jour des maisons voisines : il est vrai que la rue ne dépasse pas 14 pieds de large. Le consulat et son voyer essaient pendant tout le siècle d'obliger les propriétaires à respecter les décisions d'alignements.

Plusieurs fois les propriétaires furent obligés de reculer leurs maisons pour élargir un peu les rues les plus passantes de l'intérieur de la ville. Lors de la construction de l'ensemble du quartier Saint-Clair, les entrepreneurs promettent de construire une voie « royale » (c'est le nom qui fut réservé à cette nouvelle rue) de 24 pieds de large : c'était beaucoup plus que les anciennes rues. Aussi les archives de la police municipale contiennent-elles encore pendant tout le siècle de multiples procès-verbaux contre les encombrements de la cité : les charrettes de livraisons de bois ou de fagots qui bloquent les rues pendant des heures devant les boutiques des boulangers, les charretiers qui renversent les étals des revendeurs de fruits ou d'hortolages... quand ce ne sont pas les chevaux ou les mules qui mangent, profitant des arrêts dus aux encombrements, les pommes ou les choux ainsi offerts.

La nécessité d'emprunter les ponts pour mettre en communication les différentes parties de la ville n'améliore pas les transports. Sur la Saône, le seul pont de pierre date du Moyen Age. Le pont, très étroit, est surchargé par des maisons sur les piles, aux deux entrées, et un pavillon qui sert de poste de garde en son milieu. Dès 1741 Clapasson notait : « La voie en est de beaucoup trop étroite, ce qui occasionne de fréquents embarras. » Les maisons très hautes et anciennes qui le surmontent sont instables : une crue violente ou un accident peuvent les ébranler : en 1744 le choc d'un bateau contre les piles du pont fait s'écrouler deux maisons, ensevelissant leurs habitants. Si le consulat interdit la reconstruction de ces deux maisons, il ne put faire disparaître celles qui restaient sur la rive gauche et que l'on voit encore sur les dessins du début du XIXe siècle. Le seul pont du Rhône jusqu'en 1774 était celui de La Guillotière, célèbre pour sa longueur, mais lui aussi flanqué de tours de garde à l'entrée de la ville, avec une porte et un pont-levis en son milieu. Les rivières elles-mêmes ne contribuent guère à donner à la ville plus de grandeur. Elles paraissent larges et imposantes sur la vue optique décrite plus haut, mais dans la réalité la Saône est bien étroite : ses quais ne sont pas achevés, la rivière est encombrée de multiples bateaux permanents de teinturiers ou de blanchisseurs et, plus que le Rhône, elle est particulièrement sale. Les corroyeurs, les teinturiers, et même les bouchers de la toute proche Boucherie des Terreaux y jettent leurs ordures. Putride et nauséabonde dans les mois d'été, nettoyée seulement par les dangereuses crues hivernales, la Saône n'est pas un lieu de promenade très apprécié des Lyonnais. Young, observateur décidément malveillant, insiste sur ce rôle médiocre joué par les rivières. « Lorsqu'une ville s'élève au confluent de deux rivières, on doit supposer que celles-ci ajoutent à la magnificence du tableau qu'elle présente. Sans quais larges, propres et bien bâtis, que sont les fleuves pour les cités, sinon des canaux qui leur apportent la houille et le goudron ? (c'est un Anglais qui parle, la Saône apporte à Lyon les vins du Beaujolais ! et la pierre de taille pour ses maisons...) Je ne connais rien qui trompe autant notre attente que les villes, il y en a si peu dont le tracé satisfasse aux exigences du goût ! » Seuls pourtant ces quais peuvent donner à la ville un aspect de grandeur architecturale et d'unité. Sur la rive droite du Rhône, quais et ports se succèdent régulièrement, avec des façades d'autant plus harmonieuses que de grands édifices longent alors le fleuve, depuis le Grand Collège de la Trinité et la nouvelle façade de l'Hôtel-Dieu, jusqu'aux bâtiments de l'hôpital de la Charité.

Plus encore qu'aujourd'hui, la ville du XVIIIe siècle est un tableau contrasté : l'étroitesse des rues, encore aggravée par la hauteur des maisons et le mauvais état de la chaussée, n'empêche pas d'admirer la beauté de l'Hôtel de Ville, « le plus magnifique édifice de cette espèce qui soit en Europe, et qui dans toute l'Europe ne le cède qu'à celui d'Amsterdam », ou de la place Bellecour « sans contredit une des plus belles qu'il y ait en Europe par son étendue et sa décoration ».

b) *Les maisons de Lyon : entassement et regroupement urbains.*

Il n'y a pas d'étude véritable de la maison lyonnaise. Les historiens de l'art, le plus souvent, n'ont pas accordé une grande attention aux constructions du XVIIIe siècle.

Les actes consulaires s'intéressent plus à la voirie qu'aux demeures elles-mêmes. L'éclairage public par les réverbères, la propreté des rues sont les problèmes le plus souvent évoqués. Pourtant le consulat intervient directement dans le choix des styles des constructions nouvelles quand il s'agit de grands ensembles architecturaux comme celui des façades de la place Louis-le-Grand. Il ne faudrait pas déduire de la rareté des grands travaux de ce type pendant le XVIIe siècle une faible activité de la construction à Lyon pendant cette époque. Jamais les architectes et les entrepreneurs ne furent plus nombreux et plus importants dans Lyon; les noms des plus grands sont restés associés aux quartiers qu'ils ont fait naître, ou au moins projetés : Morand et Perrache sont devenus inséparables de l'histoire comme de la géographie de Lyon. Mais seules quelques-unes de leurs réalisations sont connues : les agrandissements et aménagements des établissements religieux, hospitaliers ou communaux (la collaboration de Soufflot par exemple à plusieurs de ces travaux), tandis que leur œuvre quotidienne l'est beaucoup moins. Les archives concernant les maisons sont rares et dispersées. Des rapports d'experts décrivent minutieusement les demeures qui sont l'objet de litiges lors des successions ou des faillites. Les toisés et les devis de construction sont dispersés dans les minutes notariales, mais combien de ces documents furent établis sous seing privé? En réalité, la place disponible pour édifier de nouveaux immeubles est rare. L'espace urbain ne se modifie pas : le XVIIIe siècle a plutôt tendance à élargir les rues et à agrandir les places.

En dehors de quelques travaux d'assez grande ampleur, comme l'opération entreprise sur l'ancien emplacement des Célestins à la veille de la Révolution, également de plusieurs hôtels particuliers dans le quartier Ainay-Bellecour, de la construction du quartier Tolozan entre les Terreaux et le Rhône, il n'y a pas transformation de l'espace urbain sinon un remodelage permanent. L'intervention de l'architecte est demandée avant tout pour des reconstructions d'immeubles, à la place de vieilles maisons démolies.

Les causes de ces travaux sont multiples : elles peuvent résulter d'incendies, fréquents dans la ville, mais plus souvent encore de la vétusté des constructions trop anciennes. Souvent les maisons mal construites menacent ruine : le voyer de la ville ou les experts dénoncent les mauvais matériaux utilisés — le pisé par exemple — et acceptent la pose d'étais pour soutenir les murs délabrés, en principe pour une année au maximum. Ils sont source de multiples difficultés pour la circulation, débordant souvent largement sur la chaussée, et d'effroi pour les propriétaires des immeubles voisins.

De 1723 à 1730, des autorisations de reconstructions des maisons sont accordées une cinquantaine de fois: il y a eu ensuite accélération de ce mouvement : 113 reconstructions de 1753 à 1762 uniquement dans la ville (les faubourgs exclus). En dix ans c'est environ 3,5 % de l'ensemble immobilier lyonnais qui est ainsi reconstruit. Petit à petit une transformation générale se fait sentir dans la ville. Au moment de la division des quartiers de pennonages de Lyon en 1746, les bourgeois du quartier de la rue Neuve se plaignent de la petitesse de leur secteur qui leur impose des tours de garde plus fréquents. Pour appuyer leurs réclamations, ils précisent que deux maisons de la rue Neuve ont été rebâties « à grands appartements qui donnent peu de locataires » : la reconstruction donne une allure plus moderne, un agencement différent à la maison et au quartier tout entier. C'est à l'occasion de ces travaux que peuvent être exécutées les décisions d'alignements et il arrive que le voyer refuse des demandes, même un simple blanchiment, quand il estime que ces réparations pourraient retarder la destruction de tout un îlot promis à un aménagement d'ensemble. Cet incessant remodelage explique la diversité des maisons dans l'ensemble de la ville. Petit à petit, une certaine uniformisation s'opère au moins à l'échelon de la rue, ou de l'îlot de maison. Les reconstructions, comme les rehaussements (presque aussi nombreux, mais souvent d'ampleur assez modérée : il ne s'agit la plupart du temps que de transformer en étage les greniers, ou d'ajouter un étage complet), contribuent à augmenter le capital immobilier de la ville. Il ne semble pas cependant que le nombre des appartements progresse suffisamment : il s'opère un glissement vers les rues ou les quartiers les plus anciens, les moins rénovés et les moins chers, où les familles artisanales cherchent refuge, chassées de leurs anciennes demeures par les reconstructions et les embellisements, qui se traduisent toujours par une augmentation des baux de location. L'histoire sociale de la ville de Lyon trouve ainsi sa première expression dans l'histoire de ses maisons.

Il est possible de dresser un tableau particulièrement précis des maisons de Lyon au début de la période révolutionnaire.

Avant cette date, les estimations, de Saugrain à Hesseln, varient entre 3 500 et 7 000 maisons, faubourgs compris. Les registres des vingtièmes de maisons ont disparu, même s'ils sont utilisés par quelques auteurs, comme dans le mémoire de 1742, qui ne doit pas s'écarter beaucoup de la réalité en évaluant le patrimoine immobilier à une valeur globale de près de 60 millions de livres (près de 4 000 immeubles à 15 000 livres en moyenne).

Les rôles de la contribution foncière instituée par la loi du 1er décembre 1790, dressés en 1791, fournissent une connaissance plus précise de la maison lyonnaise. Les communes sont chargées (article 1 du titre II) de déterminer le plus rapidement possible les différentes parties ou « sections » de leur territoire qui seront utilisées comme circonscriptions pour établir l'assiette des impôts. Le conseil municipal du 15 janvier 1791 estime que les anciennes divisions de la ville en quartiers sont inadéquates, comme trop nombreuses, et propose une nouvelle délimitation de 9 sections (le faubourg de La Guillotière réuni à la ville un peu plus tard — mai 1791 — formera alors une dixième section). Des commissaires de la municipalité et du conseil général de la commune établissent un état indicatif des différentes propriétés qui existent dans chaque section. Le 4 mai, le bureau municipal invite les citoyens de Lyon propriétaires, ou leurs fondés de pouvoir, à se présenter dans les quinze jours devant les commissaires pour faire une « déclaration de la nature et de la contenance de leurs différentes propriétés ».

Pour l'ensemble des dix sections de la ville, le produit net total des immeubles et propriétés est établi à 6 674 172 livres (soit un peu moins de 8 900 000 livres de produit brut — à 5 % cela représenterait en 1791 comme valeur d'ensemble des immeubles lyonnais la somme considérable de 178 millions de livres). Les dix sections sont réparties de la manière suivante (leur connaissance est des plus importantes, aussi bien pour l'étude de la contribution foncière que pour celle de la contribution mobilière, d'autant plus que le découpage ne tient pas compte des anciennes divisions, ou des paroisses, ou des quartiers de pennonages de la ville) :

1° Sur la rive droite de la Saône : 3 sections :

— la Métropole : depuis la porte d'Ainay jusqu'à la place du Change le long de la Saône (quartiers Saint-Georges et Saint-Jean);
— la Montagne : depuis la place du Change jusqu'à la porte de Vaise (quartiers de Saint-Paul et de Pierre-Scize);
— l'Ancienne Ville : un vaste territoire en deçà et surtout au-delà des murs jusqu'aux limites des communes limitrophes de Lyon (Vaise, Tassin, Francheville, Sainte-Foy) : c'est une section presque entièrement rurale.

2° Sur la rive gauche de la Saône du Nord au Sud :
— le Nord-Ouest : de la place des Terreaux à la Croix-Rousse et de la Saône à la Grand-Côte;
— le Nord-Est : de la place des Terreaux à la Croix-Rousse et de la Grand-Côte au Rhône;
— entre les Terreaux et Bellecour, le territoire est divisé en trois sections sensiblement égales qui traversent la presqu'île, du Rhône à la Saône : l'Hôtel Commun au nord, la Halle aux blés au centre, l'Hôtel-Dieu au sud;
— de la place Bellecour (nouvellement baptisée de la Fédération) jusqu'au confluent enfin s'étend la section de la Fédération.

Les registres ne sont pas tous tenus avec le même soin dans chaque section. Si la valeur est toujours mentionnée, il n'en est pas de même de la superficie, ni du nombre d'étages. Le dépouillement complet de ces registres pour les six sections de la presqu'île et pour la plus importante du côté Saône (section de la Métropole), permet de définir le type des maisons lyonnaises à la fin de l'Ancien Régime.

Le nombre des étages est l'élément le plus visible : même si les propriétaires ne font pas la déclaration, les commissaires en établissant la liste des maisons de leur quartier auraient pu, ou dû, noter la hauteur des constructions. Ils ne l'ont pas toujours fait : cependant les renseignements existent pour 82 % des maisons lyonnaises.

Les voyageurs du XVIIIe siècle, dans les quartiers du centre, frappés par les hautes façades qui bordent les petites rues étroites, donnaient de Lyon l'image des villes médiévales, dans les rues desquelles le soleil ne pouvait jamais pénétrer. « Là il (le voyageur) ne voit le ciel qu'en échantillon... On penserait que ses anciens habitants craignaient de recevoir librement les bénignes influences de l'air et de la lumière. » Les registres de la contribution foncière permettent une répartition plus exacte. Les termes utilisés conservent quelque imprécision. Si les rez-de-chaussée (ou les bas — qui sont réservés aux boutiques) ne sont pas toujours indiqués, il reste qu'on ne sait pas si un bas « élevé de quatre étages » désigne une maison de 4 ou 5 étages, rez-de-chaussée compris. De même l'entresol qui est devenu caractéristique de la maison bourgeoise lyonnaise n'apparaît que dans les quartiers les plus récents. Pour l'ensemble de la ville la répartition est la suivante en 1791 :

LE NOMBRE D'ÉTAGES DES MAISONS

Nombre d'étages	Nombre de maisons	Pourcentage
1	54	2,3
2	192	8
3	448	18,4
4	819	34
5	681	28,3
6	188	7,7
7	29	1,2
TOTAL	2 411	99,9 %

Il faut rappeler que les faubourgs ne sont pas inclus dans ce tableau : les maisons basses des jardiniers de La Guillotière et des laboureurs de la section de l'Ancienne Ville augmenteraient la proportion des demeures d'un seul étage, mais elles fausseraient l'image exacte des constructions dans la ville. Il y a d'ailleurs de grandes différences d'un secteur à l'autre. D'un quartier à l'autre, la répartition des immeubles les plus bas et les plus hauts est totalement différente :

L'ÉLÉVATION DES IMMEUBLES

Noms des quartiers	Maisons	
	de moins de 3 étages	de 5 étages au moins
	%	%
Hôtel-Dieu	6,6	76
Halle aux blés	17,5	41
Métropole	28,6	35
Fédération	32,5	30
Hôtel-Commun	28,4	28
Nord-Est	43,5	28
Nord-Ouest	62,2	17

Dans la presqu'île, entre les Terreaux et Bellecour, les maisons sont les plus hautes. Elles ont souvent un ou deux étages de plus que dans les quartiers les plus neufs. Les constructions les plus célèbres du XVIIIe siècle n'ont pas en effet le souci de multiplier les étages. L'harmonie des façades n'en supporte pas plus de trois dans les hôtels particuliers du quartier d'Ainay. Les somptueuses façades de la place Bellecour, édifiées à la fin du règne de Louis XIV par De Cotte, n'en ont que trois. Mais dans la section de l'Hôtel-Dieu ou dans celle de la Halle aux blés, les immeubles de rapport qui logent les artisans et les ouvriers sont de plus en plus hauts. Des tourelles d'escalier prolongent encore, dans les vieux quartiers surtout, les immeubles eux-mêmes. Les greniers qui forment le dernier étage ne sont en général pas compris dans le chiffre total, sauf s'ils sont aménagés en galetas ou en mansardes, et habités, ce qui est souvent le cas aussi dans la presqu'île. A l'intérieur de chaque secteur apparaissent aussi de profondes différences. C'est le cas par exemple du quartier Nord-Est. Les constructions récentes du quai Saint-Clair présentent un des rares ensembles architecturaux cohérents de la ville, avec ses immeubles de 5 étages réguliers et symétriques. Les maisons des rues Sainte-Marie et Sainte-Catherine en ont presque toutes quatre. Mais hors de ces artères principales les différences sont très grandes : telle maison de la côte Saint-Sébastien, accrochée à la colline, est élevée à 7 étages alors que la plupart de celles qui s'échelonnent le long de la montée de la Grand-Côte n'en ont qu'un ou deux. Le manque de symétrie se retrouve même à l'intérieur d'un seul immeuble. Le plus souvent ces maisons lyonnaises, et pas seulement dans les rues en pente des collines, comprennent deux parties, deux corps de bâtiment séparés par une cour. L'élévation est rarement la même pour le bâtiment de façade, mieux construit et plus haut, et pour celui sur l'arrière. Dans l'ensemble c'est donc bien une ville de maisons hautes que Lyon au XVIIIe siècle : le petit nombre des maisons pour la population rend d'ailleurs cette solution indispensable.

Il est plus difficile d'évaluer la « contenance » ou superficie de la maison lyonnaise. Les propriétaires n'en font la déclaration que dans un peu plus de la moitié des cas (aucune dans la section de l'Hôtel-Dieu par exemple, alors que la grande majorité comporte cette indication dans les sections de la Halle aux blés ou de la Métropole).

SUPERFICIE DES IMMEUBLES (1)

Superficie	Nombre de maisons	Pourcentage
Moins de 500 p²........	136	7,8
De 500 à 1 000	424	24,3
De 1 000 à 2 000	542	31
De 2 000 à 5 000	394	22,6
De 5 000 à 10 000	120	6,9
10 000 p² et plus	127	7,3
TOTAL	1 743	99,9

Cette répartition, comme pour les étages, est très variable d'une section à l'autre :

Noms des sections	Maisons	
	de moins de 1 000 p²	de plus de 5 000 p²
	%	%
Nord-Ouest	28,3	19
Nord-Est	19,5	27
Hôtel-Commun..........	32,7	8,1
Halle aux blés	43,4	3
Fédération	5,6	57,4
Métropole	28,6	12,4

Plusieurs remarques sont nécessaires : les superficies sont celles des propriétés et non pas des surfaces bâties : les cours, et même les jardins ou terrasses sont donc compris dans ces superficies. Les quartiers périphériques, encore incomplètement construits au XVIIIe siècle, comportent la plus forte proportion de maisons à grande surface. Dans le secteur de la Fédération, les immeubles en construction de la compagnie Perrache disposent d'un terrain nu encore important. Et dans les hôtels de l'aristocratie, la cour et les dépendances occupent une superficie souvent supérieure à celle de la demeure proprement dite. Au contraire, dans le centre l'espace est beaucoup plus limité : dans ces quartiers de maisons hautes, la surface au sol est beaucoup plus faible.

La description de la maison est enfin complétée par l'indication de sa valeur : celle-ci dépend de sa surface

(1) 1 000 pieds carrés = environ 120 m².

et de sa hauteur, mais aussi d'autres facteurs non indiqués sur les registres d'impôts : la situation dans la ville (le quartier des Terreaux est plus « cher » que la rive droite de la Saône), l'ancienneté de la construction et le matériau utilisé, sans doute aussi les travaux de réfection ou de réparation effectués dans les immeubles. Le registre de contribution foncière fournit la valeur du produit brut de l'immeuble, évalué à 5 % de sa valeur totale.

LA RÉPARTITION DE LA VALEUR DES MAISONS LYONNAISES EN 1791 (valeur du produit brut des dites maisons)

Estimation du produit brut	Nombre de maisons	Pourcentage
Moins de 500 livres	268	9,1
Entre 500 et 1 000 livres	482	16,4
Entre 1 et 2 000 livres..	889	30,4
Entre 2 et 5 000 livres..	918	31,4
Entre 5 et 10 000 livres.	299	10,1
Plus de 10 000 livres ...	74	2,5
TOTAL	2 930	99,9

Près des deux tiers des maisons lyonnaises sont comprises dans les deux tranches de revenus comprises entre un et cinq mille livres : ce qui correspond à des immeubles dont la valeur totale serait comprise entre 20 000 et 100 000 livres. Les maisons de moins de

LA VALEUR DES MAISONS SELON LES QUARTIERS DE LYON EN 1791

Noms des quartiers	Maisons		Valeur moyenne
	de moins de 1 000 l.	de plus de 5 000 l.	
	%	%	livres
Nord-Ouest	47,3	5,3	1 580
Nord-Est	27,4	24,8	3 780
Hôtel-Commun	9,75	20	3 500
Halle aux blés	11,8	11	2 740
Hôtel-Dieu	15,3	12	2 630
Fédération.........	13,6	31	4 310
Métropole	51,1	1,8	1 300

20 000 livres ne forment que le quart de l'ensemble immobilier lyonnais (25,5 %). Les demeures plus importantes estimées à plus de 100 000 livres constituent encore 12,6 % du total. D'un secteur à l'autre, les différences sont là encore très sensibles.

Plus encore que les indications de surface et de dimensions, ce dernier tableau souligne l'opposition grandissante au XVIIIe siècle entre les deux rives de la Saône (le quartier de la Métropole est encore le plus riche des trois secteurs de la rive droite de la Saône). Pour l'ensemble de la ville (faubourgs exclus), la valeur moyenne du produit brut est de 2 750 livres (valeur de la maison moyenne 55 000 livres). Dans trois quartiers ce chiffre moyen est nettement dépassé : ce sont les deux sections de la place des Terreaux (Nord-Est avec le quartier Saint-Clair) et Hôtel-Commun, puis le quartier de la place Bellecour, où sont situées les maisons les plus luxueuses. Les vieilles rues étroites et commerçantes des quartiers de la Halle aux blés et de l'Hôtel-Dieu se situent juste au niveau moyen de la ville. Avec le quartier du Nord-Ouest (ancienne paroisse Saint-Vincent) et la rive droite de la Saône, se définissent, nettement à part, des secteurs plus pauvres : même les constructions sont un signe de ces séparations à l'intérieur de la ville entre quartiers riches et quartiers pauvres. Pour la section de la Métropole la moyenne est deux fois plus basse que celle de l'ensemble de la ville : les maisons y sont pourtant aussi hautes que dans la presqu'île, la surface des propriétés y est souvent plus grande, mais le plus souvent il ne reste plus que de vieilles maisons mal construites et décrépites, dont la valeur diminue en même temps que l'activité de leur quartier.

A l'intérieur de chaque section, des nuances peuvent se présenter : le plan de la section de l'Hôtel-Commun indique la répartition des maisons dans cette partie de la ville. En dehors des espaces occupés par les deux grands bâtiments ecclésiastiques : l'abbaye de Saint-Pierre (que les commissaires estiment à 50 000 l. de revenus) et le Grand Collège de la Trinité, les immeubles se répartissent assez inégalement à l'intérieur du quartier; deux grands secteurs s'opposent : les maisons les plus riches sont celles qui longent le Rhône (quai de Retz) et les îlots les plus proches de l'Hôtel de Ville à l'est de l'abbaye Saint-Pierre. Les rues Clermont, Basseville, du Garet, du Pizay, Lafont sont ainsi composées presque uniquement de très belles et grandes maisons : 4 500 p^2 et 8 500 l. de revenu brut pour les neuf maisons de la rue Lafont (une seule est plus petite). Dès que l'on s'éloigne de la place des Terreaux, la valeur diminue : rue du Pizay, les grandes maisons n'occupent déjà plus qu'un côté de la rue, et la rue suivante, celle de l'Arbre-Sec, a à peine commencé sa transformation : sur ses trente et une maisons, douze au moins ont une superficie de moins de mille pieds carrés, dix-huit un revenu inférieur à 2 000 l. Vers la Saône, les ensembles sont moins cohérents : l'ensemble du quai et de la rue de la Pêcherie est encore très pauvre, de même que la rue du Bessard. Mais l'on commence à trouver quelques grandes maisons isolées dans ces quartiers encore assez pauvres. Place de la Fromagerie, place Saint-Pierre, place du Plâtre, voisinent ainsi des maisons médiocres de 700 à 1 500 pieds carrés d'un revenu voisin de 2 000 l., et la plus belle maison de tout ce secteur, construite au milieu du siècle pour la famille Tolozan à l'angle de la place du Plâtre : elle couvre 14 435 p^2 (1 700 m^2) : autant que les quatorze autres maisons de la place. Son revenu brut est estimé à 21 118 livres. Dans tous les quartiers de Lyon, à la veille de la Révolution peuvent se rencontrer de telles différences entre les constructions les plus récentes et les plus riches, et des ensembles de maisons beaucoup plus modestes, vieillies et resserrées dans des rues manquant d'espace.

Moins de 4 000 maisons. Sans doute 150 000 habitants. Ces deux chiffres sont la mesure de l'entassement urbain, encore aggravé par la nature des activités lyonnaises. Non seulement les rez-de-chaussée sont réservés aux boutiques et magasins, mais encore dans les étages sont installés les ateliers des artisans, des ouvriers en soie surtout. Les contrats et baux de location d'appartements contenus dans les quelques papiers privés ne révèlent aucun progrès : la chambre reste l'unité de location, et à elle seule tout un appartement quand une cuisine lui est jointe. Il est impossible de calculer des surfaces moyennes des logements : la chambre unique reste grande pour permettre la satisfaction de ses multiples utilisations, mais le ménage d'ouvriers en soie ne dispose sans doute pour son logement que d'une moyenne de 30 mètres carrés. La ville ne peut guère offrir plus à la population sans cesse accrue qui vient l'habiter.

Le dénombrement de 1709 fournit des indications sur l'occupation des maisons au début du siècle. La densité humaine par maison varie selon le quartier : les vieilles maisons plus basses et plus étroites du quartier du Change ne peuvent recevoir que cinq familles chacune, une ou deux seulement par étage. Dans les immeubles plus imposants de la paroisse Saint-Nizier, la moyenne des appartements par maison est beaucoup plus élevée : plus de huit, aussi bien dans le quartier du Plâtre que dans celui du Plat-d'Argent; ce chiffre correspond à une population de 35 à 40 individus par maison, parfois plus. L'ensemble du quartier du Plâtre est un exemple de ce que pouvait être la densité humaine dans les secteurs les plus actifs de la ville de Lyon. Situé entre le quai du Rhône à l'est et l'abbaye des Dames de Saint-Pierre à l'ouest, le collège des Jésuites au sud et l'Hôtel de Ville au nord, ce quartier est un des plus peuplés de Lyon (le deuxième ou le troisième pour l'ensemble) en même temps que le centre du grand négoce. S'il a l'avantage de ne contenir aucun grand domaine ecclésiastique (seuls les Missionnaires de Saint-Joseph y sont installés), il ne couvre en fait qu'un peu plus de quatre hectares dans lesquels vivent environ 4 500 personnes. Cette moyenne de 1 000 habitants à l'hectare est celle de toute la ville dans la paroisse Saint-Nizier, entre la place Bellecour et celle des Terreaux. Elle devient plus faible dès qu'on aborde les premières pentes du coteau de la Croix-Rousse ou dans les quartiers du côté Fourvière, où les domaines religieux sont plus nombreux, où les espaces non bâtis sont fréquents et les immeubles moins hauts. Pendant le XVIIIe siècle, le centre de Lyon ne se décongestionne pas. Le quartier du Plâtre change d'aspect : les maisons du quai de Retz, de la rue du Bât-d'Argent, de la rue Lafont ont été pour la plupart construites ou reconstruites au cours du siècle; mais plus grandes et plus hautes, elles renferment encore un grand nombre d'habitants. Cette concentration urbaine reste très sensible au début de la Révolution, la comparaison entre les rôles des contributions mobilières et ceux de l'impôt foncier sur les maisons apporte des précisions supplémentaires. Pour l'ensemble de la section de l'Hôtel-Dieu, le rôle foncier indique 546 maisons, dont une cinquantaine ne sont que des échoppes ou des boutiques basses ne pouvant loger qu'une seule famille. En réalité 500 immeubles seulement sont des maisons à plusieurs étages et à logements multiples : les cotes mobilières pour ce secteur en 1791 sont au nombre de 6 396. C'est en moyenne de onze à treize appartements par maison pour l'ensemble du quartier. Or ce sont là des maisons en partie assez vieilles, disposant d'une surface réduite : sur les 120 mètres carrés habitables dont disposent les étages, au moins trois familles doivent prendre place; beaucoup de ces familles sont occupées au travail de la soie, et la moitié du logement est réservée aux métiers. Il faut bien parfois laisser une paillasse dans l'atelier pour coucher le compagnon ou quelque enfant de l'ouvrier en soie. L'exemple de deux rues de ce quartier, les rues Confort et Bourchanin, suffit pour expliquer ce manque d'espace. 68 maisons bordent ces deux rues qui sont parmi les plus animées de la ville. Elles ont en moyenne quatre ou cinq étages, quelques-unes moins. Une seule de ces maisons est de grande dimension : celle du président au bureau des finances, Massara de Prévidé, mais toutes les autres sont légèrement en dessous de la moyenne lyonnaise (valeur du revenu compris entre 1 700 l. pour la rue Bourchanin et 2 000 l. pour la rue Confort). Tous les rez-de-chaussée sont occupés par des boutiques : des marchands en détail, mais même quelques négociants et commissionnaires disposent aussi d'entrepôts et de magasins. Il y a aussi quelques chapeliers, dont les ateliers peuvent couvrir plusieurs étages d'une maison. Pour tous les autres il ne reste qu'une surface bien faible : ils sont au moins trois, parfois quatre ou cinq ménages à se partager les chambres du troisième ou du quatrième étage, chambres exiguës qui sont le seul abri de toute une famille. Les conditions deviennent encore plus médiocres dans les quartiers plus pauvres de l'ancienne paroisse Saint-Vincent (section nord-ouest des contributions foncières) ou de la rue Saint-Georges. La rue Bouteille, dans la paroisse Saint-Vincent, offre un exemple précis : cette petite rue construite en retrait de la Saône est la dernière avant les clos de vergers, qui longe la côte des Carmélites. Une trentaine de maisons est établie sur ses deux côtés. Il y a là des constructions vétustes, anciennes, auxquelles furent adjointes, sans grand souci d'urbanisme, des corps de bâtiment formant des ailes ou des maisons édifiées sur la cour. La maison portant le n° 117 comprend ainsi un premier corps sur la rue de trois étages et 535 p², deux petites constructions dans la cour, l'une réduite à un rez-de-chaussée de 152 p², l'autre un étage et 533 p², enfin sur l'arrière un corps plus important de 4 étages et 1 151 p² : c'est la disposition la plus fréquente. Cet ensemble offre une surface habitable de 6 800 p² que se partagent vingt locataires : parmi eux il y a cependant un marchand et sept fabricants d'étoffes de soie : chacun ne dispose que d'une moyenne de 340 p^2 pour sa famille et son métier. La place est encore plus restreinte dans la maison voisine (n° 114 rue Bouteille) qui ne comporte qu'un corps de bâtiment sur la rue avec entresol et cinq étages pour une superficie de 976 p^2. Dix-sept locataires sont inscrits dans le rôle de la contribution mobilière : le bas est occupé par la boutique d'un revendeur et celle d'un tailleur. Dix fabricants, deux fabricants de bas, des blanchisseuses et des dévideuses se partagent les chambres des cinq étages.

C'est dans la description de ces maisons surpeuplées que l'on saisit sur le vif l'énorme densité de population urbaine existante à Lyon à la veille de la Révolution. Les grands travaux d'urbanisme et la construction de quartiers nouveaux sont d'une urgence capitale pour l'avenir de la ville : il ne semble pas que Lyon en 1789 soit capable de recevoir un accroissement de population, donc de forces vives et d'ouvriers, dans l'état présent de ses maisons et de leur occupation.

L'entassement des hommes, l'exiguïté (et la cherté qui est la conséquence de leur rareté) des logements sont un trait fondamental de la vie à Lyon pendant le XVIIIe siècle.

CHAPITRE II

LES COMPORTEMENTS DÉMOGRAPHIQUES

INTRODUCTION : SOURCES ET MÉTHODES

La démographie urbaine est longtemps restée en retrait par rapport à l'histoire des populations rurales (1). A la fois le phénomène de masse, et la multiplicité des paroisses dans les villes sont des obstacles presque insurmontables pour le chercheur isolé.

Le cadre paroissial n'offre pas toute satisfaction pour cette étude : dans les grandes villes la paroisse n'est plus une véritable unité humaine et historique. Si le faubourg conserve une grande cohérence (le simple pont qui isole La Guillotière du reste de la ville est une ligne de séparation autant qu'un trait d'union et garantit une originalité plus grande à ce quartier), la paroisse sans véritables limites géographiques peut difficilement être isolée. Dans ce cas c'est le matériau utilisé pour les recherches, le registre paroissial qui impose des limites. Le passage d'une paroisse à l'autre est en effet chose fréquente. La dispersion dans la ville des activités les plus importantes, des métiers de la Fabrique en particulier, fait qu'un ouvrier en soie peut à tout moment changer de paroisse. Si les baux notariés sont le plus souvent conclus pour neuf ans, la durée réelle du séjour dans un appartement peut souvent

(1) Depuis la publication de *Lyon et les Lyonnais au XVIIIe siècle*, de très importantes études de démographie urbaine sont en cours. J.-P BARDET à Rouen, et J.-P. POUSSOU à Bordeaux donneront un apport méthodologique essentiel, qui peut confirmer ou infirmer un certain nombre des résultats que nous présentons pour Lyon. Nos étudiants lyonnais ont également entrepris des enquêtes plus complètes, que nous ne pouvons utiliser ici, pour ne pas divulguer les résultats partiels de recherches en cours.

être bien plus restreinte. L'augmentation de la famille et du nombre des enfants, l'acquisition d'un nouveau métier à fabriquer les étoffes peuvent conduire un ouvrier à changer de domicile : il lui suffit souvent de traverser la rue pour se retrouver dans la paroisse voisine! Seule la méthode de reconstitution des familles, qui a révélé les phénomènes démographiques de la France rurale de l'Ancien Régime, peut faire prendre connaissance de la réalité de la famille urbaine et de son évolution, mais les méthodes artisanales de recherches encore employées risquent de jeter un doute important sur les résultats : la notion de famille complète, essentielle à la vérité des résultats, est une notion extrêmement limitative dans les villes : à la limite, dans quelle mesure la famille complète n'est-elle pas dans le cadrc urbain une famille exceptionnelle, donc non représentative?

Sans même rappeler les difficultés dues à l'homonymie, ou plus souvent encore aux changements d'orthographe (le cas le plus gênant est le passage dans les actes du nom au surnom, ou l'abandon progressif d'un des deux termes, ou l'adjonction d'un terme nouveau qui n'apparaît dans aucun des actes précédents), l'obstacle le plus important réside dans la masse même des actes. Étudier la population de la paroisse Saint-Nizier pendant une période de 25 à 30 ans, ce qui est le temps minimum pour repérer et suivre un nombre suffisant de familles, représente la confection de cent mille fiches environ, dont une proportion minime sera vraiment utilisable ensuite; les décès resteront très peu nombreux par rapport aux baptêmes, et la connaissance de la démographie urbaine restera encore très imprécise. La tâche revient à des équipes de chercheurs qui, seules, peuvent mener à bien cette entreprise, avant d'en livrer les données aux ordinateurs. Il faut ajouter que les restrictions indiquées pour la constitution des familles complètes rendent déjà suspecte, par avance, l'utilisation même de ces ordinateurs; s'ils ne conservent que les fiches parfaites des seules familles complètes, donneront-ils une image plus exacte que les simples sondages artisanaux?

Le recensement complet de tous les actes de l'état civil ancien de la ville laisse en effet de nombreuses incertitudes : plus de la moitié des nouveaux époux sont nés hors de Lyon et les registres paroissiaux de la ville ne renseignent que très imparfaitement sur leur âge. Les décès sont également sous-inscrits dans les registres : à la limite, seule une recherche dans le cadre du pays tout entier pourrait fournir une reconstitution satisfaisante de l'ensemble de la population lyonnaise. Il reste pour le moment indispensable de se contenter de sondages divers pour essayer de saisir les divers éléments de cette démographie urbaine.

C'est le mariage qui reste le point de départ de ces sondages : les registres paroissiaux permettent de retrouver des familles plus que des individus, et c'est à partir du mariage que toute reconstitution est tentée. Le cadre paroissial est une base obligatoire pour l'étude des mariages : la coutume lyonnaise a établi de façon presque exclusive la cérémonie du mariage dans la paroisse de résidence de la femme. Des sondages effectués sur trois paroisses le démontrent de façon évidente : sur 556 mariages célébrés dans l'église Notre-Dame de La Platière de 1700 à 1790 (tous les mariages des hommes dont le nom de famille commence par la lettre G), 537 épouses habitent la paroisse de la Platière (soit 95 %). Sur mille mariages dans la paroisse Saint-Pierre et Saint-Saturnin des années 1733-1740, la proportion des femmes résidant dans leur paroisse est de 97,5 %. La paroisse Saint-Georges a confirmé cette observation. L'habitat ne signifie pas la naissance dans cette paroisse, ni le domicile des parents : quand les parents sont décédés au moment du mariage de leurs enfants, les actes ne portent aucune indication sur leur domicile dans la ville, et les passages d'une paroisse à l'autre sont alors très peu perceptibles. Si les filles restent dans leur paroisse, ce sont bien sûr les hommes qui se déplacent. Une assez forte proportion de ceux-ci demeurent aussi dans la même paroisse : de 57 % à la Platière à 62 % à Saint-Pierre et Saint-Saturnin. En fait, pour mille mariages de Saint-Pierre et Saint-Saturnin, sur les 620 hommes domiciliés dans la paroisse, 210 sont nés hors de Lyon (dans la première moitié du siècle la proportion des forains est plus faible que dans la seconde), et, dans la mesure où les actes sont assez précis pour le compter, de 230 à 250 sont nés dans la paroisse même : moins du quart des hommes donc peuvent être repérés à leur mariage de façon précise, dans la continuité de leur histoire familiale, à l'intérieur du cadre paroissial. Le mariage dans une paroisse ne signifie d'ailleurs pas que le domicile futur restera le même. Le mariage correspond à une transformation profonde aussi bien des conditions de travail que de celles de vie : la fille domiciliée dans une paroisse, parce qu'employée et logée par un maître ouvrier en soie, n'a pas d'attaches particulières avec sa paroisse. Le garçon, qui partageait une chambre avec deux autres compagnons célibataires, doit, après son mariage, louer un logement plus grand et plus indépendant et quittera peut-être la paroisse. Un sondage dans les registres paroissiaux de Saint-Georges indique que sur 100 mariages contractés entre deux époux, l'un et l'autre domiciliés dans ladite paroisse, 25 ne sont suivis d'aucun autre acte dans les registres paroissiaux pendant les vingt années qui suivent leur union : dans la plupart des cas, c'est à cause d'une installation dans un autre quartier de la ville.

La patience du généalogiste se heurte souvent à des imprécisions insurmontables : la recherche de l'historien sur un grand nombre de familles ne peut espérer venir à bout de ces difficultés. Dans l'état des sources et avec les moyens dont il dispose, il ne peut espérer obtenir que des résultats très partiels, du domaine de l'échantillon plus que de celui de la loi. Reconstituer des familles complètes sur plusieurs générations reste encore presque impossible.

I. — UNE EXCEPTIONNELLE FÉCONDITÉ

Une recherche sur un milieu professionnel limité : les bouchers lyonnais au XVIIIe siècle, a révélé un comportement démographique que les historiens démographes, à la suite de Pierre Goubert et A. Armengaud considéraient comme exceptionnel, sinon même légendaire.

Pour une centaine de familles de bouchers, l'analyse de la natalité et la reconstitution des familles ont montré une fécondité supérieure à tout ce qui avait été observé lors des monographies rurales : une naissance annuelle, des intervalles intergénétiques particulièrement brefs (voisins de douze mois), une période de fécondité très longue, et donc des naissances rapprochées et très nombreuses. Les exemples tel celui de la famille Gantillon n'ont rien de légendaire. Jacques Gantillon le cadet et Barthélémie Hodieu son épouse ont eu 21 enfants pendant les 24 premières années de leur mariage, entre 1723 et 1747. Dans la seconde moitié du XVIIIe siècle, les intervalles ont tendance à s'allonger entre deux naissances successives, mais le nombre des enfants reste supérieur à 10 ou 12 pour des périodes de fertilité de la femme durant de 18 à 20 ans.

Il n'était cependant pas possible de conclure d'un unique exemple socio-professionnel à une loi générale. La reconstitution des familles de bouchers est à l'origine de notre décision d'employer cette méthode dans un cadre plus important, sur un nombre de cas beaucoup plus étendu. Le temps et les moyens manquaient pour faire un dépouillement exhaustif des registres paroissiaux et aboutir aux fiches familiales. Des sondages seuls pouvaient être effectués, et il fallait que leurs résultats puissent passer pour suffisamment caractéristiques. Seul le cadre paroissial est utilisable pour ces sondages, qui ont été effectués dans trois paroisses de population moyenne : Saint-Pierre et Saint-Saturnin (la deuxième de la ville pour le chiffre des naissances annuelles), et La Platière, sa voisine (au quatrième rang pour les naissances), toutes deux sur la rive gauche de la Saône, dans lesquelles tous les milieux socio-professionnels sont représentés; Saint-Georges enfin, sur la rive droite (sixième rang pour les naissances). Pour cette dernière, le milieu professionnel de la Fabrique domine de façon presque exclusive, et l'étude démographique a été ici restreinte systématiquement au monde des ouvriers en soie; en effet, pour cette paroisse existe un recensement des travailleurs de la soie en l'année 1769, assez précis et contenant des indications sur la dimension des familles. Il y avait là possibilité d'une comparaison fructueuse entre deux sources distinctes pour la compréhension de la société urbaine : en effet, la notion de dimension réelle de la famille a autant d'importance que la notion démographique du nombre de naissances par famille.

La paroisse Saint-Georges est une des plus pauvres paroisses de la ville de Lyon. Sa composition socio-professionnelle pendant tout le siècle indique une majorité importante des travailleurs de la Fabrique qui forment de 65 à 75 % de la population active. Lors du recensement de la Fabrique de 1769, 374 chefs de famille sont dénombrés, plus une vingtaine de nouveaux habitants ou d'oubliés, réinscrits après sur le registre, mais sans aucun renseignement. Pour chacun de ces chefs de famille, les indications sont les suivantes : type de métier et nombre de métiers (quelques compagnons sont inscrits ainsi à côté des maîtres, s'ils travaillent à domicile), le domicile exact, le nombre d'enfants sans distinguer filles et garçons et sans indication d'âge, les tireurs et tireuses de cordes, les sommes payées au titre de la capitation et du dixième d'industrie. Des observations en marge distinguent les enfants qui travaillent avec leurs parents. Une anomalie curieuse enfin : les enfants inscrits comprennent des demi-enfants, telle famille comprenant un demi-enfant ou 5 enfants 1/2. La vérification dans les registres paroissiaux de la paroisse Saint-Georges a permis de vérifier que dans tous les cas où sont marqués des demis, une naissance s'est produite dans le premier semestre 1769; c'est même ce qui permet de dater ce document qui serait donc de 1769 et non de 1770 comme il est indiqué. Sur le total, 6 compagnons garçons célibataires et 16 filles pour la plupart dévideuses célibataires, 46 veuves dont 21 avec enfants et 306 hommes mariés, veufs ou sans indication, dont 244 avec enfants. Ces 265 familles de Saint-Georges chargées d'enfants ont en tout, avec elles, 895 enfants, soit une moyenne de 3,38 par ménage. Le nombre d'enfants par ménage se répartit ainsi :

LE NOMBRE D'ENFANTS DANS LES MÉNAGES D'OUVRIERS EN SOIE (Paroisse Saint-Georges), 1769

Nombre d'enfants	Ménages	Veuves	Total
1 enfant	35	7	42
2 enfants	55	6	61
3 enfants	46	2	48
4 enfants	44	2	46
5 enfants	35	1	36
6 enfants	14	2	16
7 enfants	7	—	7
8 enfants	4	1	5
9 enfants	3	—	3
10 enfants	1	—	1

D'après ce document 57 % des familles auraient de 1 à 3 enfants et 6 % seulement 7 enfants ou plus : une seule famille sur plus de 260 ayant 10 enfants. Il y a loin bien sûr de ces moyennes à celles enregistrées chez les bouchers de La Platière et de Saint-Nizier.

Pour comparer cette liste de familles avec les naissances de la paroisse Saint-Georges il a été procédé à un dépouillement systématique des registres paroissiaux de cette paroisse pendant une période de 25 ans (1750-1774) et à la reconstitution des familles complètes d'ouvriers en soie que l'on a retrouvées. Une telle méthode est évidemment très critiquable pour des démographes : l'échantillon conservé est trop faible, et les actes isolés (mariages ou baptêmes) ont été éliminés, dans la mesure où le plus souvent ils concernaient des familles installées temporairement seulement dans la paroisse.

Le dépouillement des registres de Saint-Georges a permis de reconstituer pour cette période 240 familles ayant eu des enfants dans la paroisse et qui semblent y avoir résidé pendant la plus grande partie de cette période. Ce n'est bien sûr qu'un échantillon très restreint par rapport à la population de Lyon du XVIIIe siècle, mais il est possible de trouver quelques traits caractéristiques du comportement des Lyonnais par l'examen des naissances dans ces 240 familles.

Ces 240 familles ont été reconstituées avec le plus de souci possible. Quelques baptêmes les concernant ont été retrouvés dans des paroisses voisines; plus de 200 naissances ont eu lieu à l'Hôtel-Dieu, et ont été jointes aux baptêmes enregistrés dans la paroisse. Il ne s'agit pourtant pas de familles absolument complètes : certaines sont venues s'installer à Lyon une fois constituées, avec des enfants nés par exemple à Nîmes ou à Tours, deux autres centres de travail de la soie. Quelques familles également ont été interrompues, par exemple par l'enrôlement de pères au moment de la guerre de Sept Ans.

Ces réserves faites (les démographes savent que la multiplication des précautions est nécessaire dans ce domaine de la reconstitution des familles — et combien les imprécisions et causes d'oublis restent grandes), quels sont les enseignements majeurs de ce premier sondage?

Le premier fait incontestable est que pour ces ouvriers lyonnais du XVIIIe siècle, le mariage ne se conçoit pas sans la procréation d'enfants.

Si de rares mariages sont suivis de reconnaissances d'enfants nés hors du mariage (moins de 1 % des unions), il semble assez fréquent que la première naissance suive de près (ou de trop près!) la célébration du mariage : les conceptions prénuptiales sont beaucoup plus nombreuses dans une ville comme Lyon et dans le milieu de la Fabrique que dans les milieux ruraux. Dans la paroisse Saint-Georges, ces naissances suivant de peu le mariage représentent de 10 à 20 % des premières naissances : dans les cas extrêmes la naissance suit directement l'union du père et de la mère; le plus souvent la première naissance survient deux ou trois mois seulement après la cérémonie nuptiale. Dans ces cas, l'état de la mère serait directement responsable du mariage, et il est important de signaler cette fréquence dans le monde ouvrier, facilement explicable d'ailleurs par les conditions de vie, de travail et de logement de la main-d'œuvre féminine. Dans l'ensemble, l'intervalle entre le mariage et la première naissance est le suivant :

Moins de 7 mois.................. 10 %
8 mois.......................... 10 %
9 mois.......................... 30,5 %
De 10 à 12 mois.................. 26 %
De 15 à 21 mois.................. 17 %
2 ans et plus.................... 6,5 %

L'ÉTONNANTE NATALITÉ DES FAMILLES D'OUVRIERS EN SOIE DU QUARTIER SAINT-GEORGES

Enfants/Familles	Nombre de familles	Total des enfants
3 enfants	3	9
4 enfants	14	56
5 enfants	28	140
6 enfants	42	252
7 enfants	25	175
8 enfants	25	200
9 enfants	25	225
10 enfants	18	180
11 enfants	20	220
12 enfants	15	180
13 enfants	9	117
14 enfants	4	56
15 enfants	4	60
16 enfants	6	96
17 enfants	2	34
20 enfants	1	20
TOTAL	240	2 020
Moyenne		8,25

Dans plus de trois quarts des ménages donc, le mariage est suivi d'une naissance dans l'année.

Ces 240 familles retenues ont séjourné dans la paroisse Saint-Georges au moins pendant cinq ans consécutifs après leur mariage.

Ce n'est pas sans scrupules qu'on avance une moyenne si élevée d'enfants par famille (étant bien entendu que nous n'avons retenu qu'une femme par famille — en en comptant deux quand il y a eu remariage suivi d'enfants). Cependant, malgré le caractère quantitatif peu important de ce sondage, il n'en reste pas moins valable pour dégager certains traits essentiels de la natalité lyonnaise en ce XVIIIe siècle. Ce sondage effectué dans la paroisse Saint-Georges mérite d'autant plus

DURÉE DE LA PÉRIODE DE FERTILITÉ DES ÉPOUSES DES OUVRIERS EN SOIE DU QUARTIER SAINT-GEORGES

Durée de la fertilité	Nombre de cas	Total et %
4 ans	4	
5 ans	15	
6 ans	8	
7 ans	17	
8 ans	16	
9 ans	19	
Total moins de 10 ans		79 — 32,9 %
10 ans	12	
11 ans	19	
12 ans	17	
13 ans	20	
14 ans	12	
Total de 10 à 14 ans		80 — 33,33 %
15 ans	11	
16 ans	17	
17 ans	11	
18 ans	9	
19 ans	12	
Total de 15 à 19 ans		60 — 25 %
20 ans	8	
21 ans	3	
22 ans	5	
23 ans	2	
24 ans	2	
27 ans	1	
Total plus de 20 ans		21 — 8,75 %

de confiance que les deux autres relevés entrepris dans les deux paroisses de La Platière et de Saint-Pierre, plus différenciés professionnellement, plus étalés dans le temps, mais concernant environ 1 000 familles complètes, donnent des résultats très comparables : le chiffre moyen d'enfants par famille complète est encore supérieur à 7, et les données statistiques sont tellement proches de celles observées dans la paroisse Saint-Georges que nous ne les répétons pas.

Les naissances très nombreuses (plus de 15 enfants) restent très rares, plus que dans le milieu des bouchers, où un nombre plus important a été observé sur un plus petit nombre de cas. Mais les familles dans lesquelles il y a plus de dix naissances sont loin d'être exceptionnelles : 79 sur 240, soit 32,9 %. Jamais dans le monde rural français du XVIIIe siècle n'ont été observées de telles séries de naissances. Il y a là incontestablement un fait urbain; les naissances multiples sont plus fréquentes dans un milieu urbain que dans le monde rural. C'est cependant entre 5 et 7 naissances que se trouvent le plus grand nombre de familles, et ici les chiffres sont plus près des résultats des études démographiques précédentes.

La durée moyenne pendant laquelle les femmes ont des enfants est donc relativement courte puisque de 12 ans 1/2 seulement pour une moyenne de maternités supérieure à 8. Il y a là une deuxième observation extrêmement importante : si le nombre moyen de naissances est supérieur dans les villes, ce n'est ni parce que les femmes se marient plus jeunes, ni parce

L'ÉCHELONNEMENT DES NAISSANCES
AU COURS DE LA DURÉE DU MÉNAGE

Périodes	Nombre de mères ayant des enfants	Nombre d'enfants	Moyenne Enfants/ Femme	% des enfants
De 1 à 5 ans..	240	928	3,85	46,4
De 6 à 10 ans..	221	625	2,84	31,2
De 11 à 15 ans..	149	310	2,06	15,5
De 16 à 20 ans..	80	115	1,47	5,75
De 21 ans et plus	13	19		1

que la durée de leur fertilité est plus grande, mais parce que les naissances sont plus rapprochées.

Les taux de fécondité sont exceptionnels pendant les dix premières années de vie conjugale. Le rythme de la naissance annuelle est présent dans presque toutes les familles pour au moins trois enfants consécutifs. Comme dans l'exemple précédent des bouchers, cette fréquence est parfois beaucoup plus grande : 39 familles sur 240 ont eu un enfant par an pendant six ans de suite au moins, et une femme a accouché chaque année pendant douze années consécutives!

La seule proportion exacte est celle de la première tranche de cinq ans pendant laquelle toutes les mères vivent encore et ont encore des enfants : la moyenne est alors très proche de 4 enfants pour les cinq premières années de mariage. Elle diminue régulièrement ensuite, mais un peu moins que ne l'indique le tableau. A mesure que l'on s'éloigne de la date du mariage, chaque année le nombre de femmes encore fertiles (ou vivantes) diminue; pendant la deuxième tranche de cinq ans c'est plus de trois enfants par femme qui naissent encore, près de 2 1/2 entre onze et quinze ans. Ce n'est qu'après quinze ans de mariage et de fécondité que les naissances deviennent de plus en plus espacées.

Enfin le tableau indique, pour l'ensemble de ces familles, le nombre de naissances (jumeaux non compris) pendant les dix premières années du mariage. On a séparé les familles qui ont eu des enfants pendant neuf ans au moins (183) et celles dont la durée de fertilité de la mère, ou du moins la période pendant laquelle elle eut des enfants, est inférieure à neuf ans.

LE NOMBRE DE NAISSANCES PAR FAMILLE PENDANT LES DIX PREMIÈRES ANNÉES DU MÉNAGE

Nombre d'enfants	Naissances pendant 9 ans au moins	Naissances pendant moins de 9 ans
3	5	—
4	7	16
5	9	26
6	49	13
7	49	1
8	40	1
9	21	
10	3	—

113 femmes sur 183 ont eu au moins 7 enfants pendant ces dix premières années de leur mariage : il semble bien que l'on ait là le profil démographique moyen de l'ouvrière en soie lyonnaise du XVIIIe siècle de 7 à 8 enfants pendant les dix premières années : 4 dans les cinq premières, 3 ou 4 dans les cinq suivantes.

A partir de la onzième année le rythme des naissances devient plus lent, mais surtout le nombre de femmes ayant des enfants devient plus faible. Dans la période de 11 à 15 ans après le mariage, il n'y a plus que 18 femmes qui donnent naissance chacune à quatre enfants, 31 à trois enfants, et 32 à deux enfants seulement; entre 16 et 20 ans après le mariage, une seule a quatre enfants, 13 trois enfants et 12 deux enfants. Il semble qu'il y ait là aussi une différence avec le comportement du monde rural : près de 80 % des enfants sont nés dans les dix premières années qui suivent le mariage. Le rythme très rapide des naissances réduit peut-être la fertilité de la femme : on ne peut guère trouver d'autres explications, avec bien sûr la mortalité qui enlève un certain nombre de femmes.

2. — L'AGE AU MARIAGE N'EXPLIQUE RIEN

L'âge des époux au moment de leur mariage est une des données essentielles de la démographie. Les études les plus précises sur la nuptialité dans les campagnes ont démontré que les filles avaient en moyenne environ 25 ans lors de leur premier mariage. Les exemples de moyennes plus jeunes proviennent le plus souvent de cas particuliers comme celui des Canadiens français. Deux méthodes peuvent être utilisées pour connaître l'âge au mariage : la plus sûre, et la seule rigoureuse, consisterait à ne retenir que les femmes dont la naissance peut être retrouvée dans les registres paroissiaux lyonnais. Sûre, cette méthode n'est pas cependant parfaite. Son principal inconvénient provient de la confusion possible entre les frères et sœurs d'une même famille portant le même prénom. L'étude des baptêmes dans la ville de Lyon souligne en effet l'extrême pauvreté du choix dans l'attribution des prénoms. Il n'y a d'ailleurs pas véritablement choix du prénom, mais désignation du parrain et de la marraine, et l'enfant porte le prénom de ceux-ci. Les quelques exceptions proviennent d'un amalgame de deux prénoms : l'enfant sera appelé Jean-Marie quand le parrain est Jean et la marraine Marie : de telles transformations n'ont été trouvées que dans 1 % des baptêmes, et dans tous les autres cas la transmission du nom du parrain à l'enfant est systématique. Les relations familiales sont le plus souvent à l'origine du choix, et il n'est pas rare de voir réapparaître trois ou quatre fois comme marraine une même tante célibataire : trois ou quatre filles nées à quelques années d'intervalle porteront alors le même prénom dans la famille et, au moment du mariage, il est parfois très délicat de désigner l'âge exact de la véritable épouse. L'usage de prénoms composés complique encore le problème.

Dans les familles nombreuses, enfin, les derniers-nés ont assez fréquemment pour parrains des frères ou sœurs plus âgés d'une douzaine d'années : lors du mariage, il reste difficile de savoir s'il s'agit de la fille de 18 ans ou de son aînée de 30 ans portant le même nom.

Là pourtant ne réside pas le principal inconvénient de cette méthode : elle ne permet de retrouver que les époux lyonnais par leur naissance, et ils ne sont que la moitié ou moins des jeunes mariés. Les actes sont d'une imprécision très grande. L'indication, même d'une simple majorité (et encore celle-ci pour les hommes est parfois de 30 ans et de 25 ans pour les femmes — dans les contrats de mariage), est loin d'être toujours présente : quand les parents assistent au mariage, les filles se marient avec leur consentement, et le vicaire de la paroisse omet d'indiquer l'âge sur le registre. La paroisse Saint-Pierre et Saint-Saturnin a offert une autre possibilité : pendant deux courtes périodes de 1714 à 1718, puis de 1733 à 1740, l'âge au mariage est indiqué pour la presque totalité des époux. Sans doute la valeur inscrite n'a pas une garantie totale d'exactitude : les contrôles effectués pour les filles natives de Lyon sont toutefois très satisfaisants : l'âge indiqué est exact dans 86 % des cas; l'écart n'est pas supérieur à un an dans 10 %. Faute d'autres possibilités (ce sont les seuls registres où figurent ces indications pour le XVIIIe siècle lyonnais), il semble logique d'utiliser ces chiffres. Les résultats globaux de ce sondage sont les suivants :

L'AGE MOYEN DES ÉPOUX
DANS LA PAROISSE SAINT-PIERRE ET SAINT-SATURNIN
DANS LA PREMIÈRE MOITIÉ DU XVIIIe SIÈCLE

	Hommes	Femmes
Nombre total	1 498	1 503
dont premier mariage.	1 224	1 341
dont veufs	274	162
Moyenne d'âge générale .	32 ans	29 ans
au premier mariage ..	29 ans	27 ans 6 mois
au remariage	44 ans 6 mois	41 ans

L'âge au mariage est donc relativement élevé, plus même que dans toutes les enquêtes de démographie rurale faites jusqu'à ce jour : il est bien évident qu'un âge moyen de 27 ans 1/2 au premier mariage pour les femmes est une limitation considérable de la natalité possible, tout au moins dans le cadre de la famille légitime.

La différence entre l'âge des hommes et celui des femmes paraît peu importante : moins de deux ans. Cependant la moyenne ne doit pas suffire à définir cette notion. La répartition des époux par tranches d'âge souligne les différences entre le comportement masculin et le féminin.

Si l'écart moyen entre les hommes et les femmes reste faible, des différences importantes apparaissent entre les tranches d'âge. Le mariage d'hommes jeunes ou très jeunes, mineurs de moins de 25 ans, reste rare : 1 % de moins de 20 ans, 20 % de moins de 25 ans. Les épouses mineures sont beaucoup plus nombreuses : 8,75 % de moins de 20 ans et 34,75 % de moins de 25 ans. Alors que les époux les plus nombreux se marient entre 25 et 29 ans (40 %), c'est le groupe des épouses mineures qui est le plus important. A partir de 30 ans, et au-dessus, les femmes sont presque aussi nombreuses que les hommes : c'est là un fait extrêmement important pour la démographie de la ville. Le tiers des épouses lyonnaises ne contracte un premier mariage qu'après l'âge de 30 ans et 14,4 % à partir de 35 ans seulement; c'est dire que pour une Lyonnaise sur sept en moyenne il n'y a pas de grandes possibilités de maternité dans le mariage. Le comportement démographique des ménages dépend donc en grande partie de l'âge de la femme au moment de son mariage. C'est un tout autre problème de savoir si ce fait est conscient pour le Lyonnais du XVIIIe siècle, et si le choix d'une épouse relativement âgée correspond au désir de limiter le plus possible le nombre des enfants à naître. C'est en tout cas une hypothèse intéressante. Il faut retenir cette séparation essentielle des épouses en trois catégories : des femmes jeunes, encore mineures, dont la fécondité peut être très grande, et la période de fertilité durer de 15 à 20 ans dans le mariage; un groupe de femmes majeures mais de moins de 30 ans, encore capables d'assurer des maternités pendant une période assez longue, enfin un groupe d'importance à peu près égale à chacun des deux premiers, dont l'âge plus élevé limite nettement les possibilités de maternité.

Les alliances ne se concluent d'ailleurs pas strictement entre groupes d'âges égaux. Dans l'ensemble les maris sont plus âgés que leur conjointe : dans 60 % des cas — il y a âge égal dans 9 % des mariages, mais les épouses sont les plus âgées dans 31 % des cas. La différence d'âge entre les époux est naturellement plus forte quand c'est le mari le plus âgé.

Les différences d'âge s'accusent plus d'ailleurs lors des remariages : veufs et veuves âgés épousent assez souvent des époux beaucoup plus jeunes. Les remariages des hommes sont beaucoup plus fréquents que ceux des veuves. Les explications de ce fait sont multiples : d'une part les décès de femmes encore jeunes sont plus fréquents que ceux des hommes, ou du moins les décès de femmes de moins de 30 ans concernent souvent des femmes mariées, alors que la plupart des hommes mourant à cet âge sont célibataires. Il y a donc un plus grand nombre de veufs jeunes que de veuves. Le veuf chargé d'enfants cherche immédiatement une nouvelle épouse, alors qu'un homme célibataire ne recherche pas beaucoup l'alliance d'une veuve chargée d'enfants.

L'arrivée de nombreuses filles de la campagne, comme ouvrières dans la Fabrique, ou domestiques, cause un déséquilibre dans la répartition des sexes au profit des filles : cela est encore une cause de la relative rareté des remariages de veuves. Les recensements montrent d'ailleurs que les veuves, surtout au-delà de 45 ans, sont très nombreuses dans la population lyonnaise de la fin du siècle.

Une explication psychologique peut aussi rendre compte de cette différence de comportement. La morale du siècle est encore totalement une morale masculine, dans laquelle la femme est réduite au rôle de mineure. Même si l'on se moque des unions entre les vieux « barbons » et de jeunes filles (*l'Avare* et Molière ne sont pas si éloignés !), le mariage d'un homme jeune avec une femme nettement plus âgée paraît beaucoup plus contre nature : les voisins soupçonnent immédiatement des motifs d'intérêts financiers dans de telles unions, qui sont l'objet alors de la réprobation de tout un quartier. Qu'un veuf se remarie quelques semaines après la mort de sa première femme ne semble pas susciter de réactions et n'est sans doute pas objet de reproche, tant la chose est fréquente. Dans la paroisse Saint-Georges les remariages des hommes ont lieu pour 90 % des cas moins d'un an après le décès de leur femme précédente, et dans 80 % des cas moins de six mois après ce décès. La moyenne du temps écoulé est inférieure à quatre mois, et 30 % des veufs contractent un nouveau mariage moins de deux mois après la rupture du premier. Pour les femmes, la durée est beaucoup plus longue, et un délai d'un an au moins est le plus souvent respecté entre la mort du mari et le remariage.

Toutefois, si les veuves attendent plus pour se remarier, elles sont déjà assez fréquemment enceintes lors de ce nouveau mariage, alors que les conceptions prénuptiales sont plus rares dans le cas des premières unions. De nombreux procès devant le tribunal de la sénéchaussée évoquent cette atmosphère de scandale à la suite de ces remariages.

En 1758 est célébré le mariage d'un maître cordonnier de 30 ans avec une veuve de 60 ans : la cérémonie, trop facilement interprétée par le voisinage comme une bonne opération financière de la part du nouvel époux, donne prétexte à un interminable charivari qui se prolonge toute une semaine sous les fenêtres du malheureux mari. Excédé par les bruits de trompe, de chaudrons et de chaînes, importuné par les chansons « indécentes et obscènes », indigné par la réclamation de 10 pistoles par les auteurs du charivari qui veulent boire à la santé des « jeunes mariés », le pauvre cordonnier finit par porter plainte, sans même réussir à faire cesser le scandale. En sens inverse, on ne rencontre pas la même attitude : le 11 novembre 1743, Antoine Blandin, cordonnier à Lyon, veuf, épouse Sébastienne Goujon, fille de maçon, âgée de 29 ans. Le mari, né en 1667, avait donc 76 ans, et il en a 83 à la naissance de leur dernier enfant le 14 octobre 1750. Un tel exemple reste exceptionnel comme la vigueur et la vitalité des veufs lyonnais! En tout cas l'hôpital de la Charité adopte cette fille « légitime » en 1756 à la mort du père (89 ans), sans douter le moins du monde de cette légitimité!

La répartition socio-professionnelle des nouveaux mariés ne révèle pas de différences notables de comportements entre les membres des divers groupes sociaux. Contrairement à une opinion courante, l'âge moyen au mariage n'est pas beaucoup plus jeune dans la bourgeoisie que dans les classes populaires. La proportion des épouses de moins de 20 ans est plus forte dans les milieux aristocratiques, officiers, négociants, hommes de loi, mais les premiers mariages au-delà de la trentaine n'y sont pas rares. Seuls les métiers du bâtiment offrent un profil particulier, avec un âge moyen nettement plus élevé pour les femmes comme pour les hommes, mais il s'agit d'une main-d'œuvre très mobile, qui se fixe tard par le mariage.

La seule différence importante semble opposer les natives de Lyon et les nouvelles Lyonnaises. Il s'agit là d'un fait capital de la démographie lyonnaise, sur lequel nous reviendrons.

3. — LA MISE EN NOURRICE : FACTEUR ESSENTIEL DE LA FÉCONDITÉ

a) *Un fait général.*

Une fécondité exceptionnelle malgré un âge au mariage tardif, des intervalles intergénésiques très courts, traits caractéristiques d'une démographie lyonnaise, sont peut-être avant tout le résultat d'une pratique fort généralisée : la mise en nourrice des enfants. L'exemple lyonnais ne peut à lui seul fournir une réponse définitive aux controverses qui opposent historiens, médecins et généticiens. Le nombre et la qualité des échantillons sont trop restreints pour savoir si les taux de fécondité sont plus élevés dans les familles qui ont recours à la mise en nourrice que dans les autres.

L'étude des mises en nourrice à Lyon est encore plus difficile que dans d'autres villes, à cause de l'absence de tout organisme officiel de placement. Les registres paroissiaux des villages livrent — et encore avec quelle imprécision — des décès d'enfants lyonnais, mais jamais la proportion des enfants nés à Lyon et élevés à la campagne. Un sondage sur 40 paroisses de la région lyonnaise (alors que peut-être plus de 1 000 recevaient des nourrissons), du Lyonnais, du Bugey et du Dauphiné, portant sur 2 000 décès d'enfants, entre 1760 et 1770, montre l'importance de la mise en nourrice dans tous les milieux sociaux, en même temps que certaines inégalités.

RÉPARTITION DES PARENTS D'ENFANTS MORTS EN NOURRICE

Catégories socio-professionnelles	%	
Ouvriers en soie et fabricants	34,5	
Textiles divers (ou annexes : teinturiers)	5,2	66,4
Négociants et marchands	10,7	
Bourgeois, nobles et professions libérales	5,7	
Commerce de l'alimentation	7,5	
Commerce du vin (cabaretiers-aubergistes)	2,8	
Cordonniers et tailleurs	6,7	17,9
Métiers du bâtiment	6,1	
Chapeliers	1,6	
Journaliers, affaneurs et domestiques	2,4	
Voituriers et transports	1,1	
Artisans divers	15,7	
TOTAL	100	

La comparaison avec les naissances et les décès à l'intérieur de la ville (pour la seule paroisse Saint-Nizier — qui rassemble le tiers de la population) souligne ces différences entre les catégories sociales : on peut affirmer en effet que la plupart des enfants décédés à Lyon entre 0 et 2 ans n'ont pas été envoyés en nourrice auparavant, alors qu'après 2 ans, presque tous les enfants seraient rentrés à la ville.

La mortalité infantile et juvénile par catégories socio-professionnelles dans la paroisse Saint-Nizier (%)

Catégories	Naissances		Décès avant 2 ans		Décès de 2 à 9 ans	
Ouvriers en soie	24		21,3		26,2	
Divers textiles	4,6		4,2		4,8	
Négociants et marchands	10,1		4		6,8	
Bourgeois, professions libérales	3,1	49,9 %	1,7	35,6 %	2,6	48,5 %
Alimentation	5,4		1,7		5,1	
Vin	2,7		2,7		3	
Cordonniers et tailleurs	9,6		11,8		9,8	
Bâtiment	7,6		12,8		7,5	
Journaliers, affaneurs	4,3	31,4 %	10	45,4 %	6,2	34,5 %
Chapeliers	8		9,3		9,4	
Transports	1,9		1,5		1,6	
Artisans divers	18,7		19		17	
Total	100		100		100	

Si les pourcentages de la première colonne (naissances) et ceux de la troisième (décès entre 2 et 9 ans) sont assez proches les uns des autres, il y a un décalage parfois considérable entre les deux premières : c'est bien sûr l'importance de l'envoi en nourrice qui explique les différences les plus importantes. Dans les catégories socio-professionnelles pour lesquelles le pourcentage des décès avant deux ans est très inférieur à celui des naissances, beaucoup d'enfants sont envoyés en campagne et, inversement, peu d'enfants sont envoyés en nourrice dans les professions pour lesquelles les décès avant deux ans sont très nettement supérieurs au pourcentage des naissances de cette catégorie. La comparaison de ce tableau et de celui des décès en nourrice permet d'affirmer plus nettement encore la correspondance entre ces deux chiffres. La catégorie dans laquelle les décès avant deux ans sont les plus rares est celle des métiers de l'alimentation (bouchers et charcutiers, boulangers et pâtissiers) : 1,7 % des décès d'enfants de moins de deux ans, contre 5,4 % des naissances. Mais c'est aussi une des catégories pour laquelle le chiffre des décès en nourrice (7,5 %) est nettement supérieur à la proportion des naissances. Il en est de même pour les négociants et les marchands, et pour l'ensemble des ouvriers en soie. Au contraire, la catégorie des affaneurs et journaliers montre un profil totalement différent : très nombreux décès entre

0 et 2 ans dans la ville, décès bien peu nombreux en nourrice (10 % des décès à Lyon, 2,4 % en nourrice). Deux critères essentiels semblent expliquer le placement en nourrice des enfants par leurs parents : le premier reste la richesse, ou du moins la possibilité de payer la pension des enfants; le deuxième est l'activité, non pas de l'homme, mais de la mère : c'est dans les métiers où elle est directement associée au travail de son mari qu'elle peut le moins garder et élever ses enfants à Lyon (les épouses des ouvriers en soie travaillent sur le métier aux côtés de leur mari; dans les métiers de l'alimentation, traditionnellement, la femme tient la boutique du boulanger ou du boucher). L'envoi des enfants en nourrice se présente bien dans ces ménages d'ouvriers et d'artisans comme une nécessité. « Pères pauvres et mères éplorées », expliquait Prost de Royer, c'est en grande partie la réalité. On ne peut savoir bien sûr si c'est en pleurant que les mères cédaient ainsi leurs enfants, comme le présentent les auteurs de la fin du siècle : « Les femmes d'ouvriers, elles sont tout aussi tendres que nous, mais en pleurant elles portent leurs enfants à nourrir à d'autres, parce qu'il faut bien commencer à se nourrir soi-même. » Dans d'autres activités professionnelles, la femme, même si elle travaille, ne le fait pas en association avec son mari. C'est le cas par exemple des chapeliers ou des affaneurs : les premiers sont employés dans des manufactures comme compagnons, les seconds occupés aux transports des fardeaux sur les ports. Leurs femmes effectuent des métiers annexes, comme dévideuses dans la soierie, ou brodeuses, ou revendeuses de fruits sur les marchés. Les gains de leur profession sont si faibles qu'elles n'ont pas intérêt à placer leur enfant en nourrice : le paiement de la pension de l'enfant absorberait entièrement leur salaire, et celui de l'époux est insuffisant pour payer 60 ou 80 livres par an pour l'entretien d'un seul enfant. C'est ce qui explique le pourcentage particulièrement faible des décès en nourrice des chapeliers (1,6 %) et des affaneurs ou journaliers (2,4 %), les deux catégories économiquement les plus défavorisées de la population lyonnaise. Pour les classes aisées, la pratique de l'envoi des enfants en nourrice est de règle jusqu'à la fin du siècle. Dans ces milieux aussi les enfants restent à la campagne plus longtemps; en nourrice la première année, les enfants restent en pension, parfois jusqu'à 9 ou 10 ans.

C'est vrai surtout dans les catégories les plus fortunées des bourgeois de Lyon ayant des propriétés à la campagne : assez nombreux sont les enfants morts entre 6 et 10 ans, fils de négociants ou de bourgeois, vivant dans la terre de leurs parents. Parfois également les grands-parents vivant à la campagne accueillent encore leurs petits-enfants, et dans ce cas aussi le séjour de l'enfant hors de Lyon est plus long.

Aucun taux de mortalité ne peut bien sûr être calculé à partir de ces données. Les relevés de décès de nourrissons à la campagne indiquent que les deux-tiers concernent des bébés de moins d'un an (1 % morts en chemin, 47 % morts avant 6 mois), mais 15 % des décès concernent encore des enfants de plus de 2 ans.

Peut-on déduire de ces quelques indications un bilan global ?

Invraisemblable paraît l'estimation de Prost de Royer : « Il naît (à Lyon) 6 000 enfants, toutes les années. Il en périt plus de 4 000 en nourrice. » Le tableau est encore noirci par l'affirmation que sur les deux mille à peine revenant chaque année à Lyon, la moitié serait saine et l'autre moitié « traîne une vie à charge et languissante ».

L'avocat Bloud déjà cité, favorable lui aussi à l'établissement d'un bureau des nourrices, n'évalue qu'à 800 le nombre de décès annuels dû à un « mauvais allaitement ».

Le médecin, auteur du *Mémoire sur la dépopulation*, cite le résultat de ses enquêtes personnelles dans la région lyonnaise. D'après lui, il meurt « un quart des enfants sous des nourrices sages ou les mères, les deux tiers sous de mauvaises nourrices », et il explique cette conclusion : « Pendant notre séjour à Lyon, nous n'avons laissé échapper aucune occasion de questionner les pères et mères sur le nombre des enfants qu'ils avaient perdus. En réduisant sur des tables graduées les aveux, nous avons trouvé que les Lyonnais, *tant bourgeois qu'artisans*, perdaient environ les deux tiers de leurs enfants sous la direction des nourrices mercenaires. »

Dans l'ensemble 1 000 à 1 500 enfants lyonnais (sans parler des enfants placés par les hôpitaux) meurent chaque année hors de Lyon. Il ne faut pas oublier ce tragique destin des nourrissons quand on veut dresser le bilan de la démographie lyonnaise du XVIIIe siècle.

b) *Un bilan tragique : décès en nourrice et mortalité urbaine.*

Les archives des deux hôpitaux lyonnais fournissent une vision encore plus tragique du sort des nourrissons. Il s'agit avant tout des enfants illégitimes, et de cette masse d'enfants trouvés et exposés qui sont recueillis par l'Hôtel-Dieu, et placés en nourrice par les Recteurs jusqu'à l'âge de 7 ans (les survivants restent en pension jusqu'à 14 ans).

Le choix des nourriciers ne semble pas répondre à des règles particulièrement strictes. Dans certaines paroisses, la totalité des familles reçoit des enfants des hôpitaux lyonnais : les familles en âge d'avoir des enfants se chargent des nourrissons, les veuves ou les familles plus âgées accueillant les enfants ayant plus d'un an lorsqu'ils sont pris en charge par l'Hôtel-Dieu. Un frère de chacun des deux hospices, avec un carnet contenant le nom et le numéro d'ordre des enfants, est chargé d'inspections dans les villages. Ces inspections régulières permettent à la fois le paiement des nourriciers, la vérification de la situation des enfants, mais aussi un certain contrôle sanitaire : chaque fois le frère chargé des visites ramène quelque enfant malade, ou trouvé dans une situation trop mauvaise. Les registres signalent ainsi chaque année dix ou vingt enfants malades, revenus à l'hôpital pour y être soignés, et le plus souvent pour y mourir. Les Recteurs eux-mêmes font chaque année une tournée d'inspection dans les villages où demeurent les nourriciers.

Pendant presque toute la première moitié du XVIIIe siècle, les paroisses du Lyonnais accueillent la totalité des enfants de l'Hôtel-Dieu. Un premier sondage effectué porte sur les mille enfants placés par l'Hôtel-Dieu dans les deux années 1716 et 1717; sur ces mille enfants, neuf restent à Lyon dans des familles, deux vont dans le Vivarais, deux autres dans deux paroisses proches du Dauphiné (Vaux et Saint-Symphorien-d'Ozon), 98,7 % sont envoyés dans la généralité de Lyon : en réalité il n'y a que 70 paroisses environ du Lyonnais et du Forez qui reçoivent des enfants. Le Beaujolais n'est presque pas atteint. Trois secteurs sont nettement délimités sur la carte : les monts du Lyonnais, entre la vallée de l'Azergue au nord (qui n'est pas atteinte) et celle du Gier au sud. C'est là que se trouvent les deux paroisses qui reçoivent le plus grand nombre d'enfants : Saint-Martin-en-Haut (229 en deux ans) et Larajasse (94). Ce sont pour la plupart des villages pauvres, situés entre 500 et 800 mètres d'altitude. La nourriture des enfants représente pour les familles rurales un appréciable revenu d'appoint. Le deuxième secteur est remarquable surtout par l'absence des assistés : dans un secteur de 20 kilomètres autour de Lyon (à vol d'oiseau, en réalité près de 30 par les routes), l'Hôtel-Dieu n'envoie pas ses enfants. C'est l'ensemble des villages les plus proches de la ville, où nombreuses sont les propriétés des bourgeois lyonnais, et où les citoyens de la ville envoient de préférence leurs enfants. Il y a déjà une séparation nette entre enfants trouvés et enfants légitimes. Le troisième secteur, moins important (23 % seulement des enfants), est situé plus au sud, dans le Forez, à la limite du Vivarais, entre le Rhône et le Gier, autour du bourg de Pélussin (92 enfants en deux ans). Les paroisses sont situées sur les contreforts orientaux du massif du Pilat : la plupart d'entre elles sont difficilement accessibles en une journée de route de Lyon. Les registres de l'Hôtel-Dieu permettent de connaître le sort des enfants jusqu'à ce qu'ils atteignent l'âge de 6 ans et 7 mois; leur âge au départ de Lyon est également indiqué.

La répartition par âge de ces 1 000 enfants des années 1716-1717 et le retour des survivants permet de mesurer le poids de la mort aux différents âges.

La mortalité des enfants de l'Hotel-Dieu en nourrice (1716-1717)

Age au départ	Nombre	Vivants à 7 ans	Décédés avant 7 ans %
1 ou 2 jours	401	154	61,5
Moins d'un mois	218	102	53,2
Moins d'un an	204	90	55,8
Plus d'un an	177	133	25
Total	1 000	479	52,1

Un peu plus de la moitié des enfants meurt pendant leur séjour à la campagne et avant l'âge moyen de sept ans. Les enfants abandonnés à leur naissance et les illégitimes envoyés dès le premier jour, hiver comme été, paient bien sûr le plus lourd tribut; mais les conditions de vie dans la campagne sont si mauvaises que les enfants plus âgés sont presque aussi frappés. C'est même les enfants envoyés entre l'âge de 6 et 12 mois qui meurent le plus (64 %) : ils sont changés de régime pendant leur allaitement, et souvent sevrés trop tôt, quand ils arrivent dans leur nouvelle demeure, et beaucoup meurent dans les jours qui suivent leur installation.

Entre 1735 et 1740 les recteurs de l'Hôtel-Dieu cherchent des débouchés plus lointains et plus nombreux pour leurs enfants. La raison principale de cette recherche est l'accroissement du nombre des enfants assistés par l'Hôtel-Dieu.

Un deuxième sondage portant sur les années 1757-1758 montre combien l'évolution a été rapide et profonde.

Trois cents paroisses recueillent alors des enfants : les plus éloignées au sud, dans le Vivarais, autour de Saint-Félicien, Lamastre et Vernoux sont à plus de 100 kilomètres de Lyon; en hiver surtout elles ne sont accessibles qu'en deux jours et demi ou trois jours, parfois plus. Les conditions de vie des enfants ne peuvent donc être encore que plus mauvaises. Au nord, aux confins du Bugey et de la Franche-Comté l'éloignement est aussi grand. Ce sont de plus des régions qui jouissent d'une mauvaise réputation : le climat y est rude, très froid en hiver.

La répartition des enfants par province, en 1757-1758, est devenue la suivante :

LES ENFANTS EN NOURRICE DE L'HOTEL-DIEU
PROVINCES D'ACCUEIL ET MORTALITÉ (1757-1758)

Province d'envoi	Nbre d'enfants envoyés	Nbre d'enfants morts	Mortalité %	Proportion des envois	Proportion des décès
Bugey	814	511	62,5	51,7	59
Lyonnais	581	245	42,1	36,9	28,3
Bresse	85	57	67	5,4	6,6
Vivarais	63	41	66	4	
Dauphiné	33	11	33	2	
TOTAL	1 576	865	54,4	100	

Le nombre des enfants envoyés a connu une sensible augmentation, passant de 991 à 1 576, mais leur répartition est totalement différente : le Bugey devient le principal centre d'accueil, alors que les paroisses du Lyonnais ne reçoivent plus que 37 % des enfants. Pour l'ensemble le taux de mortalité ne varie guère, passant de 52,1 % à 54,4 %, mais le tableau souligne l'opposition entre les deux provinces du Bugey et du Lyonnais : la mortalité dans la première est très supérieure à celle observée dans le Lyonnais; pour le Lyonnais, il y aurait même une diminution sensible de la mortalité d'une période à l'autre. Saint-Martin-en-Haut reste la première paroisse pour le nombre total des enfants reçus (232 en deux ans), mais le nombre d'enfants placés dans les autres paroisses de la carte nº 7 a fortement diminué (61 à Larajasse, 48 à Pélussin), alors que plusieurs paroisses du Bugey ou de la Bresse reçoivent chacune plus de 50 nourrissons : Aranc, Contrevoz, Innimont, Hautecourt, Simandre, Villereversure. L'évolution ainsi commencée devient de plus en plus nette. Un dernier sondage opéré sur les trois années 1771 à 1773 sur un nombre d'enfants encore plus grand montre l'obligation pour les Recteurs de l'Hôtel-Dieu de chercher des villages de plus en plus éloignés de Lyon, mais aussi la part prépondérante du Bugey, qui rassemble cette fois les deux tiers des envois en nourrice. Sur 3 303 enfants enregistrés, 84 restent à Lyon, à l'Hôtel-Dieu, et 3 219 sont placés dans des familles rurales de la façon suivante :

LES ENFANTS EN NOURRICE DE L'HOTEL-DIEU PROVINCES D'ACCUEIL ET MORTALITÉ (1771-1773)

Province d'envoi	Nbre d'enfants		Mortalité %	Proportion des	
	envoyés	morts		envois	décès
Bugey	2 244	1 519	67,7	70	71
Vivarais	324	244	75,3	10	11,4
Lyonnais	227	86	37,9	7,1	4
Bresse	224	160	71,4	7,0	7,5
Dauphiné	133	84	63	4,0	4
Savoie	40	25	62,5	1,2	
Franche-Comté	27	19	70	0,7	
TOTAL	3 219	2 137	66,2	100	

La mortalité générale est nettement plus élevée que dans les deux périodes précédentes; le nombre des enfants envoyés en nourrice annuellement par l'Hôtel-Dieu a doublé depuis le début du règne de Louis XV : le nombre annuel des décès a triplé. Cette observation est des plus importantes pour le bilan démographique général de la ville de Lyon en ce XVIIIe siècle; les enfants illégitimes ou exposés, envoyés en nourrice par les hôpitaux qui les recueillent, sont victimes de cette nécessité d'aller chercher de plus en plus loin des nourriciers pour les accueillir : 250 enfants chaque année au début du règne de Louis XV, 450 au milieu du siècle, plus de 700 à la fin du règne quittent Lyon pour n'y plus jamais revenir, la mort les ayant emportés avant qu'ils n'atteignent l'âge de sept ans.

Cette recrudescence de la mortalité s'explique par la présence de plus en plus grande de nouveau-nés parmi les enfants recueillis par les hôpitaux. Une comparaison entre deux importants « centres d'accueil » est significative. Sur 783 enfants placés à Saint-Martin-en-Haut (Lyonnais), 80 % ont plus d'un an. Le pourcentage des décès atteint, seulement pourrait-on dire, 21 %. A Meyriat en Bresse, 338 enfants ont été envoyés, dont 76,4 % avaient moins de 8 jours : 57 % sont morts avant leur premier anniversaire. Par cet exemple de Meyriat, il est possible de suivre l'évolution de la mise en nourrice au cours du XVIIIe siècle, et ses conséquences, à la fois pour la population lyonnaise, et pour l'équilibre de ces paroisses rurales.

Les registres paroissiaux sont conservés en bon état depuis 1673 : jusqu'en 1740 ils indiquent un léger excédent de naissances sur les décès, une lente augmentation du nombre moyen des baptêmes. En 1732 est signalé le premier décès d'un enfant de Lyon, le fils d'un menuisier; dès 1740 il en meurt sept, tous fils légitimes de citoyens de Lyon. En 1745 meurt le premier enfant de l'Hôtel-Dieu, dont les envois ne cessent d'augmenter dans les années suivantes. Dès 1746 le bilan démographique est déficitaire, les décès d'enfants de l'extérieur formant bientôt plus de la moitié des sépultures annuelles. Voici une paroisse dans laquelle le nombre annuel des naissances est de 20 environ (avec comme extrêmes 15 et 25). Presque régulièrement à partir de 1757 sont envoyés chaque année dans cette paroisse plus d'enfants de l'Hôtel-Dieu qu'il n'y a eu de naissances, donc de femmes en état d'allaiter les enfants : en 1759, par exemple, 16 baptêmes seulement ont été inscrits; l'Hôtel-Dieu envoie 28 enfants, dont 26 nourrissons répartis entre 21 familles. C'est dire que toutes les familles en état de recevoir des enfants en accueillent et même au-delà. Les années de crise particulière, les envois sont encore plus importants : 39 enfants en 1767, 35 en 1772, 31 encore en 1775. Les listes de décès s'allongent dans les registres paroissiaux : jusqu'en 1740, l'année de plus forte mortalité (1719) avait connu 28 décès; les chiffres extrêmes augmentent rapidement, touchant les enfants de Lyon, mais aussi ceux du village dont l'alimentation semble se ressentir de cet afflux massif : 50 morts en 1754, 58 en 1767, 67 en 1775, autant en 1782, 72 enfin en 1790. C'est chaque fois près de 10 % de la population totale du village qui meurt dans ces années de haute mortalité. Quant aux Recteurs de l'Hôtel-Dieu ils n'ont aucun moyen de mettre fin à cette effroyable situation : en 1766, lors de la visite d'inspection du frère, un enfant particulièrement mal soigné est enlevé à une famille, il meurt dès son arrivée à l'Hôtel-Dieu; en 1767, la même famille reçoit de nouveaux enfants, elle en avait déjà en 1755, elle en a encore en nourrice en 1775. L'accueil des enfants est devenu en effet une activité d'appoint, une ressource supplémentaire pour ces villages d'économie pauvre, et les familles de paysans ne peuvent plus s'en passer. Quant aux rares enfants qui atteignent 7 ans, le plus souvent ils sont remis aux mêmes nourriciers par la Charité avec des gages encore plus faibles (12 l./an jusqu'à 10 ans, plus rien ensuite); dès l'âge de dix ans ils sont employés aux travaux de la campagne. Quelques-uns finissent par s'y établir, mais combien rares sont ces mariages des enfants de la Charité, par rapport au nombre de ceux qui sont arrivés dans les premiers jours de leur vie! L'étude d'une paroisse pourrait se répéter dans une douzaine d'autres semblables de la Bresse et du Bugey; elle laisse une impression de malaise. Les Lyonnais, si fiers de leurs institutions de charité et de leurs superbes hôpitaux, ne sont pas capables au cours du siècle de trouver une solution moins radicale à ce problème des enfants trouvés : leur volonté, en les plaçant à la campagne, était de les éloigner de la ville. Les décès en nourrice donnent à cet éloignement une tragique forme définitive.

Les enfants de l'Hôtel-Dieu ne sont pas les seuls

à être envoyés en nourrice, mais le sort de « l'enfant de Lyon », placé par ses parents dans une paroisse rurale, est beaucoup moins connu que celui des enfants exposés inscrits sur les registres des hôpitaux.

A défaut de statistiques globales, seuls des sondages peuvent indiquer les grands traits de ce phénomène : dans les registres paroissiaux des villages du Lyonnais, de la Bresse et du Dauphiné, dans la deuxième partie du XVIIIe siècle surtout, les décès des enfants de Lyon sont régulièrement notés; ce ne sont que les sépultures : on ne peut en déduire ni une proportion de mortalité, ni le nombre total d'enfants placés hors de la ville. Les sondages se révèlent incapables de fournir une réponse satisfaisante à cette question : chaque paroisse a son comportement propre. Ce n'est ni l'importance démographique d'une paroisse rurale, ni même sa situation qui suffisent à expliquer la présence massive d'enfants en nourrice, ou leur absence presque totale. Les liens familiaux, les relations de bourgeois propriétaire à fermier exploitant, ou même à valet de ferme tenancier d'un domaine bourgeois, la position à proximité d'une route ou d'une foire sont autant d'explications à la présence des enfants de Lyon : mais combien de ces enfants sont laissés au hasard par les recommanderesses qui parcourent tel ou tel secteur en cherchant à placer les nourrissons dont elles se sont chargées à Lyon au moindre prix, pour tirer un petit bénéfice de leur petit commerce. Là encore les jugements de police de la fin du siècle montrent la précarité du sort des enfants, et quelques exemples suffisent à montrer que le sort de l'enfant de Lyon n'est pas meilleur que celui de l'enfant trouvé. Le discours de Prost de Royer en 1778 et l'ordonnance de police de Rey en 1780 contiennent ainsi un ensemble d'exemples de ces conditions lamentables : une femme de la campagne, « entremetteuse », emporte six enfants dans une petite voiture; elle s'endort aux environs d'Eyrieux : un enfant tombe et meurt écrasé par une roue du chariot. Un meneur, qui en emportait sept, en perd un dans les environs de Vienne « sans qu'on ait pu savoir ce qu'il était devenu ». Un jour de foire, sur le grand chemin de l'Aubépin, une vieille femme est assise auprès d'un feu de buisson. Elle a, dans une balle, à ses côtés, trois enfants nouveau-nés. Interrogée, elle dit ne pas savoir à qui elle les destine, mais qu'elle compte trouver des nourrices à la foire. La maréchaussée cherche à l'appréhender, mais elle prend la fuite avant son arrivée. On apprend cependant qu'elle a placé un des enfants chez une fille de Saint-Christo-en-Jarrez, âgée de 52 ans. Pauvres parents lyonnais! Les lettres des curés, les rapports des médecins, les registres paroissiaux eux-mêmes qui signalent des décès d'enfants, trouvés morts dans la neige, devant la porte de l'église, ou dans les auberges, sont autant d'indications qui confirment ce triste sort.

La mortalité des enfants en nourrice rend illusoire une étude très précise de la mortalité infantile et juvénile dans la ville de Lyon. Les statistiques réunies par l'abbé Lacroix pour les années 1750-1774 ont cependant été complétées par des comptages jusqu'en 1789.

D'après les chiffres de l'abbé Lacroix, 19 % des enfants nés à Lyon mourraient avant cinq ans : cette proportion, déjà importante, peut cependant paraître faible pour le XVIIIe siècle, surtout en milieu urbain, qui passe pour plus meurtrier encore que la campagne.

Une comparaison entre la mortalité de deux paroisses : Saint-Nizier, la plus grande paroisse urbaine, au cœur de la ville, et La Guillotière, faubourg semi-rural au-delà du Rhône, met en lumière l'influence de la mise en nourrice sur la mortalité urbaine.

A Saint-Nizier, les décès de jeunes et d'enfants ne forment que 51 % de l'ensemble des sépultures; ils sont 65 % du total à La Guillotière. Dans la paroisse urbaine les décès des moins de vingt ans représentent 25 % du total des naissances pendant la même période; pour La Guillotière 43 %. Il y a donc une opposition très marquée dans le type démographique de ces deux paroisses. La répartition des décès par tranches d'âge accentue cette différence.

La situation reste comparable pour les enfants mort-nés ou morts peu après leur naissance, dont le pourcentage reste voisin dans les deux paroisses, mais l'opposition est complète pour les deux groupes constitués ensuite : près des deux tiers des enfants de la paroisse Saint-Nizier enterrés dans leur paroisse meurent après l'âge de deux ans, alors qu'à La Guillotière la proportion est inversée : près des deux tiers des enfants meurent dans leurs deux premières années, et un tiers seulement après deux ans. Aucune indication médicale, aucune cause ne peut rendre compte du fait que dans les milieux urbains les enfants aient une mortalité très faible jusqu'à deux ans pour mourir très nombreux ensuite;

s'ils sont peu nombreux à mourir avant deux ans, c'est parce qu'ils sont peu nombreux à résider dans la ville. C'est entre dix-huit mois et deux ans que la plupart reviennent vivre dans leur famille; c'est alors qu'ils sont victimes de ce changement de vie, d'air et de conditions : la ville tue alors une partie de ceux qui ont survécu aux conditions trouvées à la campagne pendant leur nourrissage.

MORTALITÉ INFANTILE ET JUVÉNILE : COMPARAISON
(en pourcentage du nombre des décès
de jeunes de moins de 20 ans)
DE L'AGE AU DÉCÈS DANS LES PAROISSES DE SAINT-NIZIER (urbaine) ET DE LA GUILLOTIÈRE (faubourg)
1780-1789

Tranches d'âge	Paroisse Saint-Nizier			La Guillotière		
	Total	Garç.	Filles	Total	Garç.	Filles
Ondoyés	7,3	9	5,6	9,8	13	7
1 jour	4,4	5,1	3,7	4,6	4,6	4,6
1) Total morts à la naissance	*11,7*	14,1	9,3	*14,4*	17,6	11,6
2 jours à 1 mois .	13,3	14,3	12,3	21,0	21,1	20,9
1 mois à 1 an ...	5,9	5,8	6	11,0	12,7	9,1
1 an à 2 ans	6,9	6,4	7,4	16,4	13,9	18,8
2) Total de 2 jours à 2 ans	*26,1*	26,5	25,7	*48,4*	47,7	48,8
2 à 4 ans inclus	32,2	31,4	32,9	21,4	21,4	21,3
5 à 9 ans inclus	22	21	23	10,8	8,3	13,3
10 à 19 ans inclus	8	7	9,1	5	5	5
3) Total de 2 à 19 ans	*62,2*	59,4	65,0	*37,2*	34,7	39,6

D'ailleurs ce tableau ne souligne pas que les enfants de plus de deux ans meurent moins dans le faubourg de La Guillotière que dans la ville proprement dite : si leur pourcentage est beaucoup plus faible, c'est uniquement parce que celui des enfants de moins de deux ans est plus fort. Par rapport aux naissances et non plus aux décès, les chiffres sont beaucoup plus proches : les décès d'enfants de 2 à 4 ans représentent 8 % des naissances dans la paroisse Saint-Nizier comme dans celle de La Guillotière; ceux de 2 à 19 ans, 15,25 % des naissances de Saint-Nizier et 15,90 % de celles de La Guillotière.

Ce rapprochement rend encore plus sensible la différence pour les décès de moins de deux ans : dans la paroisse Saint-Nizier ils ne représentent que 5,25 % des naissances, alors qu'ils sont 20,65 % dans celles de La Guillotière. Cette situation radicalement différente dans la paroisse urbaine et dans le faubourg semi-rural est une illustration évidente de l'envoi des enfants en nourrice : il est possible de supposer dès ce moment que les trois quarts environ des enfants de la paroisse Saint-Nizier sont envoyés en nourrice à la campagne entre leur naissance et l'âge de deux ans.

Les décès enregistrés dans les familles échantillons de la paroisse Saint-Georges confirment que le modèle de la paroisse Saint-Nizier est reproduit dans la plupart des paroisses de la ville. Les décès parmi les 2020 enfants des ouvriers en soie de Saint-Georges se répartissent ainsi :

L'AGE AU DÉCÈS DES ENFANTS DANS LES FAMILLES D'OUVRIERS EN SOIE DE LA PAROISSE SAINT-GEORGES

Age au décès	Nombre de décès	% total décès	% total naissances
Ondoyés	53	10	2,6
1 jour	36	6,9	1,78
1) Total morts à la naissance	*89*	*16,9*	*4,38*
2 jours à 1 mois	80	15,2	3,96
1 mois à 1 an	20	3,8	1
1 an à 2 ans	29	5,5	1,45
2) Total morts de 2 jours à 2 ans	*129*	*24,5*	*6,41*
2 ans à 4 ans inclus	152	29	7,5
5 ans à 9 ans inclus	113	21,5	5,5
10 ans à 19 ans inclus	41	7,8	2
3) Total morts de 2 ans à 19 ans	*306*	*58,3*	*15*
Total décès	524	100	26

Les deux faits essentiels, déjà constatés pour la paroisse Saint-Nizier, sont les mêmes : petit nombre de décès dans la première année pendant laquelle meurent moins de 10 % des enfants venus au monde (y compris les ondoyés); recrudescence des décès à partir de l'âge de deux ans. Une situation comparable se retrouve dans toutes les paroisses de la ville.

Les décès d'enfants en ville ne concernent donc qu'une partie — peut-être moins de la moitié — des enfants nés et baptisés à Lyon. Les milieux populaires sont les plus touchés, parce qu'ils ne peuvent pas envoyer les nouveau-nés en nourrice. Comme presque partout, la mortalité infantile et juvénile est la plus forte en été : les quatre mois de juillet à octobre concentrent plus de la moitié des décès d'enfants de moins de 5 ans.

Si les écarts saisonniers sont importants, les variations annuelles ne le sont pas moins. Le XVIIIe siècle lyonnais ne connaît plus de grandes crises démographiques de type ancien, caractérisées par une mortalité considérable. La dernière de grande violence semble avoir été celle de 1693-1694 qui fait tripler le nombre des morts. Apparemment le fameux hiver de 1709 a fait beaucoup moins de victimes, d'une part parce qu'il n'y eut pas épidémie, d'autre part parce que les secours et les distributions de vivres furent mieux organisés. Cependant, tout au long du siècle se retrouvent des crises, brèves mais assez violentes, marquées chaque fois par un renouveau de la mortalité. De tels soubresauts sont notables dans les registres paroissiaux en 1730, en 1740, en 1757, en 1766, en 1783 encore et même en 1787. Ils correspondent souvent à des difficultés économiques et à une crise de chômage dans la Fabrique, en 1766 et en 1787 par exemple. La différence entre une année moyenne (1761) et une année de forte mortalité pour le nombre de décès d'enfants (1766) est très marquée.

Le total des morts en 1761 et en 1766, adultes compris, traduit une augmentation d'un tiers d'une année à l'autre (de 3 152 à 4 165); mais les enfants sont plus sensibles que les parents à ces crises, et ils sont les premières victimes : leurs décès augmentent de 56 % (de 1 231 à 1 926). Le pourcentage des décès d'enfants par rapport au total des morts passe d'une année à l'autre de 39 à 46 %. Ce sont surtout les mois d'été qui sont responsables de cet accroissement des décès, surtout pour les enfants de moins de 5 ans. De février à juin, la moyenne mensuelle des décès des moins de 5 ans est basse : 64/mois, et proche de la moyenne générale (52 en 1761 pour ces mêmes mois). Dès juillet la courbe des décès monte de façon rapide, doublant presque par rapport à juin. La moyenne des décès pour les quatre mois de juillet à octobre est de 147 — ayant plus que doublé par rapport aux cinq mois précédents. Le maximum des décès est situé en octobre, à la fin de la crise; il redescend nettement dès novembre, reste encore nettement supérieur à la moyenne jusqu'en janvier 1767 (encore 122 décès). En février 1767 la situation est redevenue normale et la mortalité de l'été 1767 ne dépasse pas celle des étés ordinaires. Cette mortalité de 1766 est due encore à une année de crise économique et à une montée des prix, mais le principal responsable de la mortalité semble bien être le climat lyonnais pendant les mois d'été, dont les effets morbides sont accentués par les répercussions des difficultés économiques.

Une crise comparable à celle de 1766 s'observe encore en 1783, en particulier dans la paroisse Saint-Nizier (il y a aussi surmortalité des enfants dans toutes les paroisses urbaines, mais absolument pas dans celle de La Guillotière, dans laquelle la mortalité reste normale, preuve encore s'il en était besoin d'un comportement démographique particulier de cette paroisse d'outre-Rhône). Encore une fois ce sont surtout les décès d'enfants qui progressent de façon importante : la moyenne annuelle de Saint-Nizier, de 1780 à 1789, est de 365 décès par an de moins de 20 ans; leur total passe à 640 en 1783 (pour les adultes, la moyenne de 354 passe à 431 en 1783, + 22 %, mais + 75 % pour les enfants).

Si tous les âges sont représentés dans les décès jusqu'à la mi-juillet, du 15 juillet au 20 septembre, au plus fort de la mortalité, ne meurent plus que des enfants de 2 à 5 ans. En août et septembre sont enterrés un grand nombre de garçons et filles de cet âge; en dehors de quelques bébés morts à la naissance, pas un seul décès d'enfant de moins d'un an, mais une longue liste d'enfants de 3 ou 4 ans de tous les milieux socio-professionnels : à la différence des crises démographiques de type ancien qui frappaient les familles pauvres surtout, cette mortalité épidémique d'été ne fait pas la différence entre le foyer de l'ouvrier et la maison du marchand. Les registres paroissiaux portent, inscrite en marge, la mention du casuel perçu par le clergé lors des sépultures : pour l'ensemble de la période décennale, les enfants ensevelis « gratis pro deo » forment 46,3 % des décès. En 1783 ils sont 47,2 % dont les parents n'ont pas payé les frais de l'enterrement : la proportion des pauvres ou des enfants de pauvres ouvriers ne varie pas, alors que la mortalité a augmenté considérablement. Dès que l'été prend fin, les décès diminuent très vite pour revenir à la normale en décembre : réapparaissent alors les décès d'enfants de moins d'un an, aussi nombreux que les plus âgés.

La reconstitution des familles permet enfin de saisir d'une façon plus précise, à la fois plus individuelle et plus humaine, la manière dont la mort frappe les enfants des familles d'ouvriers en soie. Les pourcentages généraux indiquent une mortalité moyenne du quart des enfants dans la ville de Lyon. Cette moyenne cache de grandes différences d'une famille à l'autre. Déjà pour les enfants morts à la naissance le facteur personnel de la santé de la mère jouait un grand rôle, telle famille ne comptant pas un seul enfant mort-né sur plus de dix naissances, telle autre voyant disparaître la plupart des enfants dès leur naissance. La même situation se retrouve pour l'ensemble des décès. Des familles entières restent sans aucun décès dans la ville pendant plus de vingt-cinq ans, malgré de nombreuses naissances : sur les 240 familles de la paroisse Saint-Georges étudiées, 48 ne subissent aucun décès (dans la paroisse et à l'Hôtel-Dieu, où les vérifications ont été faites également sur les registres mortuaires), 52 un seul décès. Dans l'ensemble ces 100 familles représentent 750 enfants (un peu moins que la moyenne, les décès restent un peu moins nombreux dans les familles de 5 et 6 enfants que dans celles de 10 à 15) dont seulement 52 meurent à la ville avant l'âge de 20 ans. Ce n'est d'ailleurs pas parce qu'aucun des douze enfants d'un maître fabricant ne meurt dans sa paroisse de naissance qu'on les retrouvera majeurs, lors de leur mariage par exemple, vingt ou vingt-cinq ans après leur naissance : combien reviennent de la campagne où ils ont été mis en nourrice? Inversement, la mort visite régulièrement d'autres familles : la moitié des décès d'enfants des 240 familles de Saint-Georges se produisent dans 52 familles seulement (22 % des familles, 50 % des décès). Parfois disparaissent tous les enfants d'une famille, presque au rythme même des naissances : les onze enfants d'Antoine Bourdin meurent ainsi dans les vingt ans qui suivent la naissance de l'aîné. Souvent une maladie contagieuse enlève à peu de jours d'intervalle plusieurs frères et sœurs. La maladie de la mère, sa mort, ou la naissance d'un nouvel enfant, qui enlève pour quelques jours la mère aux autres enfants, sont souvent responsables de ces décès, et souvent un décès suit ou précède de peu la naissance d'un nouvel enfant. La présence de la mort explique bien sûr la volonté des parents de combler sans cesse les vides, et l'abondance des naissances. Mais il est difficile aujourd'hui de s'imaginer la mentalité d'un père de famille que la mort de tous ses enfants ne désespère pas d'en procréer de nouveaux, dussent-ils connaître le même sort : résignation ou inconscience ? Au niveau de ces familles des maîtres fabricants de la Fabrique lyonnaise, peu d'écrits, peu de témoignages directs peuvent fournir une réponse. La place de l'enfant n'apparaît pas nettement, sinon à partir du moment où l'on peut le mettre au travail à côté du père sur le métier.

c) *La prise de conscience lyonnaise.*

« Une nourrice, pour être bonne, doit être saine et d'un bon tempérament, avoir bonne couleur et la chair blanche. Elle ne doit être ni grasse ni maigre. Il faut qu'elle soit gaie, gaillarde, éveillée, jolie, sobre, chaste, douce et sans aucune violente passion. »

Dictionnaire de Trévoux, article NOURRICE.

De l'idéal... à la réalité, ou de Trévoux à... Lyon :

« Ces messagères, espèce d'entremetteuses sans nom, sans domicile..., remettent (les enfants) souvent à des nourrices enceintes, ou qui ont un lait de trois quatre ans, à des vieilles femmes ou à des vagabondes sans mari, qui, faisant de l'allaitement un trafic infâme, prennent plusieurs nourrissons à la fois, les font végéter avec du lait de vache ou de chèvre, souvent même avec une nourriture bien plus malsaine pour des enfants, et font périr misérablement la plupart de ces infortunés, ou les rendent infirmes ou estropiés à leurs parents, pour traîner une vie à charge et languissante. »

Ordonnance du lieutenant général de police de la Ville de Lyon, 1er mars 1781.

L'effroyable mortalité des enfants en nourrice a-t-elle laissé les Lyonnais indifférents ?

Il est difficile de répondre à cette question. Les sources, privées et officielles, sont le plus souvent muettes jusqu'à la fin de la première moitié du XVIIIe siècle. Depuis quand la pratique de la mise en nourrice existet-elle à Lyon? Les registres des hôpitaux commencent en 1627. Les registres paroissiaux ruraux ne comportent guère d'indications précises avant 1690 dans le Lyonnais, avant 1730 dans le Dauphiné, la Bresse ou le Bugey. Quelques inscriptions, comme lors de la crise de 1709 (56 décès d'enfants lyonnais dans la seule paroisse de Lorajasse entre le 1er janvier 1709 et le 31 mai 1710) montrent l'importance du phénomène au début du XVIIIe siècle. Mais il n'en reste pas moins vrai que cela se passe dans une espèce d'indifférence officielle totale. Alors que Paris et beaucoup d'autres villes moins grandes ont des bureaux de nourrices, il faut attendre les années 1760-1770 pour voir se produire à Lyon un premier mouvement d'opinion. Messance encore dans les *Recherches sur la Population* ignore totalement la pratique du nourrissage, que l'abbé Lacroix signale à la même époque dans ses *Observations sur le nécrologe lyonnais*.

Les sondages effectués dans une quarantaine de paroisses du Lyonnais pendant le XVIIIe siècle permettent, malgré les imprécisions, de dégager une évolution : le nombre des décès d'enfants lyonnais en nourrice ne cesse de croître pour l'ensemble de ces villages jusque vers 1760-1770. Il reste stationnaire ensuite, sans que l'on puisse savoir s'il y a diminution de la mortalité ou stagnation dans le nombre des envois.

Mais dès 1750 la concurrence entre les hôpitaux et les parents lyonnais se fait sentir. Les hôpitaux payent les parents nourriciers de 24 à 36 livres par an. Le prix moyen versé par les parents pour leur nourrisson est alors de 72 livres à Lyon (96 à Paris). Aussi la région lyonnaise est-elle divisée en secteurs, qui se diversifient au cours du XVIIIe siècle. Les campagnes les plus proches de Lyon accueillent les enfants légitimes placés par leurs parents. Les hôpitaux doivent entreprendre des campagnes de prospection — voire de publicité — dans des cantons plus éloignés, et souvent de mauvaise réputation. Des avantages sont offerts aux parents nourriciers (par exemple l'exemption de la milice pour leurs propres enfants).

C'est dans des zones soigneusement délimitées que les deux hôpitaux placent leurs enfants, mais de plus en plus loin de Lyon (dans une zone distante de 60 à 100 km environ). Parallèlement à cette mutation des enfants assistés, les Lyonnais doivent aussi agrandir leur zone de placement : les ouvriers les plus pauvres cherchent des paroisses plus lointaines, parce que moins onéreuses. Commence même à se faire jour une certaine concurrence entre Lyon et les petites villes voisines. Dans le Dauphiné, les enfants de Lyon sont mêlés à ceux de Bourgoin et jusqu'à ceux de Grenoble. Dans les monts du Lyonnais se rencontrent de plus en plus nombreux des nourrissons de Saint-Étienne, de Saint-Chamond, de Saint-Galmier, ou même de bourgs plus petits encore comme Saint-Symphorien-sur-Coise : il semble même assez répandu que des parents des villages les plus proches de Lyon envoient leurs enfants dans des paroisses plus éloignées pour recevoir les enfants de Lyon, profitant de la différence de prix entre les deux régions.

Vers cette même époque, commence à naître une prise de conscience d'un problème à la fois moral et humain: les enfants en nourrice meurent en grand nombre; le fait n'est pas nouveau, mais il commence à inquiéter. Depuis longtemps des procès opposent devant le lieutenant général de police, ou même la sénéchaussée, les parents aux nourriciers : la plupart de ces procès viennent des difficultés financières des parents qui, après avoir convenu d'un prix de pension, n'arrivent pas à la payer. Depuis 1737 les débiteurs des nourriciers peuvent être déclarés de prise de corps en cas de refus de paiement. Quelquefois déjà les prétextes à ne pas payer viennent du mauvais état de santé de l'enfant, quand il est rendu par la nourrice. Dans les papiers de famille se retrouvent ces sempiternelles plaintes contre les mauvaises nourrices, contre les femmes enceintes qui cachent leur état aux parents et sèvrent l'enfant à elles confié, ne pouvant plus l'allaiter. Or les parents, comme les autorités médicales de Lyon, veulent prolonger le plus longtemps possible l'allaitement. Dès 1732, des plaintes de ce genre sont portées devant les officiers de justice. François Vaché, maître boucher, a mis un enfant en nourrice chez la femme Giroud de Saint-Forgeux (en Lyonnais) dès sa naissance en septembre 1731; or la femme Giroud est enceinte moins d'un mois après la remise de l'enfant : « Poussée par une ambition désordonnée, ne s'embarrassant aucunement d'en avertir les parents, elle cacha au contraire autant qu'elle put sa grossesse et l'allaita encore de ce mauvais lait. Sa grossesse avancée l'ayant rendue entièrement stérile, elle sevra l'enfant à l'âge de cinq mois, ce qui ne saurait se faire sans porter préjudice à la santé d'un enfant qui aurait même eu toujours du bon lait, avant qu'il eût atteint environ un an. » La nourrice garde encore l'enfant trois mois, et, quand il est rendu à ses parents, il est dans un état si pitoyable que les parents doivent le confier à une nouvelle femme pour essayer de lui rendre la santé. Le père boucher s'emporta contre le nourricier au retour de son enfant, ne voulut point le payer et alla jusqu'à le frapper et lui confisquer son cheval. C'est le laboureur qui porte plainte à la sénéchaussée. Cette marque de sensibilité est cependant encore assez rare à cette époque. Souvent les parents ne s'informent plus du sort de leurs enfants une fois placés en nourrice. Un nourricier de Nantua en 1755 envoie des nouvelles à un père, compagnon chapelier à Lyon : « Vous n'avez pas demandé, depuis que nous l'avons, comment il se porte. Mais, grâce à Dieu, il se porte bien. » En 1755, quand un père, maître charpentier à Lyon, se plaint du mauvais état dans lequel les nourriciers lui rendent un enfant, ceux-ci répondent : « Ce n'était point à nous à avertir les père et mère, mais aux père et mère à aller voir leurs enfants. » Cette réponse impertinente coûte trois jours de prison au nourricier, mais elle n'en prouve pas moins que les parents ne sont jamais allés voir leur enfant, placé à Jonage en Dauphiné, assez près de Lyon.

L'évolution des mentalités se fait sentir d'abord dans les milieux cultivés, juridique, autour du lieutenant général de police Prost de Royer et de l'avocat Bloud, médical, littéraire. L'Académie de Lyon sert souvent de tribune à ces critiques souvent violentes d'un système condamnable.

Lors des procès entre nourriciers et parents, Prost de Royer ou Bloud, entre 1775 et 1780, dénoncent chaque fois avec une vigueur accrue les méfaits de cette institution et la carence de l'administration lyonnaise. « L'expérience prouve qu'il en meurt à Lyon un quart de plus qu'à Paris, toute proportion gardée, et parmi ceux qui sont ramenés, combien de malsains, d'infirmes et de contrefaits ! ». En 1777 Christophe de la Rochette, procureur du roi, tient un discours comparable à l'audience et termine en demandant l'installation d'un bureau des nourrices à Lyon. Ces jugements publics, imprimés à plusieurs centaines d'exemplaires, sont proclamés et affichés dans Lyon; ils sont envoyés dans les campagnes où les curés doivent les lire au prône après la messe dominicale : il y a donc bien influence de ces idées nouvelles sur l'ensemble de la population de la ville comme de la campagne.

A Rousseau et à l'*Émile*, les « académiciens » lyonnais empruntent l'idée de la supériorité de l'allaitement naturel et maternel : les médecins la prônent depuis longtemps. Il serait trop long de citer les innombrables discours qui vantent dans un style qui peut prêter à rire la bonté du lait maternel, toute l'importance du fait « que les enfants ne suçassent point d'autre lait que celui de leurs mères ». Mais cette véritable campagne de presse et d'opinion contre les nourrices « mercenaires » repose sur des arguments autrement sérieux, bien plus émouvants; en véritables procureurs du Roi, Prost de Royer et ses collègues, les médecins aussi, dressent un acte d'accusation terrible contre les nourrices et leurs méfaits. Le réquisitoire est d'abord à l'encontre des parents lyonnais qui confient leurs enfants à n'importe qui : « Les autres (les ouvriers lyonnais), mariés par instinct, hébétés par le genre et l'excès du travail, abrutis par l'ignorance et la misère, ne voient trop souvent dans une femme qu'une esclave, et dans l'enfant qu'elle donne qu'un hôte incommode. Les cris, les pleurs, la crainte des dangers et des maux qui l'attendent loin du sein maternel ne le retiendront pas un instant. L'usage et la misère ont prononcé son arrêt. » En 1789, le successeur de Prost de Royer, Rey, est un peu plus juste à l'égard des femmes lyonnaises : « Leur état, leurs travaux, leur condition ne leur laissent ni le temps, ni la faculté de nourrir leurs enfants », et si elles le pouvaient, ces mères malheureuses aimeraient aussi nourrir leurs enfants; mais elles ne peuvent leur offrir qu'un lait « échauffé par le travail, aigri par le chagrin, appauvri par la misère ». Et des témoignages innombrables illustrent cette misère. Les plus émouvants sont ceux des mères elles-mêmes, qui portent leurs enfants malades dans leurs bras pour comparaître devant le juge lyonnais. Comment ne pas être ému par la description de ce nourrisson, seul dans une chaumière ouverte à tous les vents, « garrotté dans un berceau infect, perçant l'air de ses cris, s'abreuvant de ses larmes, n'ayant pour subsister qu'une tasse de vin aigre et un gâteau de blé noir ». Les médecins dénoncent depuis longtemps cette situation. L'auteur du *Mémoire sur la dépopulation*, par un médecin de Lyon, explique comment il interrogea le curé de la paroisse de Morancé, village proche de Lyon, « à mi-coteau, jouissant de l'air le plus pur » : sur

22 enfants amenés en nourrice de Lyon, 16 meurent en deux ans, et le curé de répondre : « Depuis quinze ans, il gémissait des mêmes malheurs; que tous ses confrères faisaient les mêmes plaintes. » Les rapports des médecins déjà évoqués décrivent toujours les mêmes états : maigreur extraordinaire, due à un mauvais sevrage, à une mauvaise nourriture (les laits de vache et de chèvre en font partie pour les médecins lyonnais, et Bloud s'écrie une fois lors d'un procès : « Lorsque les citoyens de la ville confient leurs enfants à des nourrices, ce n'est pas pour les faire nourrir avec du lait de chèvre! »). Et voici enfin le témoignage de cette mère lyonnaise, épouse d'un charcutier, qui porte son fils de onze mois aux « fesses flétries couvertes de boutons » : « Voilà le cinquième de ses enfants qui a été gâté en nourrice, elle se voit forcée à recourir à la justice pour la première fois; que les pauvres femmes de Lyon ne peuvent pas nourrir leurs enfants; qu'elles ont bien assez de peine à ramasser de quoi payer les mois de nourrices; qu'il faut donc que tous les enfants de Lyon soient gâtés, que nous avions promis d'établir un bureau pour avoir de bonnes nourrices; qu'elle est grosse de son septième enfant, et qu'elle ne sait plus comment faire. » La source du mal est bien là : le travail féminin rend indispensable l'abandon des enfants à des nourrices de la campagne.

Deux institutions successives dans les dernières années avant la Révolution essayent d'améliorer le sort des enfants. En 1779, un nommé Cochius, ancien trésorier du bureau des nourrices de Paris, ouvre à Lyon, place Louis-le-Grand, un bureau de placement pour nourrices lyonnaises. Ce n'est qu'un bureau de plus : plusieurs, plus ou moins clandestins, existaient depuis quelques années dans plusieurs quartiers, mais le nouveau bureau, bénéficiant des idées répandues alors, obtient le soutien et la protection du consulat, puis en 1780 des Lettres Patentes royales. Le but de Cochius et de son associé, le médecin Pestalozzi, est double :

— assurer à tous les parents une nourrice en bonne santé et reconnue capable d'allaiter un enfant en lui faisant subir une visite médicale dans les bureaux ouverts à Lyon;
— organiser de façon officielle le recrutement des nourrices dans la campagne lyonnaise.

C'est le modèle parisien des recommanderesses qui est modifié dans le cas lyonnais. Des « meneurs » de nourrices (qui doivent savoir lire pour tenir registre des nourrices et des enfants), qui doivent verser une caution de 600 l., se partagent les environs de Lyon, chacun explorant une quizaine de paroisses et devant recruter deux ou trois cents nourrices. Les meneurs et un inspecteur doivent faire des tournées d'inspection dans les villages pour surveiller les soins donnés aux enfants.

Ce projet se heurta aux traditions lyonnaises, constate avec regret le consulat en 1783, mais surtout à des difficultés financières. Malgré les avances de la Ville, les recettes restent faibles, les nourrices en particulier ne se soumettent pas facilement à ces contrôles médicaux et à ces formalités administratives qui font un peu peur à ces ruraux. Jamais plus de 800 nourrices ne s'inscrivirent au bureau, et il en aurait fallu 3 000 au moins pour apporter une solution aux difficultés. Après 1783, d'autres bureaux existèrent; le dernier en 1789, place du Change, sous le contrôle du lieutenant général de police Rey, accueille environ 900 nourrices. Un rapport demandé aux chirurgiens de Lyon en 1788 précise les conditions de surveillance des nourrices : elles sont soumises à trois visites médicales successives, et ne sont retenues que celles pouvant justifier d'un double certificat de « bonnes vie et mœurs », signé par le curé et le juge de sa paroisse, de même qu'un extrait de baptême de son dernier enfant. Elle doit allaiter pendant au moins 7 mois, mais les chirurgiens admettent qu' « une bonne nourrice peut (tout au plus) allaiter trois enfants (l'un après l'autre) sans renouveler son lait ».

La deuxième tentative est due à une initiative privée et correspond plus encore à l'esprit du temps. Une déclaration de Beaumarchais dans le *Journal de Paris* en 1784 (« Sur 100 enfants qui naissent, le nourrissage étranger en emporte 80, le nourrissage maternel en conservera 90 ») est à l'origine de la création d'une œuvre de bienfaisance, l'Institut de bienfaisance en faveur des pauvres mères-nourrices, placé sous la haute protection de l'archevêque. Les officiers des quartiers se chargent de choisir les mères dignes de secours, et de la collecte des fonds; mais les résultats ne pouvaient qu'être des plus restreints : malgré le dévouement et l'engouement de la bourgeoisie pour cette œuvre, le nouvel Institut ne peut secourir que 112 mères chaque année, auxquelles est donnée la somme de 9 l. chaque mois pour qu'elles puissent nourrir elles-mêmes leur enfant. Ce n'est qu'une mère sur 40 environ qui reçoit ce secours. Il est cependant intéressant de noter que les responsables de l'Institut en 1790 encore (alors que les fonds sont devenus plus rares — il y a alors bien d'autres sollicitations pour les œuvres de charité) se félicitent surtout de ce que leur œuvre ait contribué à diminuer la mortalité des nourrissons. Sur 475 enfants nourris par leur mère de 1785 à 1788, 76 (16 %) sont morts dans leur première année. C'est plus que les prévisions optimistes de Beaumarchais, mais c'est sûrement beaucoup moins que la mortalité des enfants confiés aux nourrices étrangères.

CHAPITRE III

LA CLÉ DE LA CROISSANCE : L'IMMIGRATION

I. — La politique lyonnaise de l'immigration

Tous les bilans dressés au XVIIIe siècle par les statisticiens démographes, Messance, Expilly ou l'abbé Lacroix pèchent par le même excès d'optimisme. Tous ont conclu à une augmentation de la population, qui est incontestable. Tous ont pensé qu'une balance démographique favorable suffisait à expliquer la croissance : leurs relevés présentent toujours un excédent plus ou moins fort des naissances sur les décès. Si les dernières décennies de l'Ancien Régime connaissent un début du déclin de la fécondité, (l'indice, il est vrai peu sûr, du nombre de baptêmes par mariage subit une chute rapide : de 4,10 entre 1750 et 1759 à 3,42 entre 1776 et 1785, avec de grandes différences entre les paroisses. La paroisse urbaine de Saint-Nizier n'a plus que l'indice 3,17 dans la dernière décennie, alors qu'il reste de 4,97 à La Guillotière, faubourg semi-rural), le nombre des mariages a beaucoup augmenté, de même que le nombre des baptêmes dans les hôpitaux, qui compensent leur relative stagnation dans les paroisses : 9 610 enfants baptisés dans les hôpitaux de 1750 à 1759, dont 3 640 exposés; 16 480 (+ 72 %) de 1780 à 1789, dont 8 520 exposés (+ 134 %).

Quelle que soit la présentation de ce bilan, elle ne traduit qu'imparfaitement la réalité. Le phénomène de la mise en nourrice des enfants, et surtout l'énorme mortalité infantile qui en est la conséquence, ont échappé aux observateurs du XVIIIe siècle. Si l'on pouvait ajouter aux chiffres lyonnais l'ensemble des enfants morts à la campagne chez leurs parents nourriciers, le bilan lyonnais apparaîtrait en continuel déficit, et serait ainsi plus conforme aux idées du siècle.

C'est en effet une idée répandue depuis longtemps que les villes sont un centre d'attraction, un point de rassemblement pour de multiples ruraux abandonnant une terre qui ne leur permet pas de vivre. Il suffit de rappeler quelques citations souvent reprises : « Les villes sont le gouffre de l'espèce humaine », écrivait Rousseau dans l'*Émile*. « Les villages fondent partout et viennent à rien... on abandonne les campagnes pour se retirer dans les villes », rapporte Michelet, citant le marquis d'Argenson. Les philosophes du XVIIIe siècle, de Montesquieu à Voltaire, sont pessimistes et croient déceler partout les signes révélateurs d'une dépopulation universelle, dont les villes seraient en grande partie responsables. Aussi l'augmentation de la dimension des villes frappe-t-elle d'autant plus l'opinion que l'on croit en même temps à un dépérissement des campagnes : « Constantinople et Ispahan sont les capitales des deux plus grands empires du monde : c'est là que tout doit aboutir et que les peuples, attirés de mille manières, se rendent de toutes parts. Cependant elles périssent d'elles-mêmes, et elles seraient bientôt détruites si les souverains n'y faisaient venir presque à chaque siècle des nations entières pour les repeupler. » Au XIXe siècle, les historiens romantiques, et Michelet le premier, soutiennent avec éclat la même théorie, et ce malgré les remarques des socialistes utopiques qui commencent à analyser des chiffres différents. « Une chose peut tromper, c'est que les villes, énormément grossies sous le Système, loin de diminuer, continuent d'engouffrer la foule. Et pourquoi s'y réfugie-t-on? Le village est inhabitable. La ville, un abîme inconnu, est (vue de loin) une loterie; là peut-être on aura des chances, tout au moins la misère plus libre; l'atome inaperçu se perdra dans la mer humaine. » La motivation des migrations exposée par Michelet n'est peut-être pas suffisante, mais le fait reste vrai.

Pourtant la ville au XVIIIe siècle tient encore une place bien faible dans la population de la France : les estimations sont parfois beaucoup trop fortes (celle de Lavoisier par exemple), et on peut retenir une proportion voisine de 16 % de population urbaine à la fin de l'Ancien Régime. Messance, dans la continuation de son traité, ne compte pour l'ensemble des villes (de plus de 10 000 habitants il est vrai seulement) que 11 % de la population française. Pour lui cette dimension des villes est une faiblesse. Comparant la capitale au canon du corps humain, il rappelle que la tête représente au moins la huitième partie du corps, « soit qu'on mesure sa hauteur, sa grosseur ou qu'on ait égard à son poids » : le Paris de 1789 est loin de représenter encore ce volume humain, bien que la proche Révolution n'aille pas tarder à démontrer son « poids » politique.

A la limite pourtant, il est possible que la situation de Lyon soit déjà beaucoup plus délicate.

Lyon n'est pas politiquement la capitale d'une grande région Rhône-Alpes-la-Dombes avec le Parlement de Trévoux, la Bresse et le Bugey, plus encore le Dauphiné aux portes même de La Guillotière, échappent à son autorité.

Il ne reste à Lyon que le domaine de sa généralité et des trois provinces qui en forment le territoire administratif. Dans ce cadre limité, la place de la ville de Lyon peut apparaître comme démesurée : c'est une capitale qui enferme plus de 25 % de la force vive de la province; cette disproportion entre la tête et le corps ne fait qu'accroître l'influence exercée, l'attraction subie.

Tout naturellement, Lyon considère les villages du Lyonnais comme un inépuisable réservoir, non seulement pour contribuer à son ravitaillement, mais aussi pour renouveler les hommes. Est-ce que cette attraction se limite cependant aux provinces lyonnaises? Sous quelles formes se fait cette pénétration humaine progressive dans la métropole? Messance proposait déjà un schéma simple, dans sa présentation des différentes classes de la Grande Famille Française : il nie leur fixité et leur cloisonnement rigide, et il explique ainsi les transitions et les mutations : « Mais l'expérience de tous les temps (a prouvé) que la source de toute population est dans les habitants de la campagne. C'est eux qui ont formé les autres classes et qui les recrutent sans cesse. Dès qu'il y a un homme de trop dans la campagne, il va dans les villes, et devient ouvrier, artisan, fabricant ou marchand. » Il ne faut pas oublier que Messance, s'il a subi l'influence des philosophes, a eu aussi une longue expérience personnelle dans la région lyonnaise.

Les historiens de Lyon, René Fédou en étudiant

les hommes de loi à la fin du Moyen Age, Richard Gascon les marchands du XVIe siècle, Louis Trénard également, ont tous insisté sur l'origine extérieure du grand nombre de Lyonnais. Certaines réussites individuelles ont été exaltées, parfois même magnifiées par la légende longtemps entretenue, tel le père du dernier Prévôt des Marchands de Lyon, Louis Tolozan, qui serait arrivé à Lyon en sabots, sans un liard en poche.

Mais il ne faut pas amplifier cet apport des familles nouvelles de marchands et de négociants, qui figurent rapidement dans les Indicateurs de la bourgeoisie lyonnaise : elles ne contribuent que pour une faible part au renouvellement de la démographie, du sang lyonnais! Pour une réussite connue, combien n'y a-t-il pas d'échecs, de stagnations obscures? Dans tous les métiers, dans toutes les conditions se dissimule, si l'on remonte à la deuxième ou à la troisième génération, un grand-père ou un aïeul d'origine rurale; la campagne, le village ou le bourg fournissent l'essentiel de l'apport nouveau : boulangers et bouchers, charpentiers et maçons, ouvriers en soie ou chapeliers, cabaretiers ou colporteurs, tous ont une même origine extérieure à la ville. Si ce mouvement de migration continu a pu connaître des pulsations au cours des siècles, il semble ne jamais s'être vraiment arrêté.

Comment s'opère ce vaste mouvement migratoire? Les autorités municipales ont pleine conscience de l'importance de cet apport, mais si elles observent le fait, elles sont loin de l'approuver toujours. Dans ce domaine apparaît la délicate question d'une réglementation des rapports entre la ville et sa campagne. Psychologiquement, le nouvel arrivé à la ville oublie le plus rapidement possible ses origines rurales, sinon sa mentalité paysanne. Le Lyonnais du XVIIIe siècle se moque du paysan parvenu et dénonce le George Dandin qui transparaît sous l'habit de l'artisan ou du marchand. Pour réussir, il faut se travestir et dissimuler la grossièreté paysanne. L'accord n'est pas toujours parfait entre le monde de la campagne et la réalité de la vie urbaine. Que les paysans viennent nombreux, oui, mais à condition que leur arrivée ne signifie pas concurrence accrue pour les habitants déjà en place.

Dans un premier examen, il apparaît que la ville elle-même, le consulat, l'administration municipale, l'intendant favorisent cette immigration. Des racoleurs sont envoyés officiellement dans les provinces voisines, parfois jusque dans les pays étrangers comme la Savoie ou les cantons suisses, pour vanter les beautés de la ville lyonnaise auprès des campagnards. Mais dans la réalité de la vie quotidienne, les véritables responsables de l'appel des ruraux sont moins constants dans leur action, moins favorables dans leur esprit. Dans les archives des principales communautés de métiers s'exprime ouvertement cette réticence. Il s'agit pour les communautés de régler le marché du travail et de la main-d'œuvre. Les règlements appliqués dans tous les métiers, surtout depuis l'époque de Colbert, entendent maintenir la qualité des productions, mais aussi assurer à tous ceux qui exercent le métier des moyens de vie décents. Quand la production devient suffisante pour la consommation locale, ou pour l'exportation, quand s'annonce une crise, ou quand le chômage s'étend dans la ville, la tendance des maîtres gardes et des conseillers des corporations est de limiter la concurrence : le meilleur moyen reste de fermer les portes de la ville. Que la disette menace, la première réaction du consulat est d'expulser de Lyon les mendiants, tous ces multiples individus pauvres, sans résidence, gens sans métier ou « sans aveu », qui cherchent dans la charité de la ville le pain devenu trop rare à la campagne. C'est aussi un peu la mentalité des différents métiers. Pendant tout le XVIIIe siècle, les règlements des divers corps de métier multiplient les restrictions concernant l'apprentissage, ou l'agrégation dans les corps de métiers des « forains », des étrangers de toute nature, venus de provinces proches ou lointaines. Si les bouchers ou les orfèvres, pendant plusieurs décennies, n'accueillent aucun apprenti nouveau, il n'y a pas là de quoi tarir l'immigration, mais si ce sont les ouvriers en soie, alors le risque devient grave. Or quelle est la politique constante des responsables de la Grande Fabrique ?

Toute augmentation du nombre des métiers est accompagnée par une progression encore plus importante du nombre des travailleurs, et la ville est loin de pouvoir satisfaire les besoins. Les maîtres gardes ne sont toutefois pas toujours persuadés de cette nécessité : en 1680 (arrêt du Parlement du 10 février), l'accès a été fermé aux protestants avec l'assentiment des dirigeants. En 1687, après la révocation de l'Édit de Nantes, et par suite du marasme des affaires, l'ordonnance consulaire du 30 décembre prescrit « qu'il ne serait reçu aucun apprenti pendant trois années consécutives ». L'arrêt de 1702 porte défense de prendre à l'avenir aucun apprenti étranger ou né hors de la ville ou des faubourgs. Les lettres patentes du 17 décembre 1702 aggravent encore la restriction : les maîtres ne pourront prendre des « enfants de la ville que dans cinq ans, à compter du jour de la publication du présent arrêt, à l'exception néanmoins des enfants de l'Aumône générale ». Ils ne pourront pendant dix ans recevoir ni enregistrer aucun compagnon forain ou étranger. En 1737 les règlements (proposés par les ouvriers eux-mêmes) ferment de nouveau l'accès : seul le Lyonnais (Forez et Beaujolais) peut fournir des apprentis à la Fabrique. Le règlement de 1744 enfin, qui reste en application pendant tout le siècle, donne une liste de neuf provinces autorisées : Lyonnais, Forez et Beaujolais d'abord, puis la plupart des provinces limitrophes : Auvergne, Bourbonnais, Bresse, Bugey, Dauphiné et Vivarais.

Ainsi jusqu'en 1789 les Savoyards, les Francs-Comtois et les Bourguignons par exemple n'ont plus le droit d'entrer dans la Fabrique lyonnaise comme apprentis ou compagnons. Ces règlements de la Fabrique sont une loi essentielle de l'immigration vers Lyon pendant la majeure partie du XVIIIe siècle.

La Grande Fabrique fait appel à deux catégories distinctes d'employés : les apprentis, qui doivent fournir la main-d'œuvre habile et spécialisée des ouvriers en soie, les servantes, main-d'œuvre subalterne des dévideuses et autres aides dont les métiers ont besoin. Seule l'entrée des apprentis est réglementée, dans un sens restrictif, d'autant plus que les statuts continuent pendant tout le XVIIIe siècle à protéger les fils de maîtres.

La mentalité des fabricants est telle que les apprentis arrivant de la campagne sont immédiatement en état d'infériorité par rapport à leurs semblables lyonnais, et tenus dans un état de suspicion évident. Le jeune paysan peut venir à la ville, mais il devra se soumettre à de longues et dures années d'apprentissage et de compagnonnage : les dix années requises au minimum par les règlements pour accéder à la maîtrise sont une volonté de réduire les postulants à ce métier. Quand Gournay encore propose de faire fabriquer à la campagne une partie des étoffes de soie (la moins bonne qualité, les étoffes unies), il s'attire de la part des fabricants la réponse suivante : « Un simple coup d'œil sur quelques-uns de nos paysans lyonnais, sur leurs habitations et leurs usages, suffit pour juger qu'un travail aussi délicat que celui des étoffes de soie n'est point destiné pour eux... », et les fabricants lyonnais opposent « la propreté, la délicatesse, la perfection et les soins » que réclament les étoffes de soie aux grossiers travaux des toiles normandes que les fabricants de Rouen confient à leurs ouvriers ruraux.

Les apprentis de la Grande Fabrique et des autres métiers artisanaux forment une masse de nouveaux venus, qui sont appelés à s'intégrer rapidement dans le contexte lyonnais. Ils sont plus stables, et plus facilement assimilables que les manœuvres et journaliers (on dit à Lyon « affaneur ») employés dans le bâtiment, ou dans les activités des transports. A Lyon, ils se rencontrent un peu dans toute la ville, peut-être un peu plus dans les faubourgs, qui ne sont pas encore cependant cette concentration d'un « prolétariat » urbain que l'on a pu déceler dans quelque autre grande ville.

Métier sans réglementation, puisque sans qualification, métier que les autorités ont souvent tendance à assimiler à la canaille que l'on trouve toujours citée en cas de troubles (« un nombre prodigieux de coquins et de vagabonds dont cette ville est pleine »), les journaliers ne se trouvent soumis à aucune règle pour leur immigration vers la ville. Les renseignements concernant leur arrivée sont beaucoup moins précis, il n'y a pas pour eux les contrats d'apprentissage.

La même difficulté concerne l'immigration féminine : multiples ouvrières et servantes, aux statuts imprécis, aux conditions variables. La grande ville, et la Fabrique, suscitent ainsi un appel considérable et ininterrompu, par lequel s'opère progressivement le renouvellement de la population lyonnaise.

2. — La mesure de l'immigration : trois tests

En dehors des livres de bourgeoisie, il n'y a pas de document global pour étudier l'immigration. Trois types d'archives ont pu être utilisés, qui fournissent chacun une vue partielle des arrivées à Lyon, mais se complètent en vue d'un bilan final.

a) *Les décès de l'Hôtel-Dieu.*

Les hôpitaux de l'Ancien Régime jouent un double rôle, à la fois réception et soins des malades, et accueil de toutes les catégories défavorisées : vieillards comme enfants trouvés ou exposés, enfants orphelins comme enfants illégitimes, mendiants et vagabonds également. Deux sondages effectués dans les registres mortuaires de l'Hôtel-Dieu permettent de connaître l'origine des défunts et leur domicile. Une remarque préliminaire est nécessaire : la proportion des défunts nés à Lyon augmente nettement, de 1756 à 1783, de 29,4 % à 34,1 %. Seule la présence beaucoup plus nombreuse d'enfants en 1783, explique cette différence. En 1756 les décès d'enfants ne sont que 88, ils deviennent 232 en 1783 (15 % contre 8,8 %), autrement dit les personnes adultes ou exerçant un métier nées à Lyon conservent une proportion semblable aux deux époques : 20,6 % en 1756 et 19,1 % en 1783. Les hôpitaux lyonnais accueillent aussi quelques habitants des campagnes voisines, vignerons du Lyonnais, ou laboureurs de la Bresse qui forment également une partie importante des décès, respectivement 13 et 15 %. Le fait essentiel dégagé par ce sondage reste qu'en 1756, sur cent personnes travaillant à Lyon décédées à l'Hôtel-Dieu, 74 sont nées hors de Lyon, la proportion devenant de 73 % en 1783.

L'ORIGINE GÉOGRAPHIQUE DES MORTS ENSEVELIS A L'HOTEL-DIEU DE LYON

Région d'origine	1756	1783
Lyon	294	527
Trois provinces du Lyonnais	119	195
Les six provinces	235	343
Les quatre provinces « interdites »	128	152
Le reste de la France	62	78
Étrangers	32	19
Nés et domiciliés hors de Lyon	130	231
TOTAL	1 000	1 545

L'origine géographique de ces forains est d'abord une définition de la zone d'influence de Lyon : la généralité de Lyon (Lyonnais, Forez et Beaujolais) représente l'apport le plus massif : 15 et 20 %, dans les deux cas le Lyonnais formant à lui seul le double du Beaujolais et du Forez réunis (pour ces deux provinces, Saint-Étienne et Villefranche sont déjà de petits centres d'attraction auxquels s'ajoutent, en 1783 surtout, les mines déjà en activité de la région stéphanoise). Les six autres provinces autorisées à envoyer à Lyon des apprentis ouvriers en soie forment ensemble un deuxième groupe encore plus puissant, mais il n'y a pas égalité entre elles : l'apport de la Bresse est faible, celui du Bourbonnais négligeable, ceux de l'Auvergne et du Vivarais modestes, ce sont surtout Dauphiné et Bugey qui envoient leurs habitants vers la grande ville. Les distances sont déjà ici plus importantes. Si les paroisses voisines du Dauphiné sont représentées, avec Villeurbanne, Bron, Vénissieux ou Vaulx-en-Velin (il faudrait les citer toutes), plus de 60 km séparent de Lyon les villages les plus proches du Bugey, et les régions du Briançonnais et Gapençais fournissent un contingent important à cette immigration dauphinoise (la distance est alors supérieure à 100 km). Une légère différence existe toutefois entre les deux années : en 1756 Bugey et Dauphiné groupent à eux seuls 86 % des arrivants de ces six provinces, 69 % seulement en 1783 : il semble donc y avoir une différenciation de l'origine géographique en même temps qu'une augmentation globale du nombre des arrivants. Assez proches de Lyon, quatre autres provinces n'ont cependant pas le droit de donner à la ville des ouvriers en soie : la Dombes toute proche, la Bourgogne et la Franche-Comté, la Savoie enfin, qui bien que non régnicole est assez étroitement soumise à l'influence lyonnaise, ne serait-ce que pour son rôle essentiel de voie de passage obligatoire sur la route de l'Italie. Il ne faut toutefois pas au XVIIIe siècle exagérer l'importance de ces provinces extérieures. On a pu parler de peuplement montagnard de Lyon en donnant une part prépondérante à l'immigration originale de Savoie et d'Auvergne. En 1756, comme en 1783, Savoyards et Auvergnats (en y joignant le Velay et le Vivarais) ne sont qu'à peine 12 % des défunts de l'Hôtel-Dieu, moins de 20 % des seuls nouveaux venus dans la ville. En dehors de ces trois groupes principaux le reste n'est guère formé que de cas individuels. Toutes les régions et provinces françaises sont représentées. L'ouest du Massif Central apporte son habituel contingent de maçons comme la Savoie envoie ses ramoneurs de cheminée. Les étrangers enfin sont peu nombreux, et Lyon n'attire plus les Italiens comme au XVIe siècle. Cependant Piémontais et Suisses n'ont pas totalement disparu.

L'analyse géographique ne suffit pas pour définir cette immigration, elle doit nécessairement être complétée par une analyse professionnelle. Quelle est l'activité de ces individus décédés à l'Hôtel-Dieu ?

Trois principaux types professionnels sont représentés par ces nouveaux arrivants : les domestiques en premier lieu, le plus souvent domestiques temporaires, liés étroitement à la fabrique des étoffes de soie. En 1756, la catégorie la plus nombreuse est celle des « servantes chez les ouvriers en soie » (ou chez les « satinaires », c'est-à-dire les fabricants d'étoffes unies). Ces servantes sont des filles venues de la province, à la recherche d'un métier à Lyon. Elles ne suivent pas d'apprentissage, et, dès un âge très jeune, sont employées comme tordeuses de soie, tireuses de cordes, puis comme dévideuses. A plusieurs reprises sont mentionnés des décès d'enfants de moins de 10 ans déjà au travail dans l'atelier. Sur les 108 servantes de 1756 décédées à l'Hôtel-Dieu, une seule est née à Lyon, 43 sont originaires du Dauphiné, 25 de Savoie et 23 du Bugey. La moyenne de l'âge au décès de ces 108 filles est de 21 ans : la Fabrique extermine ainsi chaque année un grand nombre de ces jeunes venues à Lyon dans l'espoir d'une condition meilleure que dans leurs campagnes misérables. La ville ne semble guère répondre à leurs espoirs. Les autorités de la Fabrique lyonnaise sont d'ailleurs parfaitement conscientes de cette condition dramatique des ouvrières subalternes de la Fabrique. Leur métier « est si pénible et si rebutant que l'on n'en voit aucune des provinces du Lyonnais et lieux circonvoisins de la ville de Lyon qui veuillent s'y livrer ». Un mémoire anonyme de 1760 dépeint le « sort lamentable » de ces filles « robustes », venant de Bresse, Bugey et Savoie, infirmes après six ou sept ans d'atelier, et qui repartent alors dans leur campagne. La Chambre de Commerce de Lyon interrogée par Gournay sur leur condition estime qu'il faut essayer de favoriser l'établissement de ces filles par leur accès au compagnonnage : « Parvenues au compagnonnage, elles trouveraient à se marier, au lieu qu'en qualité de tireuses elles sont pour ainsi dire réduites à un triste célibat, pour aller ensuite sur leurs vieux jours mourir dans les hôpitaux. » Il faut croire que pour les négociants de Lyon les vieux jours des tireuses de cordes sont arrivés dès l'âge de 21 ans! Et pourtant les maîtres fabricants ne sont pas favorables à leur installation; ils répondent qu'il y en a déjà beaucoup trop qui se marient et affirment qu'il ne faut surtout leur donner « aucune espérance de sortir » de ce métier « épouvantable » pour conclure : « Il faudra ou cesser de travailler, ou trouver un autre moyen pour tirer les cordes. »

En 1783 le nombre de ces malheureuses a un peu diminué, mais elles sont remplacées en grande partie par les dévideuses de soie. Leur organisation est quelque peu différente, certaines dévideuses plus âgées n'habitant plus au domicile du fabricant, mais louant leurs services ou ceux de leur atelier, qui peut employer plusieurs ouvrières. Parmi les défuntes enregistrées ne sont plus alors que 49 servantes chez des ouvriers en soie (3 seulement originaires de Savoie), mais 66 dévideuses dont 16 sont nées à Lyon. Un âge moyen au décès nettement plus élevé (30 ans) et la présence de ces Lyonnaises porte à croire que leur condition est un peu améliorée.

La deuxième catégorie le plus fréquemment rencontrée dans nos sondages est celle des ouvriers de la Fabrique, et plus encore des femmes ou veuves de fabricants. Nombreuses en effet sont les anciennes dévideuses, tordeuses ou tireuses de cordes qui, après une dizaine d'années employées à cette activité, épousent un compagnon ouvrier en soie et abandonnent alors leur ancien métier pour travailler directement sur le métier comme femme de maître. Les récriminations des maîtres gardes de la communauté à ce sujet sont fréquentes. Ils se plaignent de ce que les plus douées des tireuses de cordes quittent ce métier pour s'adonner à un plus lucratif, comme ourdisseuse, dévideuse ou plieuse. « Un tiers au moins des maîtres ouvriers de la Fabrique ne sont mariés qu'à des femmes qui ont pratiqué ces différents travaux, qui occupent quatre à cinq mille personnes, ce qui altère le nombre de celles qui servent à tirer les cordes et en diminue considérablement la quantité. » Ces remarques expliquent bien sûr l'incessant besoin de renouvellement, et l'arrivée annuelle dans la ville de plusieurs centaines de filles immédiatement happées par la Fabrique. Il est plus difficile de savoir comment dans le monde rural était prise la décision de partir pour la ville. On imagine mal une fillette de 9 ou 10 ans quittant de son plein gré la ferme paternelle pour aller à la ville sans point d'accueil. Pourtant les registres de l'Hôtel-

Dieu contiennent des indications comme celle du décès d'« une servante de 13 ans sans condition et sans résidence », fille de 13 ans sans métier et sans domicile à Lyon, venant misérablement mourir à l'hôpital. Souvent également les registres indiquent le domicile chez un parent, frère ou cousin, oncle ou même parrain qui ont précédé la fille dans la grande ville, et qui, une fois installés, font appel à la famille pour fournir la main-d'œuvre utile à leur atelier.

Le troisième groupe professionnel est plus hétéroclite. Il comprend à la fois les métiers sans spécialisation, comme les affaneurs et les journaliers, les domestiques des bourgeois de Lyon et les membres des autres métiers artisanaux les plus souvent représentés dans la ville. Leur origine est beaucoup plus variée que pour les ouvriers en soie ou les métiers annexes. Si les Savoyards et les Dauphinois restent nombreux parmi les affaneurs, certains sont nés beaucoup plus loin, de la Normandie au Piémont, du Poitou au comté de Nice. Parmi les journaliers se rencontrent les premières mentions de « passants », que la mort a saisis à Lyon, mais dont Lyon n'était peut-être pas le lieu de destination. Passants du Velay et du Vivarais partant vers le Dauphiné ou l'Italie, passants du Dauphiné partant sans doute pour Paris. Certains meurent à peine arrivés (plusieurs indications, « journalier, arrivant », à tout âge jusqu'à plus de 50 ans). La question de leur place dans la cité lyonnaise se pose alors, de même que pour les cordonniers, les charpentiers ou les maçons, les trois métiers les plus représentés. Par exemple 22 maçons meurent à l'Hôtel-Dieu en 1756, 37 en 1783 (époque de grands travaux à Lyon). La plupart est qualifiée de « manœuvres de maçons », et ce sont alors des hommes jeunes (33 ont moins de 30 ans). Leurs provinces d'origine sont bien sûr le nord-ouest du Massif Central (33 également viennent du Poitou, de la Marche ou du Limousin), mais pas exclusivement. Le plus souvent ils sont encore célibataires, mais leur jeunesse suffit à l'expliquer. Les décès d'épouses et de veuves de maçons, inexistants en 1756, deviennent assez nombreux en 1783 : cela semblerait prouver un début de fixation.

Il est inutile de multiplier les analyses de détail : dans leur grande majorité, ces décès de l'Hôtel-Dieu concernent des individus qui avaient la volonté de s'installer définitivement dans la ville. En 1756, sur 580 défunts nés hors de Lyon, 50 sont qualifiés de passants, 25 seulement sur 780 en 1783. Ces hommes et ces femmes viennent s'établir directement dans la ville, négligeant le passage intermédiaire par les faubourgs (seuls les journaliers en assez grand nombre habitent La Guillotière, Saint-Just ou la Croix-Rousse). Le principal enseignement de ce sondage à travers les mortuaires de l'Hôtel-Dieu reste le nombre considérable des morts venant de l'extérieur. Les deux années prises comme référence étant une année de faible mortalité (1756), et une de forte (1783), c'est un chiffre moyen de 650 morts annuels dans le seul hôpital qu'il faut retenir. Il est difficile, même pour les ouvrières de la Fabrique particulièrement mal traitées, de concevoir un taux de mortalité de 50 % — or, même à ce taux ce sont au moins 1 300 habitants nouveaux qui viendraient augmenter la population lyonnaise chaque année, environ 1 % de plus chaque année. Dans la mesure où pour la plupart l'arrivée à Lyon est signe d'une volonté d'établissement, c'est bien à un incessant renouvellement que conduisent ces entrées massives de ruraux.

b) *Les apprentis de la Grande Fabrique.*

Les archives de la Fabrique lyonnaise ont conservé les registres d'apprentissage pour l'ensemble du XVIIIe siècle. Plusieurs dizaines de milliers de jeunes ouvriers de la Fabrique sont ainsi inscrits, avec leur date et leur lieu de naissance, et leur âge à l'entrée en apprentissage.

Malgré les plaintes incessantes des marchands, qui présentent le XVIIIe siècle comme une longue succession de crises douloureuses, il faut sans cesse faire appel à la main-d'œuvre extérieure. Pour l'ensemble du siècle, sauf peut-être les dix premières années, les Lyonnais (non compris bien sûr les fils de maîtres qui représentent en quelque sorte les possibilités de renouvellement interne) ne fournissent que 30 % à peine des apprentis formés par les maîtres ouvriers. L'appel à la province est continu et considérable. L'origine géographique est plus nettement limitée que dans les mortuaires de l'Hôtel-Dieu. Les règlements sont respectés avec une rigueur certaine. Pour la période 1740-1769 en particulier, sur 1 000 apprentis reçus dans la Fabrique, 64 seulement ne viennent pas des neuf provinces. Les relations commerciales et humaines ne sont pas arrêtées avec la Savoie ou la Bourgogne; le Piémont, Avignon ou Tours ont toujours des rapports directs avec le monde lyonnais de la soierie, mais un simple règlement d'inspiration malthusienne suffit à faire diminuer des deux tiers les apprentis en provenance de l'étranger ou de ces provinces extérieures.

Les trois provinces du Lyonnais, puis le Dauphiné et le Bugey fournissent ainsi plus de la moitié des jeunes ouvriers de la Fabrique. Il est intéressant de noter certaines variations au cours du XVIIIe siècle. Dans la première moitié, jusqu'au règlement de 1744 en gros, les arrivées sont encore très variées. Si le Lyonnais proprement dit alimente le plus fort contingent, il faut remarquer que les jeunes Savoyards sont aussi nombreux que les Dauphinois ou les Bugistes. Dans cette période, le Maine, la Provence, voire l'Allemagne peuvent encore envoyer des apprentis à Lyon. De 1740 à 1769, malgré

LA RÉPARTITION DES APPRENTIS OUVRIERS EN SOIE AU XVIIIe SIÈCLE SELON LEUR ORIGINE GÉOGRAPHIQUE. L'ÉVOLUTION DE L'IMPORTANCE PROPORTIONNELLE DES GRANDES RÉGIONS D'ORIGINE AU COURS DU SIÈCLE

Lieu de naissance	Période 1710-1739 %	Période 1740-1769 %	Période 1770-1790 %
I) Lyon	29,45	32,14	28,80
Lyonnais	27	28,40	17,40
Dauphiné	11,60	20,50	23,40
Bugey	12,85	10,25	13,10
II) Total des neuf provinces	52,72	61,40	55,12
Savoie	11,30	2,63	5,12
Franche-Comté	2,75	1,58	4,10
III) Total des « forains »	17,83	6,45	16,08

quelques périodes difficiles, les jeunes arrivants sont plus nombreux que jamais. La moyenne annuelle dépasse 300, mais les neuf provinces sont à la base du recrutement. Pendant que disparaissent presque totalement les « forains » (on note encore dans notre sondage un Marseillais et deux Parisiens), le Dauphiné surtout augmente ses envois, la province du Lyonnais étant incapable de fournir à la demande (les natifs de Lyon sont alors un peu plus nombreux que dans les deux autres périodes, sans cependant atteindre le tiers des apprentis). Dans le dernier quart du siècle, les volontés de réforme des communautés, les tentatives de Turgot pour briser les anciens règlements et rendre sa liberté au travail se traduisent par de nouvelles modifications. La part des Lyonnais est au plus bas — cela traduit peut-être aussi les difficultés économiques de la Fabrique que les Lyonnais connaissent bien, et les parents n'ont pas beaucoup d'enthousiasme pour diriger vers la Fabrique leurs enfants. Les trois provinces de la généralité de Lyon marquent le même essoufflement. Pourtant les villages du Lyonnais continuent à envoyer leurs fils vers Lyon, mais la Fabrique n'exerce plus une attraction prioritaire. Les campagnes du Dauphiné compensent cette diminution. Au début du siècle, un apprenti sur dix seulement est dauphinois; dans la dernière période, presque un sur quatre. Mais surtout les frontières s'ouvrent à nouveau. Les « forains » sont presque trois fois plus nombreux que pour la période précédente. Les règlements n'ont pas été formellement supprimés ou modifiés, mais les décisions individuelles de dispenses (pour cause de « province interdite » mentionnent les registres, ou même pour « défaut de nationalité » s'il s'agit de Savoyards) se multiplient.

Un portrait type de l'apprenti ouvrier en soie se dégage des registres de la Grande Fabrique. Les conditions de l'apprentissage : durée, absence de salaire, et inversement obligation d'un cautionnement, voire d'une rétribution au maître, la nature même du travail de la soie, et sa concentration à Lyon, assurent une grande stabilité aux ouvriers en soie. Les plaintes incessantes contre la concurrence étrangère qui attirerait un grand nombre de canuts lyonnais sont sans doute exagérées.

Ces apprentis sont de tout jeunes gens : les plus jeunes sont généralement nés à Lyon (âge moyen 15 ans); les immigrés sont un peu plus âgés (moyenne : 17 ans).

Les contrats illégaux à cause de l'âge deviennent exceptionnels et sont presque tous le fait d'enfants de la proche région de Lyon. Il n'est pas permis d'en conclure cependant que les ruraux commençaient à travailler avant dans la ville comme domestiques et ne

L'AGE DES APPRENTIS OUVRIERS EN SOIE
AU DÉBUT DE LEUR APPRENTISSAGE

Age	Totalité des apprentis %	Apprentis nés à Lyon %	Apprentis nés hors de Lyon %
Moins de 14 ans	5,2	10	2
14 ans	21,2	34	13
15 ans	20,8	29	18
Moins de 16 ans (total)	47,2	73	33
16 ans	15,2	11	17
17 ans	13	5	18
18 ans	10,2	4	15
19 ans	6,2	1	8
20 ans et plus	8,2	6	9
Plus de 18 ans (total)	24,6	11	32
TOTAL	100	100	100

commençaient que plus tard leur apprentissage. Le terme de ruraux lui-même n'est peut-être pas très exact. Ces jeunes apprentis venus des provinces viennent en effet presque autant des bourgs que des villages. Par exemple, pour la province du Lyonnais, 136 paroisses différentes ont vu naître les 410 apprentis répertoriés par le sondage effectué dans les registres de la Fabrique; mais toutes les villes de la généralité sont représentées, de Saint-Étienne à Villefranche, de Roanne à Beaujeu, et souvent avec des contingents importants : onze apprentis nés à Saint-Chamond par exemple. Les paroisses qui alimentent le plus largement la Fabrique sont sans doute les villages les plus proches de Lyon, comme Chaponost (10 apprentis), Saint-Genis-Laval (13), Brignais (20) ou dans les Monts d'Or Saint-Didier (10), mais ce sont aussi les bourgs de l'intérieur, du plateau lyonnais par exemple, comme Saint-Symphorien-le-Château (17 apprentis) ou Chazelles-sur-Lyon. Plus encore le relevé des professions des parents dans les minutes notariales montre qu'à côté de nombreux fils de laboureurs ou de vignerons figurent en grand nombre des représentants des activités non rurales des villages ou des bourgs. Un sondage dans les minutes notariales pour les années 1746-1747 concernant les contrats d'apprentissage donne les indications suivantes pour la parenté des apprentis « forains » sur 118 cas précis (la profession des parents n'est pas mentionnée régulièrement) :

Agriculteurs 38
(24 laboureurs et 14 vignerons).
Bourgeois et professions libérales 27
(13 bourgeois, 5 notaires, 5 médecins).
Marchands 14
Artisans 39
(dont 4 dans les villes, les autres étant des cordonniers, tailleurs, tisserands ou tonneliers de la campagne).

Cette analyse des professions tend à montrer que ce sont les milieux ruraux non pas forcément les plus aisés, mais sans doute ceux qui disposent le plus facilement d'argent liquide, qui peuvent envoyer leurs enfants en apprentissage à Lyon. Cette hypothèse est confirmée dans les contrats par l'examen des formes du cautionnement. Dans les deux tiers des cas, le père vivant est présent à la signature du contrat et se porte lui-même caution de son fils. Le plus souvent ces parents profitent d'un voyage d'affaires à Lyon, foire ou marché, pour affermer leur fils. Enfin quand les jeunes apprentis sont orphelins, c'est le plus souvent à l'appel d'un parent ancien émigrant que les jeunes apprentis arrivent. Les frères, les oncles, les cousins installés exercent une puissance d'attraction considérable sur les ruraux.

« Un frère de la campagne qui vient voir son frère occupé dans la ville, s'apercevant qu'il est plus propre que lui soit en habit ou en linge, jaloux de lui paraître inférieur, quitte la campagne pour venir apprendre une profession qui puisse le faire aller de pair par son travail avec celui qui fait l'objet de sa jalousie. »

Cet appel du parent déjà urbanisé (appel ou... jalousie) est confirmé enfin par une dernière observation : c'est l'importance pour l'émigration d'un premier noyau installé dans la ville. Les exemples de ce fait sont des plus nombreux. A peine le fils d'une paroisse est-il installé à Lyon, que d'autres de la même paroisse, ou mieux de la même famille suivent. Dès son arrivée à Lyon l'apprenti est pris en charge par un milieu familial; il retrouve aussitôt parents ou connaissances de son village, et il n'est presque jamais un isolé. Cela facilite bien sûr son intégration dans la ville et sa stabilisation rapide.

Certaines restrictions peuvent être présentées à ce schéma simple de la fixation à Lyon des apprentis. Les études démographiques du XIXe siècle ont donné un visage légèrement différent au mécanisme de l'émigration des campagnes vers les villes. L'étude des mutations démographiques de Thurins démontre par exemple que les bourgs de la plaine, situés le long des grands axes de communication, sur les routes menant à Lyon principalement, reçoivent le plus gros contingent de migrants, et que c'est lors d'un deuxième déplacement, parfois à la génération suivante, qu'ils atteignent la grande ville. Les sources du XVIIIe ne permettent pas de confirmer cette thèse : elle peut être valable pour certaines catégories d'immigrants, elle ne l'est que très partiellement pour le cas des apprentis, qui font en une seule étape la distance qui peut être fort longue entre leur paroisse d'origine et Lyon.

Une enquête dans les autres activités professionnelles de la ville de Lyon est beaucoup plus difficile. Les archives des diverses communautés conservées sont beaucoup plus lacunaires. Les livres d'inscriptions des apprentis comme des maîtres sont très rares. La meilleure source reste les contrats d'apprentissage chez les notaires, mais leur tenue est moins bonne que pour la Fabrique, et les indications utilisables pour la démographie rares. L'âge des apprentis par exemple n'est indiqué qu'exceptionnellement et ne permet aucune étude statistique. Les contrats d'apprentissage ne permettent donc pas de savoir si l'on a affaire à des jeunes habitant Lyon depuis longtemps et que l'apprentissage stabilise (en quelque sorte ce serait le début d'une promotion sociale qui transformerait un manœuvre ou un domestique en ouvrier, et plus encore en futur maître d'un métier), ou si les apprentis sont des nouveaux venus, dont l'arrivée à Lyon coïncide avec le début de leur apprentissage, comme c'est le cas de la plupart des ouvriers en soie. La difficulté est accrue par le fait que chaque métier a des habitudes différentes, des conditions de travail propres, et qu'il est difficile de les comparer.

Le sondage dans les minutes notariales des années 1746-1747 a permis de relever 607 apprentis en dehors de la Fabrique (sans compter les apprentis de l'hôpital de la Charité), appartenant à 80 métiers différents. Certaines professions ne peuvent donc être étudiées par ces contrats : c'est le cas par exemple des bouchers déjà cités (1 seul apprenti), des maçons (1 seul également, ce qui peut confirmer le caractère mobile de ce métier) et bien sûr de tous les métiers féminins (il n'y a que 13 « apprentisses » couturières, dévideuses, tailleuses, etc.). Quelques caractères originaux peuvent être dégagés pour les activités les plus souvent représentées. Le premier point mis en lumière est là encore le nombre considérable de « non-Lyonnais » parmi ces apprentis, en même temps que les différences considérables d'une profession à l'autre.

L'ORIGINE GÉOGRAPHIQUE DES APPRENTIS DE QUELQUES MÉTIERS IMPORTANTS DE LA VILLE DE LYON

Noms des métiers	Nombre total d'apprentis	Apprentis	
		nés à Lyon	nés hors de Lyon
I) *Le Textile :*			
Fabricants de bas..	52	10	37
Passementiers......	38	14	24
Teinturiers	39	5	30
Tailleurs d'habits .	30	12	17
Chapeliers	26	13	13
II) *Divers :*			
Charpentiers	51	3	47
Menuisiers	22	3	18
Cordonniers	39	19	15
Boulangers	30	0	30
Chandeliers	15	0	14
Tonneliers	16	0	16
Vinaigriers	12	6	5
Perruquiers	16	14	1
Chirurgiens	19	6	12
TOTAL	405	105	289

Tous les nouveaux venus cependant ne sont pas touchés par cette étude des apprentissages. Non seulement échappent à l'enquête les métiers sans spécialisation et les domestiques, mais aussi une partie des ouvriers de tel ou tel corps de métier aux conditions particulières de travail. L'absence d'apprentis maçons ne s'explique pas seulement par la mobilité du métier : il ne manque pas de maîtres maçons installés à Lyon et ayant famille. Mais à côté des maîtres travaillent de très nombreux

« manœuvres » maçons qui ne font pas d'apprentissage. Plus caractéristique encore est l'exemple des chapeliers. La fabrication des chapeaux est la deuxième industrie lyonnaise au XVIIIe siècle : 26 apprentis en deux ans, deux fois moins que de faiseurs de bas ou de charpentiers, beaucoup moins que de cordonniers, moins que de boulangers, à peine plus que de chirurgiens : c'est assurément anormal. Les apprentis chapeliers se divisent en moitié de Lyonnais, moitié d'étrangers à la ville. Plus étonnant encore est leur niveau d'instruction : 25 sur 26 signent leur contrat d'apprentissage. Les parents de ces apprentis (indiqués) sont sept marchands, trois bourgeois, un notaire, un maître chirurgien. Cette composition sociale ne ressemble guère à celle des autres métiers. La paroisse d'origine est toujours une petite ville, Vienne, Bourgoin, Bourg, Givors... (un seul village, d'où vient l'apprenti analphabète). C'est que pour l'apprenti il n'est pas question d'apprendre le métier de fabricant de chapeaux, mais bien celui de marchand chapelier. D'ailleurs le prix de l'apprentissage est cette fois beaucoup plus élevé (de 400 à 600 l.) que pour la plupart des autres contrats. Le contrat d'apprentissage peut donc être le témoignage d'une fraction particulière des immigrants : la partie la plus aisée, celle dont le niveau social est le plus élevé. Il ne faut pas généraliser le terme de « migration rurale » : les bourgs sont souvent aussi importants que les villages. Pour certaines professions au moins (les chirurgiens également), c'est une émigration seconde qui conduit les jeunes à Lyon.

Que représente globalement l'apport des apprentis? La première réponse est une réponse chiffrée : dans une année moyenne entrent à Lyon de 350 à 400 apprentis nés hors de la ville. Le total peut paraître faible par rapport à la masse de la population : mais il faut le comparer au nombre de jeunes Lyonnais accédant à la vie active : chaque année naissent environ 2 000 garçons à Lyon — à peine plus de 50 % atteignent l'âge de 15 ans, soit 1 000 chaque année environ : les nouveaux venus représentent donc en moyenne de 30 à 40 % de chaque génération lyonnaise, et cette proportion suffit à en montrer la considérable importance. Cette immigration n'est pas toute l'immigration : celle des hommes seulement et absolument pas celle des filles, mais aussi elle tient une place de choix, on est tenté de dire « privilégiée ». En effet les apprentis, contrairement aux manouvriers divers, trouvent dans leur métier une assurance de stabilité, de travail et de gain réguliers, presque de « place » dans la ville et dans la société urbaine. Ils sont tout de suite intégrés dans un des corps constitués, dans une des communautés d'où la ville tout entière tire son existence.

Privilégiés, les apprentis le sont par leur fortune : ce ne sont pas, sauf cas exceptionnels (quelques apprentis marchands ou chapeliers), des enfants de bourgeois ou de marchands riches, mais ils peuvent trouver un soutien familial suffisant pour vivre de trois à cinq ans (durée de l'apprentissage) sans toucher salaire. Les fils de vignerons et de laboureurs ne sont pas totalement absents sans doute, mais ils sont souvent des orphelins et des cadets de famille, ce qui est pour eux un élément favorable : le partage de la modeste succession des parents laisse aux aînés la terre et l'exploitation rurale, au cadet une légitime en nature ou en portion de récolte qui lui permet de payer les frais d'un apprentissage en ville. D'ailleurs ces apprentis ne sont pas perdus dans un milieu hostile : le plus souvent ils sont accueillis dans la ville par des parents, des Lyonnais originaires de la même province, et leur adaptation à la ville en est considérablement facilitée.

c) *Les époux lyonnais.*

Les contrats de mariage déposés chez les notaires comme les actes de mariage des registres paroissiaux présentent des renseignements d'état civil assez précis. Certes le livret de famille est encore éloigné! La paroisse de naissance est mentionnée avec une assez grande incertitude : le plus souvent les actes donnent seulement le dernier domicile des parents des nouveaux époux. Dans une société mobile, même dans le monde rural, c'est là une source de difficultés pour la connaissance de l'origine exacte des Lyonnais contractant mariage. Assez souvent cependant quand le domicile des parents est différent du lieu de naissance de l'enfant, l'indication précise de la paroisse est faite : c'est une garantie de l'exactitude générale des indications fournies par ces actes.

Le mariage est-il un témoignage formel d'une installation définitive dans la ville? La mentalité moderne peut le faire croire : il est difficile aujourd'hui d'envisager le cas d'un homme qui, après plusieurs années de vie en ville, puisse repartir à la campagne pour reprendre des activités rurales. Le paysan converti, même en simple domestique, a une vocation de paysan parvenu en ce XVIIIe siècle, mais l'exemple de Marivaux est peut-être plus spécialement parisien que français. Après quelques mois à Paris, le Jacob champenois du *Paysan Parvenu* est offusqué par la grossièreté des voituriers rencontrés dans une auberge : « Ils me dégoûtèrent du village. » L'attrait de Lyon et de ses ressources était-il aussi grand sur les paysans dauphinois ou savoyards? Un intendant savoyard du XVIIIe siècle explique différemment la fixation à Lyon et le refus de revenir dans le village natal, en parlant surtout des filles travaillant à Lyon : « La honte de reparaître dans leur paroisse dans le même état d'indigence qu'elles en étaient parties, ... les arrête. Une partie s'y marie, d'autres entrent dans les maisons bourgeoises en qualité de domestiques; quelques-unes, séduites par l'amour du plaisir, se livrent au libertinage et y terminent bientôt leur carrière en contractant une maladie funeste... Il y en a très peu qui reviennent au pays, et encore dans un état de langueur et d'infirmité qui les rend presque absolument inutiles; ou même s'il s'en trouve qui jouissent de l'avantage d'une meilleure santé, leurs mœurs sont corrompues et leur fréquentation les rend plus nuisibles que profitables à leurs compatriotes. » Le ton de l'administrateur des régions rurales d'émigration est bien sûr différent de celui des responsables du travail de la Fabrique à Lyon cités précédemment.

En réalité ces retours dans leur pays natal des immigrés restent assez limités. Peut-être 10 % des filles qui ont servi, ou travaillé à Lyon (si elles ont survécu...) regagnent leur bourg ou leur village, nanties du petit pécule qui leur permettra de s'établir. La grande majorité reste dans la grande ville, et s'y établit définitivement.

Trois sondages établis par le dépouillement de tous les contrats de mariage sur trois périodes de trois ans chacune ont permis l'établissement des tableaux suivants résumant les renseignements sur l'origine géographique des époux lyonnais. Pour faciliter les comparaisons, les mêmes groupements géographiques ont été conservés : la ville et ses faubourgs, les provinces voisines pouvant fournir des apprentis à la Fabrique (le Lyonnais et les six autres provinces, sans détailler les époux originaires de Bresse, d'Auvergne ou du Vivarais, en trop petit nombre), les provinces voisines exclues de la Fabrique (Dombes, Bourgogne et Franche-Comté d'une part, Savoie d'autre part), enfin tout le reste de la France, et les étrangers autres que les Savoyards.

Le premier renseignement fourni par ce sondage est quantitatif : dans la première partie du XVIIIe siècle, se marient en moyenne 600 personnes par an, domiciliées à Lyon, travaillant ou vivant à Lyon, mais nées hors de la ville. Ce chiffre annuel augmente rapidement, pour devenir 900 par an au milieu du siècle, et dépasser 1 100 par an dans les années qui précèdent la Révolution. Le nombre de jeunes gens nés à Lyon ne suit pas du tout une évolution comparable : leur nombre annuel moyen pour les trois périodes étant de 800 environ pour la première, 700 seulement à la seconde (dans une dure période de crise de la Fabrique, qui retarde sans doute la conclusion de nombreux mariages), 900 dans la troisième. L'apport extérieur ainsi mesuré est considérable : pour l'ensemble du XVIIIe siècle, plus de la moitié des nouveaux ménages lyonnais ont un de leurs membres au moins, souvent les deux, nés hors de Lyon. C'est par le mariage que le renouvellement de la population lyonnaise s'affirme le plus complet et le plus irréversible.

Quant à la présomption d'installation définitive à Lyon des nouveaux époux, elle repose sur une observation importante. La presque totalité des contrats passés entre futurs époux domiciliés à Lyon adoptent les coutumes et le droit lyonnais pour la définition du régime dotal. Les cas particuliers sont très rares et facilement explicables par des considérations personnelles (les veuves en particulier gérant un commerce et voulant le conserver gardent tous leurs biens en paraphernaux, contrairement aux coutumes lyonnaises). Mais le recours au régime de communauté comme en Bourgogne par exemple ne se rencontre que lorsque le futur est domicilié en Bourgogne, et désire le rester. Même pour les métiers les plus ambulants, comme celui des voituriers ou des colporteurs, le domicile lyonnais est nettement indiqué et ne peut être mis en doute.

Quelles sont les grandes régions d'origine? Les provinces proches de Lyon, les neuf provinces des règlements des ouvriers en soie, mais plus spécialement encore les trois provinces du Lyonnais (Lyonnais, Beaujolais, Forez), du Dauphiné et du Bugey restent toujours les grands fournisseurs de Lyon en hommes nouveaux : de 30 à 40 % des nouveaux mariés en sont originaires

L'ORIGINE GÉOGRAPHIQUE DES ÉPOUX LYONNAIS : LES HOMMES. ÉVOLUTION DE LEUR PROPORTION RESPECTIVE AU COURS DU XVIIIe SIÈCLE

Région d'origine	1728-1730	1749-1751	1786-1788
NOMBRE TOTAL ...	1 950	2 225	2 896
	%	%	%
Lyon et faubourgs	52,3	39,7	42,2
Les « 9 provinces »	31,3	38,5	36,9
dont : Lyonnais	15,1	17,9	14,7
Dauphiné ...	8,3	10,2	10
Bugey	4,5	6,2	5,7
Les « 4 interdites »	7,1	10,9	10,2
dont : Savoie.......	3,7	6,9	3,9
Reste de la France ...	6,8	7,6	8,3
Étranger	2,5	3,3	2,4

L'ORIGINE GÉOGRAPHIQUE DES ÉPOUX LYONNAIS : LES FEMMES. ÉVOLUTION DE LA PART RESPECTIVE DE CHAQUE RÉGION AU COURS DU XVIIIe SIÈCLE

Région d'origine	1728-1730	1749-1751	1786-1788
NOMBRE TOTAL ...	2 200	2 577	3 226
	%	%	%
Lyon et faubourgs	60,9	47,2	47
Les « 9 provinces »	31	41,6	43,2
dont : Lyonnais	14,5	18,9	20,7
Dauphiné ...	7,9	10,5	10,9
Bugey	6	9,4	7,7
Les « 4 interdites »	6,4	9	8,3
dont : Savoie.......	4,3	6,2	2,7
Reste de la France ...	0,9	1,3	1,1
Étranger	0,7	0,9	0,4

(presque autant que d'habitants de Lyon). Les proportions restent les mêmes pendant tout le XVIIIe siècle. 65 % des maris et 80 % des femmes nés hors de Lyon viennent de ces provinces voisines. Le pourcentage plus grand des femmes est un autre indice de leur mobilité inférieure à celle des hommes : Lyonnais, Dauphiné et Bugey sont vraiment les régions les plus directement soumises à l'influence lyonnaise.

L'importance de ces provinces souligne par là même le faible attrait de Lyon sur d'autres régions voisines qui subissent d'autres influences : la Bresse voisine n'est presque jamais rencontrée dans les contrats de mariage, sauf les paroisses toutes proches dont une partie relève administrativement de la Bresse comme Caluire, ou le bourg de Montluel. L'Auvergne et le Velay ne jouent aussi qu'un rôle limité dans le renouvellement de la population lyonnaise, très inférieur à celui du Dauphiné ou de la Savoie. En dehors du Lyonnais proprement dit, c'est vers l'est que Lyon recrute ses nouveaux habitants plus que vers l'ouest : il y a déjà sans doute concurrence entre l'attraction lointaine de Paris et celle plus proche de Lyon. Les quelques époux originaires de l'ouest du Massif Central, et l'existence de relations durables entre la Marche, le Limousin, le Poitou et Lyon ne suffisent pas à compenser cette faiblesse de l'apport auvergnat. Comme pour les apprentis, à l'intérieur de chaque province il y a des régions de forte attraction, et d'autres plus faibles. Dans la généralité de Lyon, l'importance du Beaujolais reste faible. Les paroisses d'origine le plus souvent citées sont d'abord les plus proches de Lyon, les pays du vignoble lyonnais, de Chaponost, Brignais, Millery, Saint-Genis-Laval au sud jusqu'à Limonest et les villages des Monts d'Or au nord. Un deuxième groupe important est formé par les bourgs du plateau lyonnais, autour de Mornant et de Saint-Symphorien-sur-Coise, et ce jusqu'au Forez. Malgré la proximité de Saint-Étienne, Chazelles-sur-Lyon, Izieux, Saint-Héand sont des centres d'émigration vers Lyon. Les villes elles-mêmes, Saint-Chamond et Saint-Étienne en tête, subissent directement l'influence de Lyon et perdent chaque année un nombre assez important de leurs jeunes habitants au profit de Lyon.

Dans le Dauphiné, les deux centres d'origine sont, au nord la région comprise entre Crémieu et La Tour-du-Pin, Morestel et Bourgoin, tout au sud du Dauphiné ensuite, Gapençais, Dévoluy, Briançonnais.

La part respective de chaque groupe de provinces reste assez stable au cours du siècle. Une augmentation continue est à noter pour presque toutes les régions, sauf peut-être la Savoie. Alors que le nombre de femmes venues du groupe Lyonnais-Bugey-Dauphiné double de la première à la dernière période, celui des Savoyardes montre un maximum important au milieu du siècle, suivi d'une diminution marquée. Il faut voir là aussi bien les effets de la restriction due aux règlements de la Fabrique que de la politique purement savoyarde pour retenir les habitants dans le duché de Savoie (en 1749-1751, les ouvriers en soie savoyards qui se marient à Lyon sont encore assez nombreux, mais ils avaient commencé leur apprentissage avant les règlements de 1744).

Enfin, en dehors de cette grande « région lyonnaise », le reste de la France est représenté par d'assez nombreux hommes. Les déplacements féminins à travers le royaume restent limités, et si l'on rencontre quelques cas exceptionnels de Normandes, de Champenoises ou d'Alsaciennes dans les contrats de mariage, ce ne sont que cas individuels sans signification d'ensemble. Les hommes au contraire se déplacent beaucoup plus. Des Flandres ou de la Picardie à la Provence, de l'Alsace à la Gascogne ou au Béarn, toutes les régions françaises sont présentes dans les contrats de mariage lyonnais. Le Languedoc et la Provence tiennent le premier rang, devant l'ouest du Massif Central déjà cité et Paris enfin. Tous les métiers ont ainsi des hommes qui se fixent à Lyon après de longs déplacements, parce que même pour d'anciens ouvriers du Tour de France, le mariage signifie bien un arrêt, une volonté d'établissement permanent dans la ville. Ce n'est d'ailleurs qu'après des séjours assez longs que ces hommes s'installent dans la ville. La durée de leur travail à Lyon n'est pas souvent mentionnée dans les actes, mais l'on rencontre parfois un maçon « travaillant dans la ville depuis 8 ans », un tailleur d'habits depuis « plusieurs années » : même ceux qui n'ont pas fait leur apprentissage dans la ville finissent donc par s'y installer, le mariage n'étant que la consécration de cet établissement.

Est-ce à dire que ces migrations considérables au cours du siècle définissent un nouveau type de Lyonnais? La réponse reste délicate. De multiples nuances doivent être présentées : il n'y a pas un type de nouveau Lyonnais, mais plusieurs. L'émigration des femmes est la plus homogène. Le plus grand nombre d'entre elles travaille ou dans la Fabrique ou comme domestiques (environ 85 % des femmes nées hors de Lyon ont une profession ou une activité mentionnée dans les contrats). La durée de leur séjour à Lyon est longue : elles viennent parfois très jeunes, puisque la Fabrique emploie des tireuses de cordes de moins de dix ans; elles ne se marient qu'après de longues années de travail, souvent après leur majorité. Le plus souvent leurs parents sont décédés à leur mariage, et elles ne fournissent au notaire ou au curé de la paroisse que les extraits mortuaires de leurs parents (celles dont les parents vivent encore repartent plus facilement dans leur pays, rappelées par des liens familiaux plus puissants).

Les renseignements sont moins précis sur la durée du séjour des hommes qui n'ont pas accompli leur apprentissage dans la ville de Lyon. Mais un sondage par métiers fait à partir des contrats de mariage des années 1749-1751 met en lumière des divergences importantes d'une activité professionnelle à l'autre. D'une façon générale, ce ne sont pas les mêmes provinces qui renouvellent les effectifs de deux métiers différents, et à l'intérieur de chaque métier il y a une distinction très nette entre les bas niveaux économiques et les milieux plus fortunés.

3. — NATIFS ET FORAINS

La ville de Lyon accueille aussi des milliers d'individus, hommes et femmes à la recherche de travail ou de fortune. Après une ou deux générations, ces nouveaux venus sont assimilés dans la société lyonnaise, qui les a accueillis.

Mais Lyonnais et forains ont le plus souvent des attitudes différentes; certains métiers sont plus ouverts que d'autres. Le niveau économique et culturel varie également d'une activité à l'autre. Les exemples des deux grandes manufactures lyonnaises d'étoffes de soie et de chapellerie illustrent ces oppositions.

Comment est composée la main-d'œuvre de la manufacture lyonnaise de chapeaux au milieu du XVIIIe siècle? Sur 100 mariages de chapeliers en 1749-1751, 23 maris seulement sont nés à Lyon et 77 hors de Lyon. La proportion des nouveaux habitants est donc beaucoup plus grande que la moyenne générale pour cette période; hors de Lyon, la répartition est également très différente de la moyenne générale : cinq chapeliers seulement sont nés dans la province du Lyonnais, sept dans le Forez, mais quinze dans le Velay, région qui ne fournit pas plus de 1 % de l'ensemble des nouveaux Lyonnais. Des considérations professionnelles expliquent ce décalage : le Velay est le centre de très importantes fabriques de chapeaux, en particulier à Tence (six natifs de Tence dans les mariés lyonnais, plus que pour toute la province du Lyonnais). De même tous les Foréziens sont natifs de Chazelles-sur-Lyon, autre important centre de chapellerie. Cependant les immigrants ne sont pas fils de chapeliers de Tence ou de Chazelles, mais ou de laboureurs, ou d'artisans divers. Attirés par la Fabrique lyonnaise dont ils espèrent de meilleurs salaires que des ateliers locaux, ils finissent par s'installer à Lyon après plusieurs années de travail. En dehors de ces grandes régions d'attraction, le trait dominant de l'origine de ces chapeliers est leur extrême diversité. Parmi eux se trouvent Savoyards et Comtois, Picards et Champenois, Flamands et Gascons, trois Piémontais et deux Parisiens. Cependant, même à l'intérieur de ce seul métier, il n'y a pas un milieu homogène : 20 % des chapeliers qui contractent mariage à Lyon à cette époque ont un apport au mariage supérieur à 1 000 livres. La tendance générale est renversée pour cette portion la plus fortunée de la profession : sur vingt chapeliers, onze sont lyonnais contre neuf de l'extérieur; la différence est encore plus grande dans le choix de l'épouse; pour l'ensemble du métier, deux tiers de non-Lyonnaises, pour les vingt les plus riches, dix-sept Lyonnaises et trois femmes de l'extérieur seulement. On retrouve dans ce cas précis un des éléments les plus importants de cette migration vers les villes : ce sont le plus souvent les hommes sans biens, avec leur seul travail pour assurer leur subsistance, qui s'installent dans la ville, et le plus souvent, sauf quelques cas éclatants mais exceptionnels de réussites individuelles, se heurtent aux familles lyonnaises déjà installées et nettement plus riches. Ce n'est que rarement que les chapeliers lyonnais, les maîtres marchands surtout, enrichis par les bénéfices de leur Fabrique, donnent une dot à leur fille pour épouser un forain : le plus souvent le choix de l'époux se porte sur un Lyonnais qui profite des capitaux apportés par sa belle-famille. Et les quelques « étrangers » à Lyon que l'on retrouve dans cette catégorie la plus aisée ne sont plus d'origine rurale. Parmi eux se rencontrent par exemple les deux Parisiens, fils de marchands pelletiers de la capitale, ou des fils de bourgeois ou de marchands de Vienne en Dauphiné, de Boën en Forez ou de L'Arbresle en Lyonnais.

L'analyse des mariages des ouvriers de la Fabrique des étoffes de soie est toute différente. Plus de 600 contrats pour la même période concernent des ouvriers en soie, des maîtres ouvriers, des compagnons fabricants ou des maîtres fabricants (à l'exclusion des marchands). 60 % des maris sont nés à Lyon, 40 % hors de la ville, exactement l'inverse des proportions pour l'ensemble des mariages de cette période. La manufacture de soieries est l'activité lyonnaise la plus considérable, elle exerce son influence d'abord dans la ville, dans tous les autres métiers, dans toutes les couches de la population. Les règlements restrictifs limitent le nombre des apprentis forains, plus encore celui des ouvriers arrivant à Lyon après avoir fait leur apprentissage ailleurs. L'origine géographique des non-Lyonnais est beaucoup plus restreinte que pour les chapeliers; à la dispersion de ceux-ci s'oppose une grande concentration des ouvriers en soie : plus de 50 % des forains sont nés dans la province du Lyonnais (près de 60 % dans la généralité de Lyon, en ajoutant le Forez et le Beaujolais), 25 % dans le Dauphiné et le Bugey, 12 % enfin en Savoie : hors de ces quatre provinces, quelques rares cas individuels seulement, quelques Nîmois, Tourangeaux, Avignonnais ou Piémontais originaires d'autres fabriques d'étoffes de soie. Tout différent est le choix des épouses : encore une majorité de Lyonnaises, mais moins forte (54 %). Les non-Lyonnaises sont originaires des provinces qui envoient traditionnellement leurs filles comme servantes dans la Fabrique lyonnaise : 55 % de Dauphinoises et Bugistes, 25 % de Savoyardes et 17 % seulement natives du Lyonnais. Cet écart important entre les hommes et les femmes montre un fait important : quelque grand que soit l'attachement aux traditions provinciales, la vie à Lyon fait naître d'autres liens, d'autres relations entre les individus. Si à leur arrivée les ruraux cherchent à joindre leurs compatriotes, les contraintes du travail ont vite fait de nouer d'autres attaches. Ces mariages entre époux originaires, ou de deux provinces différentes, ou de la ville et d'une province, sont sans doute le facteur le plus important pour la création ou la conservation d'un esprit lyonnais, ou simplement d'un type d'habitant de Lyon. Il n'est pas étonnant non plus que ce soit à l'intérieur de la Fabrique de soie, pourtant fermée et traditionaliste, que s'opère ce mélange avec le plus d'ampleur. Contrairement à ce qui a été observé pour les chapeliers, il n'y a pas chez les ouvriers en soie la même opposition entre les plus pauvres et les autres. Parmi les cent ouvriers en soie ou fabricants dont les apports au mariage sont supérieurs à 1 000 livres, 54 sont nés à Lyon et 46 hors de Lyon. La proportion des Lyonnais est plus faible que dans l'ensemble de la profession. Parmi ces maîtres ouvriers originaires de la province, nombreux sont ceux qui épousent des Lyonnaises (75 %), et le plus souvent des filles de maîtres fabricants : c'est encore une preuve de l'amalgame des nouveaux venus dans la ville, c'est la possibilité pour beaucoup de compagnons d'accéder plus vite et de façon moins dispendieuse à la maîtrise.

Au niveau des marchands-fabricants qui dirigent la Fabrique, la supériorité des Lyonnais se retrouve affirmée comme pour les marchands chapeliers : 24 nés à Lyon contre 9 seulement à l'extérieur, 26 épouses de Lyon et 7 seulement des diverses provinces. Ce n'est plus la campagne ou l'artisanat rural qui fournit des hommes à la Fabrique, mais la bourgeoisie des petites villes de province qui dote ses filles ou envoie ses fils vers la grande ville, une sorte de véritable métropole régionale dans ce cas. Les nouveaux marchands-fabricants sont fils de marchands de Saint-Chamond, de Saint-Symphorien-le-Château, du Languedoc et de Paris, les épouses non lyonnaises sont filles de notaires.

L'examen de chaque métier important révèle ainsi des conditions originales de renouvellement par le mariage. L'exemple des maçons du sud-ouest de la France est bien connu, mais il peut être étendu à tous les métiers de la construction. Sur 110 mariages concernant des maçons et des charpentiers, 17 maris sont lyonnais, et 93 non. Pour les maçons, 7 viennent de la Marche, 3 du Limousin, 3 du Poitou, d'autres d'Auvergne ou de Savoie. Pour les charpentiers, 34 Bugistes et quelques Savoyards ou Francs-Comtois (confirmant ainsi les indications des contrats d'apprentissage). Comme pour beaucoup d'autres activités, les épouses sont lyonnaises en très grande majorité pour les apports supérieurs à 1 000 livres. Il n'y a rien d'étonnant dans le fait que tous les vendeurs de vin viennent des régions vinicoles voisines de la ville : sur 30, un seul Lyonnais, mais 15 du Beaujolais et 8 de la province du Lyonnais (le plus souvent ils commencent par vendre le vin des domaines d'un bourgeois lyonnais). L'exemple enfin des boulangers permet de reprendre toutes les observations précédentes. Toujours pour les mêmes années 1749-1751, les archives notariales renferment les contrats de mariage de 39 boulangers, 19 maîtres et 20 compagnons ou garçons. Les maîtres sont ou de la ville de Lyon (9) ou de la province du Lyonnais (9 également), plus un Auvergnat. Les maîtres lyonnais épousent tous des filles nées à Lyon, le plus souvent filles de maîtres boulangers. Aucun des compagnons n'est né à Lyon, 12 sont originaires de la province du Lyonnais, mais 4 sont dauphinois, 2 bourguignons, un auvergnat, un du Vivarais. Quant à leurs épouses elles ne sont qu'exceptionnellement lyonnaises : deux seulement, dont une fille de maître boulanger qui apporte bien sûr la dot la plus considérable. Les autres sont des domestiques du Lyonnais et du Dauphiné comme pour beaucoup d'autres métiers.

L'analyse purement démographique des migrations vers la ville de Lyon prend avec ces exemples professionnels une tout autre dimension; elle prépare et éclaire déjà l'histoire de la société et des divers rapports sociaux.

Le contraste entre natifs et forains se retrouve dans les comportements démographiques. Alors que l'étude de l'âge au mariage n'a pas révélé de nettes oppositions entre les divers groupes sociaux.

Dans l'ensemble, l'âge moyen des nouvelles Lyonnaises lors de leur mariage est nettement plus élevé que celui des filles de parents lyonnais. Alors que la proportion totale de femmes de plus de trente ans est d'un tiers, elle n'est que de 23 % pour les filles de Lyon, de 46 % pour les femmes nées à l'extérieur. Plus qu'entre les métiers ou les activités, c'est là que réside la plus grande différence. Les filles venues de l'extérieur ne se marient qu'après de longues années écoulées dans un métier où elles amassent quelque épargne. Plus les gains sont modestes, plus le mariage est tardif. Dans tous les corps de métiers se retrouve cette différence : moins sensible chez les ouvriers en soie, les épouses de plus de trente ans sont 20 % pour les natives de Lyon, 36 % pour les non-Lyonnaises, beaucoup plus accentué dans les professions du bâtiment par exemple où les non-Lyonnaises de plus de trente ans sont 60 %. La moyenne d'âge au mariage enregistre cet écart : alors que l'âge moyen des épouses est de 27 ans et 6 mois, il n'est que de 26 ans et 6 mois pour les Lyonnaises, il atteint 30 ans exactement pour les autres épouses; cette moyenne serait même dépassée si n'entraient pas dans son calcul les filles de la bourgeoisie des villes voisines de Lyon, qui sont beaucoup plus jeunes quand elles épousent un négociant ou un avocat lyonnais. Les renseignements fournis par un sondage dans la paroisse Saint-Georges confirment cet écart, et l'accentuent même : alors que les Lyonnaises (dans la paroisse Saint-Georges, il s'agit surtout de filles de maîtres ouvriers en soie) se marient jeunes, et parfois très jeunes, l'âge moyen des dévideuses ou ouvrières d'origine rurale est nettement plus élevé (cinq ans en moyenne de plus dans ce milieu professionnel). Les sondages opérés restent trop restreints pour énoncer une loi, mais si la démographie urbaine reste encore le domaine des hypothèses, il semble que l'hypothèse suivante peut en partie expliquer l'évolution démographique de Lyon au XVIIIe siècle : la baisse de natalité par mariage constatée dans la deuxième moitié du XVIIIe siècle ne trouve-t-elle pas une explication partielle dans l'accroissement considérable de l'arrivée des filles de la campagne dans la ville après 1750? Alors qu'elles ne formaient que le tiers des épouses vers 1730, elles sont plus de la moitié en 1780 : les contrats de mariage ne signalent pas de transformation de leur mentalité; elles continuent à apporter en dot à leurs époux leurs « gains et épargnes », et donc elles se marient à un âge avancé, et elles ne peuvent pas avoir un grand nombre d'enfants. L'apport extérieur, celui des femmes surtout, ne renouvelle peut-être pas autant que les chiffres bruts le laisseraient croire la population lyonnaise du XVIIIe siècle. Ces filles rurales, dont un grand nombre meurt par suite de déplorables conditions de travail et d'hygiène, qui attendent d'avoir amassé quelques centaines de livres pour accepter le mariage, ne trouvent peut-être pas toutes le mari souhaité, une fois passée la trentaine. Celles qui se marient ont moins d'enfants que les Lyonnaises d'origine mariées plus jeunes. C'est là peut-être un des aspects les plus originaux de la démographie lyonnaise, sinon urbaine, du XVIIIe siècle.

De même les recherches de mortalité différentielle ont été assez décevantes, même si des dépouillements plus massifs pourraient aboutir. Mais là encore, les écarts entre natifs et forains sont importants : par exemple, sur 160 décès d'ouvriers en soie, l'âge moyen du décès est de 46 ans; mais cette moyenne recouvre deux réalités : 80 de ces ouvriers en soie sont nés à Lyon, et beaucoup n'entrent à l'hôpital de la Charité que dans leur vieillesse; quand ils sont malades, l'hôpital de la Charité les envoie à l'Hôtel-Dieu pour recevoir les soins nécessaires; l'âge moyen de leur décès est de 54 ans (et 12 d'entre eux ont atteint plus de 70 ans). 80 également sont nés hors de Lyon : compagnons et ouvriers viennent se faire soigner à l'Hôtel-Dieu; c'est à 38 ans qu'ils meurent. On retrouve donc, comme pour beaucoup d'aspects de la démographie lyonnaise du XVIIIe siècle, cette opposition entre les natifs de Lyon et les nouveaux Lyonnais : ces derniers sont soumis à des conditions de vie plus mauvaises, plus dures; tenus plus longtemps dans une condition subalterne, ce sont eux qui sont les plus sensibles aux difficultés économiques, aux périodes de crise comme aux épidémies; n'ayant pas encore créé de famille, isolés dans une ville aux conditions de travail et de vie très dures, ils sont plus vite et plus durement touchés que les Lyonnais par la maladie et par la mort.

4. — CONCLUSION : L'AMPLEUR ET LA DIVERSITÉ DU RENOUVELLEMENT DE LA POPULATION LYONNAISE

Les exemples particuliers ont pu faire oublier le fait essentiel de ces déplacements humains : leur ampleur statistique. A la fin de ce chapitre on serait tenté de présenter une image étonnante de l'habitant de Lyon en ce XVIIIe siècle. A la question « Lyonnais, qui es-tu? », combien auraient pu répondre sans mentir : « Je suis lyonnais parce que mon père et ma mère étaient lyonnais », une minorité déjà. Quelques-uns seulement devaient pouvoir répondre de leurs grands-parents lyonnais, et la réponse la plus sincère aurait sans doute été : « Je suis lyonnais, parce que je travaille et vis dans la ville, mais je suis bien aussi un peu dauphinois, ou bugiste, ou savoyard... ». Les diverses sources partielles ont saisi ces forains à différentes époques de leur vie et jusqu'à leur mort. Arrivés jeunes ou très jeunes, parfois à moins de dix ans, soumis pour une part à un travail épuisant dès leur installation, payant un lourd tribut à la mort dans ces premières années de séjour à Lyon, beaucoup de ces immigrants ne deviennent jamais lyonnais : la Fabrique les saisit et souvent ne les rend plus. Les décès des jeunes tireuses de cordes ou dévideuses de la Fabrique à l'Hôtel-Dieu sont la forme la plus tragique de ces migrations, un constat d'échec immédiat et total pour ces jeunes ruraux venus à Lyon en quête de travail, de salaires meilleurs et de conditions de vie plus favorables. Les plus favorisés de ces arrivants entrent en apprentissage. Les actes de mariage les retrouvent plusieurs années après, quand l'acquisition d'un métier leur permet de subvenir aux frais d'un ménage : dès lors ils sont devenus lyonnais, comme les parents ou les maîtres qui les ont accueillis à leur entrée dans la ville. Ce mouvement semble s'être accentué au cours du XVIIIe siècle : presque toujours dans les sondages le nombre des Lyonnais de naissance est inférieur à celui des immigrants.

A la fin de cette étude, s'il faut essayer de donner un chiffre global des migrations, on pourrait arriver aux conclusions suivantes : arrivent à Lyon avec le plus souvent le désir d'y exercer un travail permanent et l'intention de s'y fixer, au moins mille personnes par an jusqu'au milieu du siècle environ. Ensuite la progression est incessante, et à la veille de la Révolution, pendant le règne de Louis XVI tout entier, le chiffre annuel doit dépasser 1 500 personnes, approcher 2 000 : par les mouvements extérieurs, la population lyonnaise augmente de plus de un pour cent par an au cours du XVIIIe siècle. Ce pourcentage est supérieur à celui de l'augmentation de la population entière : c'est dire que sans les forains la ville de Lyon aurait subi un déclin permanent, n'aurait jamais pu trouver en elle les forces vives nécessaires au développement de sa Fabrique et de son commerce. Les conséquences de cet apport extérieur sont considérables : risquons le chiffre total de 120 000 personnes entrées à Lyon entre 1700 et 1790, en quête de travail, réparties presque par moitié entre les hommes et les femmes. Les deux tiers des hommes, les quatre cinquièmes des femmes viennent des trois provinces voisines du Lyonnais, du Bugey et du Dauphiné. La part du Lyonnais est toujours la plus importante : le rôle de la campagne, de la province est ainsi mis en valeur. Sans cesse elle envoie dans la ville le surplus de sa population, elle est un réservoir permanent où la ville puise avec des besoins grandissants. Ce phénomène reste capital même pour la démographie des régions voisines de Lyon, aussi bien pour le Lyonnais que pour le Dauphiné, voire pour la déjà plus lointaine Savoie.

Le nombre total est le premier fait important. Le deuxième est la coexistence dans la ville de ces populations d'origines diverses. Dans une France dont on se plaît à souligner la force des régionalismes, la ville sert de creuset où se mélangent, où vivent côte à côte des habitants de régions diverses, dont le seul trait d'union est le travail à Lyon. Il ne faut pas exagérer les cas de réussite individuelle de ces nouveaux Lyonnais. Les registres des nommées des bourgeois de Lyon au XVIIIe siècle soulignent le caractère exceptionnel de ces réussites : environ dix non-Lyonnais par an seulement se font recevoir bourgeois de Lyon, et pour beaucoup ce n'est même pas le témoignage d'une promotion, mais simplement la constatation d'une installation définitive dans la ville. Si l'exemple exceptionnel de la réussite frappe les esprits, c'est un document différent qui permet de conclure en montrant le côtoiement à Lyon de ces gens venus d'horizons si divers. Pour quelques rares maisons du quartier d'Ainay, les agents municipaux chargés d'établir le recensement de la population de l'an IV ont inscrit en marge le lieu de naissance des habitants et la durée de leur séjour à Lyon.

Pénétrons à la suite des enquêteurs dans une maison de la rue de la Barre. Le cabaret qui nous accueille à l'entrée est tenu depuis douze ans par deux vignerons de Millery. La deuxième boutique du rez-de-chaussée est celle d'un fripier du Dauphiné. A l'entresol vit encore le vieux propriétaire, François Berthet. Il a alors 82 ans, il n'en avait que 19 quand il est arrivé à Lyon venant de son Bugey natal. En parcourant les étages, sont rencontrés, au premier, un bourgeois franc-comtois dont l'épouse est suisse de naissance, un tourneur sur métaux du Bugey, un voiturier de Saint-Étienne; au deuxième, des affaneurs ou journaliers de divers villages du Lyonnais; au troisième, un coiffeur de Nevers, un ébéniste de Vesoul; au quatrième, un maçon auvergnat, un marchand forain de Guéret en Marche; au cinquième étage, enfin, un fabricant de bas né en Italie, un affaneur de Néronde en Forez, un ouvrier chapelier du Lyonnais et un autre du Dauphiné. Voici donc l'image d'une maison lyonnaise à la fin du XVIIIe siècle : il y a 36 appartements ou ménages, six seulement sont occupés uniquement par des natifs de Lyon. Dans tous les autres s'observent des exemples de cette implantation dans la ville des non-Lyonnais, et le brassage de ces populations, leur amalgame qui finit par faire de ces Dauphinois, Foréziens, Auvergnats, Comtois ou même Italiens, des Lyonnais à part entière.

Conclusion de la première partie

DÉMOGRAPHIE DE GRANDE VILLE OU ORIGINALITÉ LYONNAISE?

Le visage de la population lyonnaise s'est peu à peu dévoilé : une population qui fait largement, massivement, à la fin de cette période, appel aux apports extérieurs sans lesquels toute croissance resterait impossible. En cela Lyon exerce une fonction de ville, mais plus encore une fonction de capitale, bien que dépourvue des institutions qui font une capitale régionale. L'activité économique de Lyon, la Fabrique de soieries en premier lieu, attire une main-d'œuvre que les conditions de vie et la faible durée de la vie humaine obligent à renouveler sans cesse. La seule véritable originalité ne résiste guère à l'examen : les tableaux de Messance (sans comprendre les dépouillements des hôpitaux) et ceux de l'abbé Lacroix (hôpitaux compris) laissaient croire à un excédent des naissances sur les décès dans la ville du XVIIIe siècle : malgré l'expansion incontestable, malgré l'absence de véritables recensements, il est bien évident qu'un accroissement naturel n'est pas la source de l'augmentation du nombre des Lyonnais. Nous avons vu entrer trop d'apprentis, de manœuvres et journaliers, trop de servantes et de domestiques ouvrières de la Fabrique pour ne pas savoir que seule l'immigration rend compte des progrès d'ensemble. Il reste que l'étude complète de l'évolution démographique du XVIIIe siècle n'est pas achevée. Deux faits sont certains : la diminution de la mortalité dans la ville, à la fois en nombre absolu et en pourcentage; ce n'est pas tellement pour les années courantes que cette diminution est sensible, mais c'est surtout par l'espacement plus grand et par les pointes moins marquées des années de crise. Si en 1783 se retrouve un total de décès équivalent à celui de 1730, c'est pour une population qui a augmenté de 30 % à 50 %; et en 1783, malgré ce grand nombre des morts, leur total n'atteint pas la moitié de ce qu'il avait été en 1693. Le deuxième fait, contradictoire, est que cette amélioration, lente mais continue, due à la disparition des famines, malgré les crises économiques, ne se traduit par aucun progrès dans la survie des enfants. Il n'y a pas allongement de l'espérance de vie à la naissance. C'est à la fois la conséquence d'une mentalité et d'une situation économique. On ne peut négliger les efforts des Lyonnais pour améliorer les conditions d'hygiène. Les médecins lyonnais sont les premiers à participer aux débats sur l'inoculation de la petite vérole, et les partisans de cettc méthode révolutionnaire défendent avec brio leurs idées contre les adversaires (Rast de Maupas par exemple). Dans les innombrables discours et polémiques sur l'allaitement des enfants, les bourgeois et les Lyonnais « éclairés », mais le peuple aussi peut-être, défendent les idées nouvelles, les vertus de l'allaitement maternel et la liberté des enfants trop souvent enfermés dans des maillots ou des corsets trop serrés. Malgré cela, malgré ces discours, tardifs d'ailleurs (après 1760), les familles lyonnaises, de tous les milieux sociaux, continuent à envoyer leurs enfants en nourrice, et sans doute même les envoient de plus en plus, dans des bourgs et villages de plus en plus nombreux, de plus en plus lointains, et sans que puisse s'exercer une quelconque et efficace surveillance médicale des nourrissons ainsi exposés à une mort rapide... Le travail des femmes apparaît comme la raison première de cette pratique qui devient une institution, contre laquelle même les efforts de la municipalité ne pourront rien. Cette pratique a un autre résultat : les mères ne nourrissant pas leurs enfants, fatiguées sans doute et par les maternités et par le travail de la manufacture, mais fertiles immédiatement après les accouchements, se retrouvent enceintes beaucoup plus rapidement que la moyenne des femmes françaises de la même époque, étant bien entendu que cette moyenne est rurale. Il est encore presque impossible de traduire cette natalité considérable des femmes lyonnaises en taux de natalité, trop de chiffres de base restant incertains ou... inconnus. La valeur de ce taux serait d'environ 40 ‰ jusque vers 1760, peut-être un peu plus faible ensuite (35 ‰)

entre 1780 et 1790. Sur des calculs aussi peu sûrs, il est difficile de tracer les grandes lignes d'une évolution. Les quelques sondages effectués sur la deuxième moitié du XVIIe siècle semblaient indiquer une natalité déjà très forte : dans la plupart des paroisses, les chiffres des baptêmes des années 1670-1690 sont nettement supérieurs à ceux des années 1710-1730. L'énorme mortalité de 1693-1694, les difficultés de la fin du règne de Louis XIV, la crise de 1709-1710, peut-être plus ressentie dans les campagnes que dans la ville, mais qui diminue le nombre d'hommes qui peut quitter les villages pour venir dans la ville, font que le début du règne de Louis XV est une période difficile, voire de légère régression. Entre 1710 et 1730 les mariages sont particulièrement peu nombreux : ce sont les classes « creuses » consécutives à la période 1693-1694, les enfants sont plus rares. Mais la paix, la reprise économique (malgré ses difficultés et les luttes intérieures) redonnent à la démographie un élan qui semblait perdu : jamais peut-être la natalité ne fut plus importante qu'entre 1730 et 1760, le nombre des enfants étant le même que dans la période suivante pour un nombre de mariages inférieur. Le taux de 40 ‰ est alors dépassé dans une ville qui compte pourtant une très forte proportion de célibataires et dans laquelle une importante proportion de femmes se marie tardivement. Est-il possible de parler ensuite d'une limitation des naissances? Cela semble vrai dans les familles bourgeoises ou échevinales — les généalogies du fonds Frecon comportent moins souvent ces longues listes d'enfants morts peu après leur naissance, si fréquentes dans la première partie du siècle. Dans les familles d'ouvriers et d'artisans, les sondages jusque vers 1775-1780 ne montrent pas une transformation bien sensible. Ensuite les difficultés sont grandes, et il reste impossible d'avancer une conclusion certaine. Les taux généraux de naissances par mariage sont certes en nette diminution, mais en même temps les abandons d'enfants à la naissance sont de plus en plus nombreux. Dans les paroisses, après 1780, il y a une chute du nombre total de baptêmes, sensible surtout à partir de 1784, mais cette chute est trop nette, trop rapide (20 % de moins en quatre ou cinq ans) pour qu'on puisse l'attribuer à une transformation des mentalités : la dernière décennie avant la Révolution est décennie de crise, d'arrêt de la Fabrique, d'affrontement social, de mise en question des institutions... La ville continue à vivre, les immigrants sont plus nombreux que jamais, le nombre des mariages continue à augmenter régulièrement, mais aussi le nombre des ouvriers sans travail qui doivent quitter la ville pour chercher une région moins touchée par la crise. Une difficulté matérielle s'ajoute aux autres : pour reconstituer des familles, il faut passer du registre paroissial (et ils sont bien mal tenus de 1789 à 1792) aux registres d'état civil. Le problème n'est pas grand dans une paroisse rurale, mais dans une ville de plus de 100 000 habitants secouée par les luttes révolutionnaires, il devient presque insoluble. Ce n'est qu'au début du XIXe siècle que le travail de recherche redevient vraiment possible; c'est là encore un domaine vierge... qui devrait tenter rapidement des chercheurs lyonnais. Seuls ils pourront dire si la réalité correspond à ce que l'on croit deviner quelques années avant la Révolution, si les familles ouvrières lyonnaises ont beaucoup moins d'enfants que leurs aïeux pendant le règne de Louis XV.

DEUXIÈME PARTIE

LA SOCIÉTÉ LYONNAISE

LA HIÉRARCHIE DES FORTUNES
ET LES CATÉGORIES SOCIO-PROFESSIONNELLES

CHAPITRE PREMIER

LES HIÉRARCHIES SOCIALES : DEUX APPROCHES GLOBALES

I. — LES SOURCES FISCALES

Les archives lyonnaises sont pauvres en sources fiscales. La ville est exemptée de taille; les rôles de capitation, de dixième ou de vingtième ont tous disparu, sauf quelques registres incomplets pour la reconduction des impôts anciens acceptée par l'Assemblée Provinciale de la généralité de Lyon (14 quartiers sur 35 pour la capitation, 8 pour le dixième d'industrie, et un rôle complet du vingtième de maison).

L'Assemblée Constituante procède en 1790 et 1791 à la refonte du système fiscal français. La contribution mobilière fixée en 1791 livre un document exhaustif : Lyon est partagé en 9 sections, auxquelles s'ajoute le faubourg de La Guillotière.

La contribution mobilière a l'avantage de rassembler l'ensemble de la population lyonnaise. Elle n'est cependant pas sans inconvénient pour l'historien de la société. Le loyer n'est pas un indice suffisant, ni toujours satisfaisant, de la hiérarchie sociale, d'autant plus que la libre déclaration par le contribuable peut être source de fraude. La date du premier rôle (1792) correspond ensuite à une période de crise économique à Lyon, ce qui peut avoir entraîné des mutations dans l'équilibre social de la fin de l'Ancien Régime.

Les registres de la contribution mobilière présentent également deux lacunes extrêmement graves. Ils ne peuvent être utilisés avec profit que si les contribuables sont indiqués avec une mention socio-professionnelle sufffisamment précise. Or, comme pour tous les documents fiscaux, cette précision n'existe pas. Deux catégories de registres subsistent : pour trois d'entre eux, ceux de la section de la Fédération (paroisse d'Ainay), du Nord-Est et du Nord-Ouest, c'est-à-dire les deux secteurs situés aux extrémités sud et nord de la presqu'île, la presque totalité des noms des contribuables est suivie d'une indication professionnelle : le métier, la qualité (bourgeois) ou la fonction (ecclésiastique, membre de l'administration municipale ou nationale) est ajouté au nom et à l'adresse. Dans les six autres sections de la ville, cette mention, même sommaire, ne figure pas. Seules les grandes catégories professionnelles justifiant une décote sont portées en dessous du chiffre du loyer : on n'obtient pas ainsi une précision suffisante, les rédacteurs des registres se contentant de l'indication de la décote, mais ne cherchant pas à distinguer nettement les artisans des journaliers ou des marchands en détail.

D'ailleurs, même dans les sections où figurent des qualifications professionnelles, les imprécisions et les incertitudes sont d'autant plus grandes que sont souvent juxtaposées deux terminologies : celle d'Ancien Régime, et celle de la Révolution (disparition des maîtres des métiers, des nobles, des officiers...).

a) *La capitation de 1788.*

Les 14 registres conservés pour la capitation de 1788 rassemblent environ 40 % de la population lyonnaise. La cote moyenne est de 12 livres, mais la répartition suggère déjà un éventail très ouvert des fortunes, entre le grand nombre de contribuables imposés au tarif minimum (2 livres), et les plus gros imposés (le banquier Delessert par exemple avec 420 livres).

Les contribuables, dont la capitation est inférieure au taux moyen, sont 75,1 % du total et ne paient que 23,1 % de l'impôt; les imposés au-dessus du taux moyen sont 14,6 %, mais ils paient 64,4 % de l'impôt.

Cette source incomplète suffit cependant à mettre en évidence deux faits : une géographie sociale différentielle, et l'ébauche d'une hiérarchie sociale. Les cotes de capitation varient beaucoup d'un secteur à l'autre. Dans le quartier pauvre de Pierre-Scize (rive droite de la Saône, quartier d'ouvriers en soie), le montant moyen de l'impôt est de 5 livres 6 sols; 5,3 % seulement des contribuables dépassent le seuil moyen de 12 livres. Dans le commerçant quartier du Plâtre, où la cote moyenne s'élève à 20 l. 18 sols (presque le quadruple), plus de 25 % des contribuables paient plus de 12 livres.

Le « menu peuple » des journaliers et des domestiques est sous-représenté par rapport à sa place réelle dans la population. Moins de 3 % de journaliers, moins de 1 % de domestiques. Trop pauvres, trop instables, souvent dépendants de leur employeur qui les loge, ces travailleurs sans qualification sont le plus souvent en deça du niveau le plus bas de l'impôt. Leur cote moyenne est proche du minimum, sauf pour les 129 affaneurs et crocheteurs, qui versent en moyenne 4 livres chacun.

35 d'entre eux (27 %) sont dans la tranche égale aux deux tiers de la moyenne générale, en particulier les 18 crocheteurs à la Douane de Lyon domiciliés dans le quartier du Change : l'acquisition ou la transmission d'une charge, même de très faible valeur, suffit à placer les crocheteurs des ports de Lyon à un rang supérieur à celui de la moyenne des manouvriers.

La place des métiers féminins est beaucoup plus importante.

Brodeuses, couturières, lingères, blanchisseuses ou lavandières, mais aussi les dévideuses de soie, forment un groupe nombreux : 839 (8,2 %), bien que la plupart des dévideuses, logées chez les ouvriers en soie, et considérées comme servantes, de même que la totalité des tordeuses de soie, ne figurent pas dans ce nombre. Célibataires pour la plupart, travaillant en chambre sans tenir réellement de boutiques, ces ouvrières ne sont pas toujours indépendantes; les brodeuses, les dentellières travaillent souvent pour les marchands brodeurs de la ville, et les corps de métiers masculins protestent souvent contre les empiétements dont elles se rendent coupables. Dans l'ensemble la cote de ces ouvrières reste très faible : 62 % sont imposées au chiffre minimum, avec cependant des différences à l'intérieur du groupe. Paient 2 l. de capitation, 87 % des dévideuses, 66 % des brodeuses, mais seulement 54% des couturières. 81 de celles-ci, (25%) paient de 4 à 6 l. (plus du tiers de la cote moyenne), et il en est de même deux qui dépassent largement cette moyenne. Quelques-unes de ces filles dépassent donc la simple condition des ouvrières pour atteindre le niveau des petits boutiquiers-marchands, qui reste inaccessible aux journaliers.

Le troisième groupe comprend tous les membres des diverses communautés d'arts et métiers de la ville de Lyon : travailleurs spécialisés, qui le plus souvent ont subi de longues années d'apprentissage pour accéder à ce métier. Une activité écrase sous son nombre toutes les autres : la fabrique des étoffes de soie. Les seuls ouvriers en soie sont 2 259 (22,1 %) : les registres de capitation ne distinguent pas les maîtres et les compagnons ouvriers en soie. Il semble cependant que la majorité des imposés soit des maîtres.

Cohésion dans la pauvreté : ainsi peut se définir l'état des ouvriers en soie : 92,5 % ne paient que 2 ou 3 livres, la cote moyenne est de 2 livres 11 sols, à peine supérieure au minimum.

Exactement semblable est la répartition des 160 fabricants de gaze et également celle des 240 fabricants de bas de soie. Malgré leur long apprentissage, et pour la plupart leur titre de maîtrise, ces travailleurs à domicile restent entièrement dépendants des marchands, dans la mesure où ils n'assurent pas eux-mêmes la vente des produits qu'ils confectionnent. Ce statut particulier les place dans une situation économique très mauvaise : ouvriers très spécialisés dans un métier délicat et difficile, leur condition n'est pas meilleure que celle des ouvriers non qualifiés de la première catégorie. Elle est le plus souvent inférieure à celle des maîtres de tous les autres métiers artisanaux de la ville, qui vendent eux-mêmes les produits de leurs boutiques.

Même les plus pauvres de ceux-ci, les cordonniers par exemple, sont à un niveau supérieur à celui des ouvriers en soie : la cote 3 l. l'emporte sur celle de 2 l. La valeur moyenne de leur imposition est de 3 l. 14 s., de 50 % supérieure à celle des ouvriers en soie. Les tailleurs d'habits, aussi nombreux que les cordonniers (plus de 250 imposés pour chacune de ces deux communautés), sont encore un peu plus favorisés : le taux moyen de leur imposition est de 4 l. 9 s.

Dans la multitude des métiers, toutes les nuances sont possibles. Pour les professions du bâtiment, les cotes les plus faibles sont les plus nombreuses, et rares sont les maîtres maçons, charpentiers ou peintres qui paient plus de 12 l., le niveau moyen. Dans d'autres communautés, il semble que la main-d'œuvre ouvrière soit très rare, ou ne soit pas imposée parce que trop pauvre. C'est ainsi que les chandeliers paient en moyenne 17 l. 10 s., les tapissiers 14 l. 12 s. Pour ces deux communautés il n'y a aucune cote inférieure à 6 l. : c'est le marchand qui l'emporte sur l'ouvrier. Dans ces derniers cas, il y a une véritable opposition entre les maîtres et les compagnons.

Avec cette catégorie sont atteintes les limites du petit commerce. La plupart des boulangers, des bouchers, des pâtissiers ou des charcutiers inscrits sur les registres de la capitation sont des maîtres, les compagnons n'atteignant pas un niveau suffisant pour être imposés. Les valeurs moyennes sont très proches les unes des autres, ce qui prouve la cohésion de ces activités : 8 l. 10 s. pour les charcutiers, 9 l. 11 s. pour les boulangers, 9 l. 12 s. pour les pâtissiers, 10 l. 18 s. pour les bouchers. Dans l'ensemble, les maîtres de ces métiers sont donc un peu au-dessous de la valeur moyenne de l'imposition, mais nettement au-dessus des artisans purement manuels des métiers du textile par exemple, dominés par de puissants marchands-fabricants ou négociants. Sur les bords de ce groupe, aux deux extrémités, se rencontrent des métiers très différents par leur définition et par leur composition. A la limite inférieure, la foule des revendeurs est très composite. Beaucoup de ces revendeurs sont des colporteurs dont le marché est plus rural qu'urbain : c'est le cas de tous les petits merciers, fripiers ou haillonniers; d'autres exercent dans la ville, mais ne sont pas liés à l'alimentation, comme les revendeurs de gages ou les revendeurs de meubles. Mais bon nombre d'entre eux sont revendeurs de fruits et légumes, fruitiers, herbagers, marchands de fromages ou autres, qui disposent leurs étaux le long des églises, dans les rues ou sur les places. Certains sont peut-être en même temps jardiniers dans les faubourgs; aucun n'a une véritable spécialisation professionnelle : leur niveau de fortune reste beaucoup plus bas que celui des maîtres-artisans boulangers ou charcutiers : 4 l. 7 s. pour les revendeurs. Par cette frange inférieure, le monde lyonnais du commerce touche celui du travail manuel. A l'autre extrémité tout autre apparaît la déjà puissante corporation des marchands épiciers. Ceux-ci font partie, tout au moins les épiciers en gros, des grandes communautés de négociants. Leur commerce est des plus variés et ne touche qu'en partie au monde de l'alimentation. Il n'y a plus ici maîtres et compagnons, mais des marchands qui emploient des commis : si une partie d'entre eux ne sont que de simples revendeurs (un tiers des épiciers paie moins que la moyenne), la partie supérieure de la profession rivalise avec les plus gros marchands toiliers ou drapiers, et leurs cotes atteignent ou dépassent 100 l. La moyenne de ce métier (23 l. 8 s.) est comparable à celle que l'on trouve chez les négociants de la ville.

En effet, un niveau de fortune beaucoup plus élevé apparaît avec les cotes de capitation des marchands et des négociants lyonnais.

Ces négociants payent 20 % du total de l'impôt : leur contribution moyenne est de 40 l., plus de trois fois supérieure à la moyenne générale de Lyon. Cependant, même dans ce milieu négociant, l'examen des cotes de capitation fait ressortir des différences importantes entre les diverses activités. Dans certains métiers, épiciers déjà cités, merciers, petit et grand commerce se côtoient, et les registres fiscaux ne comportent pas l'indication précise de « mercier en gros » qui permettrait d'isoler les seuls véritables négociants.

L'ensemble des négociants comprend moins de 1 % des cotes inférieures à la moyenne générale, 10 % des cotes moyennes, mais 37,6 % de celles égales au quadruple de cette moyenne, 25,7 % de celles supérieures à 100 l. Par suite de la situation des quartiers étudiés, certaines professions sont plus représentées que d'autres : les merciers par exemple sont 60 dans le seul quartier de la rue Tupin, alors que les commissionnaires sont toujours nombreux dans celui du Change.

Ouvriers et manœuvres, maîtres et marchands, commis et négociants, ne forment cependant que 82 % des contribuables. En dehors des fabriques, des boutiques et du grand commerce subsistent deux autres catégories importantes : d'une part toutes les professions libérales, ensuite tous les habitants de Lyon qui ne déclarent pas une activité professionnelle précise et qui sont inscrits comme « bourgeois » sur les listes de la capitation.

L'expression « professions libérales », employée dans les codes socio-professionnels actuels, est à la fois incomplète et ambiguë. Pour le XVIIIe siècle, Mlle Daumard regroupe les « professions relevant des arts libéraux » et l'administration. Dans le monde des offices de l'Ancien Régime, la distinction n'est pas toujours facile. Les titulaires des offices de justice et de finances sont sans doute au service du roi, mais les véritables fonctionnaires royaux ne sont-ils pas uniquement ceux qui n'acquièrent pas d'offices, comme les intendants ?

Les termes employés permettent de distinguer un certain nombre de groupes professionnels à l'intérieur de cette catégorie, chacun ayant une certaine unité, mais très dissemblables les uns par rapport aux autres.

Les enseignants et les artistes sont les plus défavorisés. Les maîtres de langues ou de danse, les maîtres de pension et les instituteurs de la ville ne dépassent pas le niveau de fortune des boutiquiers.

Beaucoup plus varié est le groupe de la médecine : tous les niveaux se rencontrent parmi les chirurgiens. Certains ne payent que 3 l. de capitation, mais quatre d'entre eux sont imposés à plus de 100 l. L'uniformité est plus grande dans les rangs des officiers. La valeur de l'office détermine le taux de l'impôt : aucun des huissiers ne paye plus de 26 l., et aucun des procureurs n'est imposé pour moins de 24 l. Les titulaires des offices de conseillers secrétaires du roi, aux cours de Lyon, et les trésoriers de France forment le groupe le plus riche. Il dépasse même par la valeur moyenne de l'impôt celui des négociants les plus riches. Dans l'ensemble, cette catégorie représente 5,3 % des contribuables, mais 20 % des deux tranches d'impôt les plus élevées. Dans une ville sans Parlement, il ne faut pas sous-estimer la richesse des titulaires d'offices en face du monde du commerce.

Restent enfin les « bourgeois » de Lyon. Le terme de bourgeois est vidé de toute substance juridique dans le document fiscal de 1788 : sont désignés comme tels tous ceux qui n'avouent pas exercer une profession quelconque, et non pas ceux qui ont acquis le droit de bourgeoisie à Lyon. Les nobles de l'Ancien Régime sont eux aussi dénommés bourgeois : c'est à la fois un type de revenu et un mode de vie qui sont ainsi associés. La catégorie n'est pas très homogène : sont représentés aussi bien d'anciens marchands retirés du négoce (mais combien sous le nom de bourgeois continuent à commanditer leurs successeurs ?), parfois même de simples boutiquiers dont les gains ont été suffisants pour leur permettre de cesser le travail. Parmi les bourgeois figurent des veuves et des célibataires, et beaucoup d'entre elles ont des revenus bien faibles si l'on en croit leur capitation, insuffisants en tout cas pour « vivre bourgeoisement ». Dans l'ensemble, cette catégorie des bourgeois est la plus fortunée de Lyon : 11,6 % des contribuables, ils sont 50 % de ceux qui payent plus de 40 l., 40 % de ceux qui sont imposés à plus de 100 l. C'est encore un paradoxe de cette ville du négoce et des fabriques. Mais peut-être n'est-ce là qu'une apparence trompeuse, due à l'imprécision des sources fiscales : les autres documents devront définir plus nettement ces milieux sociaux qui détiennent la richesse lyonnaise. Les ecclésiastiques peuvent d'ailleurs dans ce premier classement grossier être joints aux bourgeois, parce que leur condition recouvre la même diversité, depuis les 2 l. de capitation d'un aumônier de maison religieuse pauvre, jusqu'aux 72 l. d'un chanoine-comte de Lyon ou aux 360 l. de l'archevêque.

En regroupant toutes ces analyses partielles on peut présenter une première image globale de la répartition de la fortune dans la ville de Lyon : il faut rappeler cependant que les groupes les plus pauvres sont sous-évalués quant à leur nombre, puisqu'une partie d'entre eux échappe à l'impôt.

La part de chaque catégorie socio-professionnelle dans la population et dans la répartition de la capitation en 1788

Groupes socio-professionnels	Imposition moyenne	Pourcentage du	
		Nombre des contri-buables %	Montant de l'impôt %
Ouvriers non spécialisés ..	2 l. 5 s.	5	1
Métiers féminins	3 l. 3 s.	8,5	2
Ouvriers en soie	2 l. 11 s.	26	5
Artisanat	9 l.	36	27
Négoce	40 l.	6	18
Professions libérales	30 l.	5,3	13
Bourgeois-ecclésiastiques .	31 l.	13,2	34
TOTAL	12 l.	100	100

Le fait marquant est la part considérable dans la ville de Lyon de l'artisanat traditionnel. Si le métier de la soie forme une activité dominante, il ne groupe pas beaucoup plus du quart de la population active. Les multiples activités artisanales, dont certaines peuvent être liées directement à la Fabrique d'ailleurs, groupent plus du tiers des contribuables imposés à la capitation. Ils forment un milieu beaucoup plus aisé que celui des maîtres ouvriers en soie : plus nombreux d'un tiers environ, ils paient cinq fois plus d'impôts. Toute étude sociale de la ville ne peut négliger ce groupe très hétéroclite professionnellement, mais essentiel. La deuxième conclusion est la différence de niveau entre les groupes riches et les pauvres; le taux moyen de l'imposition est dix fois plus fort dans les trois dernières catégories que dans les trois premières : un tel écart semble rendre difficile le passage d'un groupe à l'autre, limiter les possibilités de mobilité sociale à l'intérieur de la ville. L'étude de la société lyonnaise doit aussi chercher une réponse à cette question.

b) *La contribution mobilière de 1791.*

La contribution mobilière, plus tardive, mais aussi plus complète, recense plus de 34 500 citoyens à Lyon en 1791. Les citoyens passifs sont peu nombreux d'après ce document, qui n'est peut-être pas exempt d'erreur (les 8 citoyens passifs seulement de la section de l'Hôtel-Dieu surprennent!)

Un tableau présente l'ensemble du rôle, la répartition des habitants dans les dix sections, et les inégalités sociales entre les divers quartiers. La richesse du quartier d'Ainay (section de la Fédération) ressort par rapport à la pauvreté de la rive droite de la Saône (Montagne) et plus encore des faubourgs (Ancienne Ville et Guillotière). Les écarts sont même plus importants que pour le rôle de la capitation.

CITOYENS ACTIFS ET CITOYENS PASSIFS A LYON EN 1791 D'APRÈS LES ROLES DE LA CONTRIBUTION MOBILIÈRE

Noms des quartiers	Citoyens actifs	Citoyens passifs	Valeur moyenne de l'impôt
Fédération	2 316	200	34 l.
Hôtel-Dieu	6 388	8	9 l. 13 s.
Halle aux blés	4 600	237	14 l. 5 s.
Hôtel-Commun	3 884	322	25 l. 11 s.
Nord-Est	2 990	265	23 l. 12 s.
Nord-Ouest	2 780	253	9 l. 16 s.
Métropole	4 182	176	10 l. 13 s.
Montagne	2 891	802	6 l. 10 s.
Ancienne Ville	926	93	6 l. 1 s.
La Guillotière	1 148	137	3 l. 15 s.
	32 105	2 493	14 l. 16 s.

Par suite de la qualité des sources, l'étude de la contribution foncière a été limitée à trois sections, qui rassemblent un peu plus de 25 % des citoyens lyonnais.

La section de la Fédération, si elle est une des moins peuplées de Lyon, est également la plus riche : la contribution moyenne de 37 l. 2 s. est supérieure au double de celle de l'ensemble. Mais si les loyers y sont particulièrement élevés, les activités commerciales sont restées faibles dans ce quartier : 4 % seulement de la patente versée à Lyon en 1792. Par l'étude de ce secteur urbain est atteinte une partie importante de la société riche, un peu en marge peut-être des grands mouvements économiques lyonnais, mais qui n'était pas comprise dans les quartiers dont les rôles de capitation ont subsisté.

Les sections du Nord-Est et du Nord-Ouest sont plus conformes, semble-t-il, à la moyenne : 18 % des contribuables, 20,8 % de la contribution mobilière, 20,4 % de la patente, avec cependant un déséquilibre : la section du Nord-Est, en bordure de la place des Terreaux et du Rhône, est plus riche que celle du Nord-Ouest le long de la Saône; ce sont au contraire des quartiers strictement identiques sur les pentes de La Croix-Rousse, puisque la montée de la Grand-Côte est partagée entre ces deux sections.

Ces trois sections renferment 8 252 contribuables définis par une qualification professionnelle ou sociale. En règle générale, chaque contribuable correspond à peu près à ce que l'on désigne aujourd'hui par l'expression chef de famille, malgré quelques exceptions dans les milieux les plus riches.

La valeur déclarée des loyers a été retenue comme base de la classification.

Les loyers inférieurs à 100 l. forment la classe de loin la plus nombreuse : 57,7 % du total des citoyens, 63 % des seuls citoyens actifs. Le montant de ces loyers très bas est d'ailleurs assez théorique : tous les observateurs se plaignent du haut prix des locations dans la ville de Lyon. Les ouvriers en soie, quand ils présentent des revendications, estiment que le loyer absorbe à lui seul environ le tiers de leur revenu. En réalité, il ne faut pas oublier que le chiffre retenu est celui du logement, à l'exclusion de tous les locaux professionnels : tous les artisans déduisent donc de leur loyer réel la location de l'atelier ou de la boutique, et estiment au plus bas la ou les pièces d'habitation. Pour l'ensemble des trois quartiers, la valeur moyenne du loyer est de 150 l. :

mais leur montant total est inférieur à la moitié de la valeur locative brute déclarée dans les registres de la contribution foncière. On ne peut donc attribuer une signification absolue aux estimations retenues : le niveau de vie d'un journalier qui déclare un loyer de 50 l. n'est pas le même que celui d'un ouvrier en soie payant la même somme.

La répartition des citoyens par tranches de loyers en 1791 (Pourcentage de trois sections de Lyon)

Classe de loyers	Fédération %	Nord-Est %	Nord-Ouest %	Total %
Non actifs	7,2	8,5	9	8,3
Moins de 100 l...	48	56,5	67	57,7
100 à 200 l. ...	18,3	12,7	12,3	14,1
200 à 500 l. ...	13,5	13	9,3	11,9
500 à 1 000 l. ..	7	7	2,3	5,3
Plus de 1 000 l..	6	2,2	0,1	2,5
Total	100	99,9	100	99,8
Loyer moyen ...	226 l.	153 l.	84 l.	151 l.

Catégories socio-professionnelles

Catégories	Nombre de citoyens	Pourcentage %	Moyenne du loyer (livres)
I. Journaliers...........	1 326	16,1	50
II. Métiers féminins......	967	11,7	30
III. Ouvriers en soie......	1 968	23,9	40
IV. Artisans............	1 626	19,7	90
V. Commis et Arts libéraux	411	5	145
VI. Marchands-négociants .	643	7,8	340
VII. Bourgeois	966	11,7	365
VIII. Nobles et ecclésiastiques	339	4,1	1 030
			5
Total	8 252	100	150

Ce n'est pas une hiérarchie qui apparaît dans le tableau, mais une division profonde de la société lyonnaise en deux groupes nettement séparés par leur fortune : les quatre premières catégories, qui groupent l'ensemble du monde du travail de la ville, rassemblent 71,4 % des habitants. Leur loyer moyen est toujours inférieur à la moyenne, égal à un cinquième de cette valeur pour les plus défavorisés (les femmes), à trois cinquièmes pour les moins pauvres (les artisans). A l'autre extrémité de l'échelle sociale, marchands, bourgeois et privilégiés de l'Ancien Régime, 23,6 % du nombre des contribuables, déclarent des loyers qui sont en moyenne au moins doubles de la valeur moyenne. La différence avec les couches les plus pauvres est très accusée : le loyer des bourgeois est douze fois supérieur à celui des ouvrières, neuf fois celui des ouvriers en soie. Celui des nobles est 34 fois celui des ouvrières, 25 fois celui des ouvriers en soie. Mais cette vision d'ensemble de la société doit être précisée par une série d'observations plus précises, pour déterminer la composition de chaque catégorie et l'étagement des loyers à l'intérieur de chacune d'entre elles.

L'ensemble des travailleurs sans qualification professionnelle constitue la première catégorie. Leur premier caractère distinctif est de ne faire partie d'aucun des métiers organisés des communautés lyonnaises d'arts et métiers. Parmi eux, les « journaliers » et les « journalières » sont les plus nombreux (plus des deux tiers de ce groupe). Aucune indication dans les registres fiscaux ne permet de connaître leur activité professionnelle propre. Ils sont particulièrement nombreux dans la section de la Fédération (dans laquelle vivent peu d'ouvriers en soie), dont ils représentent près du tiers de la population : leur présence corrige un peu l'image trop exclusive d'un quartier aristocratique. Ils sont logés non seulement dans les constructions encore provisoires du nouveau quartier Perrache, mais aussi dans les maisons qui longent le Rhône ou qui bordent la rue de la Charité. Dans la maison appartenant à l'hôpital de la Charité, à l'angle de la place de la Charité et de la rue Sala, 28 des 72 locataires sont des journaliers : dans cet immeuble, aucun loyer ne dépasse 200 l. Mais les journaliers peuvent cohabiter avec des bourgeois dans des maisons de la rue de la Barre ou de la rue des Marronniers. Les chambres des étages supérieurs des maisons sont occupées par cette main-d'œuvre nombreuse. Elle peut même constituer la majorité des locataires de certaines de ces maisons. Seuls quelques rares hôtels particuliers, près de la place Louis-le-Grand, ne comprennent pas de journaliers à côté des propriétaires nobles. Ces journaliers constituent près de la moitié des non-actifs, mais leur loyer moyen n'est pas cependant le plus faible observé alors dans la ville. En dessous d'eux il faudrait replacer les pauvres, inscrits sans autre dénomination dans les listes de citoyens passifs. On peut leur adjoindre quelques groupes moins nombreux, qui exercent des professions ne nécessitant pas de qualification particulière, comme les domestiques, qui ne sont pas compris dans les listes de citoyens, même passifs. Seuls apparaissent quelques hommes de peine, ou femmes de ménage, qui ont un logement indépendant de celui de leur employeur. Les affaneurs ne sont souvent que des manouvriers remplissant les fonctions des débardeurs et des portefaix. Peut être inclus dans cette catégorie tout le monde des revendeurs en détail, fruitiers ou herbagers, revendeurs de gages et colporteurs plus ou moins misérables, que le montant de leur loyer assimile plus à ce monde des manœuvres qu'à celui des marchands. Les quelques jardiniers des clos de La Croix-Rousse ou des terrains cultivés du quartier Perrache sont d'ailleurs fort proches d'eux, beaucoup vendant sur des bancs provisoires les produits de leur hortolage. Il y a là une première limite imprécise et floue entre deux mondes fort proches l'un de l'autre : dans une société mouvante, tout un petit peuple varié a continué à subsister pendant tout l'Ancien Régime, malgré les règles rigoureuses des métiers et les entraves aux libertés du travail et du commerce. S'il faut faire appel aux mentalités pour définir la notion de catégorie socio-professionnelle, l'affaneur des bords de Saône et le revendeur ambulant de fruits et légumes se considéraient-ils comme différents ? Il semble plus probable qu'ils avaient conscience d'appartenir à un même peuple. Le fait de ne pas être entré dans le cadre plus strict des métiers artisanaux explique d'ailleurs qu'une partie de ces journaliers atteigne un niveau économique plus élevé que celui de la masse. La réussite personnelle y est peut-être plus aisée que dans les anciens métiers à maîtrises et jurandes. 13,2 % des journaliers payent plus de 100 l. de loyer; quelques exceptions seulement atteignent un loyer de 200 l.; c'est le seuil à partir duquel les journaliers ou les revendeurs abandonnent leur nom pour celui plus honorable de marchand.

L'ampleur du travail féminin est un des traits marquants de la société lyonnaise du XVIIIe siècle. Ce travail, commencé très jeune, comme servante des ouvriers en soie, continue le plus souvent autant que la vie : ni le mariage, ni le veuvage n'interrompent ces activités. Les registres de la contribution mobilière fournissent peu de renseignements sur les femmes mariées. Elles sont le plus souvent considérées comme exerçant le même métier que le chef de famille, et ne sont pas imposées séparément. Mais filles célibataires et veuves monopolisent un certain nombre de métiers : certains sont liés à la fabrique des étoffes de soie, comme les dévideuses (les plus nombreuses et les plus pauvres : les seules qui soient inscrites dans les registres de capitation sont celles qui vivent dans des chambres indépendantes, et non dans l'atelier du fabricant) ou les ourdisseuses. Brodeuses, couturières, lingères sont de véritables artisanes, travaillant parfois à plusieurs dans un même ouvroir, et pour certaines le chiffre très bas de leur loyer s'explique par la déduction d'une partie de celui-ci réservé au travail. Les faiseuses de dentelles, les faiseuses de modes, peu nombreuses dans les trois quartiers étudiés, sont plus largement représentées dans le centre de la ville. Blanchisseuses, lavandières et buandières enfin complètent ces métiers exclusivement féminins, qui forment plus de 11 % de la population active. La répartition de leurs loyers moyens est encore plus simple que celle des journaliers : 20 % d'entre elles ne payent pas d'impôt et 77,6 % payent un loyer inférieur à 100 l. Seules quelques-unes d'entre elles dépassent ce seuil. Les brodeuses semblent les plus riches : 6 % d'entre elles déclarent un loyer de plus de 100 l. contre 0,4 % seulement des dévideuses et 2 % des blanchisseuses. Les deux cotes supérieures à 200 l. sont également le fait de brodeuses.

Plus homogène encore semble le milieu des fabricants en étoffes de soie. C'est le groupe le plus nombreux dénombré dans ces trois sections de Lyon, mais les pentes de La Croix-Rousse, les maisons qui longent la Grand-Côte en particulier, leur sont presque entièrement réservées. Sur près de 2 000 ouvriers en soie (maîtres ou compagnons) ainsi recensés, 60 seulement (moins de 3 %) déclarent un loyer de plus de 100 l., 2 de plus de 200 l. Les non-actifs sont moins nombreux que dans les deux catégories précédentes, mais le montant moyen de leur loyer est plus faible que celui des journaliers. Y a-t-il une différence marquée entre ceux qui déclarent un loyer de 24 et 30 l. et ceux qui annoncent 72 ou 90 l. de location? Malgré ces écarts, il ne semble pas que le niveau économique soit nettement différent.

Les chiffres de la contribution mobilière traduisent la grande égalité de la condition des divers ouvriers en soie et un niveau de fortune assez bas. Il faut cependant rappeler encore que la somme inscrite est inférieure assez nettement au chiffre réel du loyer : la plupart des ouvriers en soie inscrits dans les citoyens actifs sont aussi inscrits sur les rôles de la patente, ce qui leur permet de payer l'équivalent de trois journées de travail d'impôt, d'accéder à cette vie active, de participer à la vie de leur cité.

Beaucoup plus complexe est la quatrième catégorie. Cette complexité apparaît déjà dans l'éventail des loyers : si ceux inférieurs à 100 l. sont encore les plus nombreux (66,1 %), ils sont moins exclusifs que chez les ouvriers en soie. Surtout, dans les trois groupes précédents, la majorité de ceux qui n'appartiennent pas à la plus basse tranche de loyer sont des citoyens passifs : avec les artisans, les tranches supérieures sont beaucoup plus largement représentées (30,3 % de loyers supérieurs à 100 l., contre 3,6 % seulement de non-actifs). La nature et la diversité de la composition socio-professionnelle, les différences de structure des métiers artisanaux de Lyon en 1789 expliquent cette répartition. L'artisanat traditionnel des métiers du bâtiment ou de la confection (aussi bien les tailleurs que les cordonniers) est accompagné d'une autre forme d'activité artisanale importante, et organisée différemment; les industries lyonnaises, celle de la soie surtout, nécessitent toute une série de travaux annexes importants : cardeurs, plieurs en soie, donneurs d'eau aux étoffes, teinturiers... La chapellerie, la tannerie et la teinture des draps complètent cette liste des « industries » lyonnaises. Dans beaucoup de ces métiers, il existe une séparation nette entre l'ouvrier, manœuvre et artisan, et le marchand. Seuls les ouvriers entrent alors dans cette quatrième catégorie socio-professionnelle, et ils sont entièrement dépendants à l'égard de leurs marchands. Mais la distinction est plus difficile à établir pour les teinturiers par exemple : ce métier a en effet la structure artisanale traditionnelle avec les apprentis, les compagnons et les maîtres qui se nomment le plus souvent maître marchand. Ces maîtres marchands forment le plus haut niveau de notre catégorie : les plus riches d'entre eux (1,3 %) déclarent des loyers supérieurs à 500 l. Leur niveau économique les met au-dessus des artisans et au rang des marchands, même si, par leur métier, ils restent des artisans.

L'examen des loyers permet d'ailleurs de distinguer

toute une série de groupes professionnels à l'intérieur de cette catégorie.

Les plus pauvres de tous sont les artisans des métiers urbains traditionnels, les cordonniers et les tailleurs par exemple. Leur loyer moyen est de 30 l. pour les cordonniers, de 52 l. pour les tailleurs. 3 % des cordonniers, 14 % des tailleurs dépassent 100 l. — pas un seul cordonnier et 3 tailleurs seulement atteignent un loyer de 200 l. Leur niveau est beaucoup plus proche de celui des journaliers que de celui des autres artisans. L'ensemble des travailleurs du bâtiment est à un niveau un peu plus élevé : la moyenne des loyers est de 70 l., très voisine pour tous les corps de métiers représentés. Les maçons sont peu nombreux (20 contre 115 charpentiers : certains des journaliers ne sont en fait que des manœuvres maçons). Là encore la transition avec le monde des marchands est visible : une vingtaine d'« entrepreneurs » payent un loyer moyen de 140 l., double de la moyenne de leur groupe.

Les métiers les plus variés sont ainsi représentés : 120 métiers différents se trouvent dans ces trois quartiers. Le marché de consommation urbain explique l'importance des métiers de l'alimentation : boulangers et pâtissiers, charcutiers et rôtisseurs forment un ensemble très uniforme. La moyenne du loyer des boulangers est de 97 l., celle des pâtissiers de 98 l., celle des rôtisseurs de 81 l., les charcutiers se situant seuls à un niveau un peu plus bas : 67 l. Parallèlement à ces métiers, les vendeurs de vin, les cabaretiers et les cafetiers appartiennent déjà au monde du commerce. Les vendeurs de vin du quartier d'Ainay ne sont pas différents des revendeurs évoqués dans la première catégorie; les cabaretiers, très nombreux dans les quartiers les plus populaires, se situent au même niveau moyen (77 l. de loyer); seuls les cafetiers de la place des Terreaux sont nettement plus riches.

La cinquième catégorie est assez mal définie : les secteurs de Lyon retenus font qu'un certain nombre de professions libérales sont très peu représentées. Dans une véritable classification, il faudrait sans doute séparer rigoureusement les employés et les arts libéraux : l'employé, le commis peut être aussi bien au service d'un négociant que de l'administration municipale ou royale. La date d'établissement de la contribution mobilière est une autre cause d'imprécision : la suppression des impôts d'Ancien Régime enlève leur emploi aux commis chargés de le percevoir, avant qu'une nouvelle organisation soit mise en place (dans la liste des citoyens passifs figurent plusieurs « commis supprimés »). Trois groupes principaux se partagent cette catégorie, en dehors des hommes de loi et des titulaires de petits offices de judicature (totalement absents de ces trois quartiers) : les commis de négociants sont les plus nombreux, commis, employés, teneurs de livres (quelques maîtres écrivains exercent parfois le même rôle) et les dessinateurs de la fabrique d'étoffes de soie. Les dessinateurs, essentiels au renom de la Fabrique, peuvent être employés par plusieurs maîtres fabricants. Le montant de leur loyer les place nettement au-dessus des ouvriers en soie (mais ils ne sont pas inscrits sur les rôles de la patente). Les enseignants sont bien peu nombreux dans ces trois quartiers qui, par contre, laissent une place assez importante aux comédiens et musiciens à cause de la proximité de la salle du Théâtre. Comme pour les commis, c'est entre 100 et 200 l. que se situent les loyers de la majorité d'entre eux. Toute l'ambiguïté d'une classification apparaît pleinement avec l'exemple des professions médicales. Les médecins sont peu nombreux (beaucoup demeurent encore dans le quartier de l'Hôtel-Dieu); les sept médecins de ces trois quartiers déclarent un loyer moyen de 600 l. Mais une grande diversité divise le groupe des chirurgiens : six d'entre eux, dans le quartier du Nord-Est, payent moins de 100 l. de loyer et sont au niveau des barbiers et perruquiers de la ville. Deux au contraire, domiciliés dans la même section, au quartier Saint-Clair, payent plus de 1 000 l. de loyer et appartiennent à la partie la plus riche de la société lyonnaise. Dans ce cas particulier, le terme professionnel est insuffisant et recouvre des réalités sociales, et sans doute professionnelles également..., fort différentes.

Appartiennent à cette même aristocratie de la fortune les vingt architectes recensés dans ces trois quartiers. Ceux qui habitent le quartier Saint-Clair, coresponsables avec Morand de la construction de cet ensemble, déclarent aussi plus de 1 000 l. pour la valeur locative de leur appartement.

Avec ces quelques médecins et architectes, le sommet de la cinquième catégorie, se fait la transition avec les classes riches de la société lyonnaise. La terminologie employée permet de la séparer en trois groupes principaux : les marchands, les bourgeois et les membres des anciens ordres privilégiés. Les bourgeois ne sont souvent que des négociants retirés, plus que ce que l'on appellera, dès l'époque du Directoire, des « rentiers ».

Banquiers et marchands de soie (le commerce de la soie et celui de l'argent sont encore le plus souvent associés) constituent le groupe le plus riche : c'est cette minorité de marchands qui dirige l'économie lyonnaise et reste à la source de la richesse de la ville. La liste très réduite (39 noms) des contribuables payant plus de 1 000 l. de loyer est caractéristique de ce niveau supérieur du négoce : 12 marchands-fabricants, 9 négociants (beaucoup moins nombreux que la liste des éligibles ne le faisait prévoir; de même toiliers et drapiers sont absents de ces trois quartiers, la plupart étant concentrés dans la section de l'Hôtel-Commun, au sud de la place des Terreaux), 5 banquiers et 5 marchands de soie, 6 marchands commissionnaires et 3 agents de change.

La valeur moyenne des loyers bourgeois est très comparable à celle des marchands : la répartition est légèrement différente. Les très petits loyers sont rares : 5 % seulement de moins de 100 l., mais la proportion des loyers les plus élevés est assez restreinte : 3,7 % de plus de 1 000 l. seulement. La moitié des bourgeois se situent dans la tranche moyenne de loyers, entre 200 et 500 l. Beaucoup de femmes, de veuves surtout, vivent modestement dans leurs maisons, dont les revenus forment l'essentiel de leurs ressources : leur train de vie les oblige souvent à réduire ainsi leur propre logement, et les déclarations de revenus immobiliers, jointes à la contribution mobilière, associent souvent le modeste loyer d'une bourgeoise à un assez important revenu foncier.

Mais les niveaux de vie des marchands et des bourgeois apparaissent à leur tour bien faibles comparés à ceux des nobles lyonnais. Ceux-ci sont bien peu nombreux dans l'ensemble de la ville. Pour la plupart, leur noblesse est très récente et les acquisitions d'offices en sont le plus souvent l'origine. La plupart sont domiciliés dans l'ancienne paroisse d'Ainay, près de la place Bellecour (les 4/5 de ceux recensés dans les trois quartiers, mais aussi la moitié environ de tous ceux qui résident à Lyon), et cela déjà depuis plus d'un siècle. Certains encore sont titulaires d'offices comme les trésoriers de France, que l'on retrouve tous dans les loyers supérieurs à 1 000 l. La Révolution prive la plupart d'entre eux de ces fonctions, mais leur fortune immobilière est encore considérable. 45 % des nobles payent plus de 1 000 l.

de loyer (ils représentent 62 % de l'ensemble de cette tranche) : ce n'est pas un des moindres paradoxes, au moins apparent, de cette répartition de la fortune lyonnaise sur laquelle il sera nécessaire de revenir.

2. — LES SOURCES NOTARIALES

a) *Les contrats de mariage lyonnais.*

Les recherches sur l'histoire sociale de la France de l'Ancien Régime ont fait du contrat de mariage une source privilégiée. Les études régionales ont montré la diversité des actes dans les provinces françaises. Les conditions juridiques ne sont pas partout les mêmes, les pays de droit écrit ayant des règles différentes des pays de droit coutumier. L'appel au notaire pour officialiser les conventions entre les époux à la veille de l'union ne connaît pas partout la même fréquence, les renseignements particuliers, ceux surtout concernant la fortune et les biens des futurs époux ne figurent pas enfin uniformément dans les contrats de mariage, non seulement d'une ville à l'autre, mais encore à l'intérieur de la même ville à deux époques différentes. Par exemple à Lyon, avant 1730 plus de 10 % des contrats ne comportent aucune indication de dot ou de biens : cette proportion diminue sensiblement ensuite pour n'être plus que de 3 % vers 1750, et à peine plus de 1 % en 1786.

Le premier caractère du contrat de mariage lyonnais est son universalité. Dans tous les milieux sociaux et professionnels à tous les niveaux de fortune, l'acte de mariage est précédé par l'établissement d'un contrat notarié. Les premiers sondages établis, à diverses périodes du XVIIIe siècle, sur l'ensemble des mariages célébrés dans la ville et les faubourgs de Lyon, donnent une proportion moyenne de 95 % de mariages précédés de contrats, ce pourcentage augmentant encore dans les dernières années précédant la Révolution.

Pour l'ensemble du siècle, plus de mille contrats chaque année sont rédigés par les notaires lyonnais. Les progrès démographiques de Lyon provoquent une nette augmentation de cette moyenne dans les dernières décennies du XVIIIe siècle. Tous les contrats ne sont pas directement utilisables pour l'historien de la société urbaine : un certain nombre de contrats sont annulés avant la célébration du mariage, quelques-uns sont refaits plusieurs fois par suite de modifications dans la situation personnelle ou pécuniaire des futurs époux. Mais surtout, et principalement dans les études des notaires des faubourgs de La Croix-Rousse et de La Guillotière, viennent assez nombreux des ruraux des paroisses voisines, qui ne sont à Lyon que de passage, les jours de marché. L'exploitation des contrats de mariage exige donc un premier tri scrupuleux, destiné à éliminer les contrats doubles ou les non-Lyonnais de résidence. Il faut ajouter également que les notaires lyonnais n'ont pas le monopole des contrats : beaucoup de Lyonnais des catégories populaires de la ville font appel à des notaires extérieurs : de Caluire, Sainte-Foy ou Saint-Didier-au-Mont-d'Or en particulier.

Le contrat de mariage contient d'abord des indications d'état civil : le nom et la filiation des parties sont mentionnés avec le plus de précision possible. Quand les parents des époux sont vivants, leur autorisation est nécessaire : l'indépendance ou majorité est fixée à 25 ans, mais les parents peuvent « exhéréder » leurs enfants jusqu'à 30 ans s'ils se marient sans permission (cette procédure explique l'emploi des sommations faites par les futurs époux à leurs parents non consentants). Les contractants doivent apporter la preuve de leur identité sous la forme d'un extrait baptistaire, mais les notaires se contentent de signaler la présentation de cet acte sans le reproduire. Les indications d'âge restent vagues et sont remplacées par la seule mention de la majorité ou de la minorité. Enfin apparaissent, et plus régulièrement que dans les registres paroissiaux, des indications socio-professionnelles. Pour les personnes appartenant à l'aristocratie ou aux catégories les plus fortunées, tous les titres sont longuement transcrits. Pour les autres habitants de Lyon, c'est le terme professionnel qui est le plus précis : « ouvrier en soie » par exemple ne signifie pas nécessairement « simple ouvrier en soie », mais peut désigner aussi un apprenti, un compagnon ou un maître ouvrier, de même que le mot fabricant. Il semble que dans les registres paroissiaux apparaisse une certaine tendance à amplifier les titres ou à les inventer. Le nombre de maîtres des métiers est beaucoup plus grand que dans les contrats notariés, les artisans s'appellent plus souvent « marchands-boulangers » que boulangers simplement. Il y a là volonté d'affirmation d'une position sociale plus élevée.

La connaissance de l'état des ascendants est un élément essentiel pour l'étude de la mobilité sociale. Précis pour les habitants des villes, ce qualificatif professionnel l'est beaucoup moins pour ceux des campagnes. Sans parler des incertitudes propres aux termes de « laboureurs » ou de « manouvriers », très souvent seule l'origine géographique de telle petite paroisse de la Savoie ou du Dauphiné peut laisser supposer une origine sociale rurale, en l'absence de toute indication de métier. Les métiers des femmes, veuves ou filles, sont inégalement inscrits dans les contrats. Cette lacune est d'autant plus regrettable que le travail féminin était généralisé et que le caractère particulier du contrat de mariage donne une importance considérable aux apports féminins dans les constitutions dotales. Pour les veuves il devient difficile de faire la différence entre les biens provenant des gains du premier époux défunt et ceux provenant d'une activité propre de la veuve, souvent sans rapport avec celle de son mari. Toutefois une évolution se marque au cours du XVIIIe siècle. Par exemple pour les épouses des ouvriers en soie et fabricants, pendant la période 1728-1730, 5 % seulement sont indiquées comme exerçant un métier; cette proportion devient de 35 % de 1749 à 1751 et de 70 % de 1786 à 1789. Pour ces dernières années, il faut ajouter que la plupart des filles demeurant avec leurs parents travaillaient à leurs côtés, et qu'elles ne sont pas comprises dans les 70 % de femmes exerçant un métier. Ces chiffres démontrent que la très grande majorité des femmes travaillaient, au moins avant leur mariage. Il semble bien que seule la plus grande précision dans la rédaction des actes soit responsable de cette évolution : si 5 % seulement des filles sont mentionnées comme exerçant un métier dans la première période, cela n'empêche pas que la plupart se constituent une dot provenant de « leurs gains et épargnes », donc de leur travail.

La constitution des biens par les époux forme le deuxième aspect des contrats de mariage. Quelques rappels juridiques sont nécessaires : Lyon est situé dans la zone du droit écrit, même si sa sénéchaussée dépend en appel du Parlement de Paris. Or, si les pays de droit coutumier ont institué la communauté de biens, « cette société de biens est inconnue en pays de droit écrit ». La condition juridique des biens de la femme reste incertaine en l'absence d'une constitution de dot formelle. C'est pour cela que les contrats sont si nombreux dans le Lyonnais; l'action des notaires, appelés à rédiger des contrats très nombreux concernant des personnes modestes et sans ressources, tend ensuite à simplifier au maximum les clauses du contrat, à la fois pour les rendre intelligibles à une clientèle encore peu alphabétisée, et pour réduire les frais de l'acte. En réalité le régime matrimonial lyonnais a pris une forme particulière, à la limite des deux droits, et sous l'influence du Parlement de Paris. L'abrogation de l'inaliénabilité dotale par la déclaration royale d'avril 1664 rapproche beaucoup le régime dotal lyonnais du régime communautaire des pays coutumiers. La constitution de la dot dans le contrat n'est une garantie que pour sa restitution lors de la dissolution du mariage. Il faut ajouter enfin que les femmes peuvent se réserver une partie (ou la totalité) de leurs biens en paraphernaux. Cette formule, peu employée dans l'ensemble, se rencontre toutefois, pour des veuves surtout, qui veulent conserver la direction d'une boutique délaissée par leur premier mari.

La formule ordinaire est : « La future se constitue en dot tous ses biens présents et à venir », suivie d'une énumération (argent, trousseau, bagues et joyaux, coffre garni ou lit garni, et éventuellement boutique, objets de commerce, outils de travail, immeubles enfin s'il y en a). Il peut arriver que les biens ne soient pas évalués, également qu'ils soient déclarés inexistants.

La constitution dotale de la femme est l'élément primordial de la fortune du jeune ménage définie dans les contrats notariés. Mais à la constitution dotale, l'époux joint une déclaration de la valeur de ses propres biens. Cette déclaration annexe est incluse dans les trois quarts des contrats environ (sans comprendre les donations faites au mari par ses parents, donations fréquentes dans les milieux ruraux ou semi-ruraux — comme pour les jardiniers et vignerons des faubourgs — et plus encore dans les milieux sociaux les plus aisés). Les jeunes ménages ont le plus souvent à leur disposition un petit capital mobilier qui leur permet une installation décente, ou qui donne la possibilité à un ouvrier d'accéder à la maîtrise... Ce sont les femmes qui fournissent dans le plus grand nombre de cas ce capital avec les bénéfices de leur travail, comme ouvrières ou comme domestiques, avant leur mariage. L'importance économique du travail féminin est donc essentielle dans la vie des milieux urbains les plus laborieux. Il arrive certes que les épouses elles-mêmes n'aient pas pu réunir ce capital minimum de quelques centaines de livres : dans ce cas, les contrats ne distinguent pas les biens des deux époux; les époux déclarent que leurs biens actuels ne dépassent pas la valeur de leurs nippes et hardes. Parfois la formule est globale : « Ils estiment leurs biens à 48 l. », parfois individuelle : « La valeur de leurs biens n'excède pas 20 l. chacun. » Ensuite le choix de l'épouse est souvent accompli en fonction du chiffre de sa dot : aussi, même si les apports au mariage sont souvent le fait des femmes seules, le montant de la dot peut être considéré comme caractéristique d'une position sociale.

L'intérêt principal des contrats de mariage, dû à leur abondance dans les archives lyonnaises, est la possibilité de leur interprétation statistique et quantitative. Sans nier la valeur exemplaire des cas individuels, c'est la comparaison du plus de contrats possible qui permet de dégager une image de la répartition de la fortune lyonnaise au XVIIIe siècle. Le dépouillement systématique de tous les contrats de mariage des minutes notariales dépasse les capacités d'un chercheur isolé. C'est plus de cent mille contrats qui ont été rédigés pendant le siècle, et la simple recherche des contrats dans des liasses, souvent non répertoriées, prend déjà un temps considérable. Le recours aux sondages est donc indispensable. Pour que le sondage soit valable, il faut qu'une certaine masse de documents soit réunie, plusieurs milliers de contrats sont nécessaires pour qu'aucune catégorie socio-professionnelle ne soit oubliée. C'est pourquoi nous avons effectué le dépouillement complet des contrats pendant trois périodes de trois ans chacune. La première limite chronologique se situe après la liquidation de la période de Law et de la Régence, après la stabilisation de la livre. Dans le monde du négoce au moins, la crise de Law a provoqué un certain bouleversement des fortunes, qui poursuit ses effets jusqu'en 1730. De 1728 à 1730 ce sont 2 730 contrats qui ont été recensés. C'est une période de difficulté économique pour Lyon, de rareté du numéraire. La deuxième coupe se situe au milieu du siècle, de 1749 à 1751 : les effets de la grave crise de la fabrique des étoffes de soie (émeute de 1744 en particulier) se sont en partie effacés, mais ces trois années sont encore des années difficiles (cherté des prix et chômage dans la Fabrique). 3 015 contrats de mariage ont été dépouillés pour cette seconde période. La poussée démographique intense de la deuxième moitié du siècle explique la progression importante des mariages célébrés dans les dernières années de l'Ancien Régime : 4 009 contrats de 1786 à 1788. Une fois encore pourtant les circonstances économiques sont défavorables : une crise secoue non seulement la fabrique de soierie, mais aussi des activités secondaires comme la chapellerie (émeute de 1786, chômage et misère en 1787). Dans l'ensemble, c'est sur un total de 10 000 contrats environ que sont établis nos comptages et les données statistiques qui en découlent. A l'intérieur de chaque coupe le rapport des diverses catégories socio-professionnelles traduit les modifications de l'économie et de la société lyonnaise au cours du siècle.

Quelque arbitraire qu'ait été le choix des années retenues pour ce sondage, les résultats chiffrés traduisent cependant une évolution extrêmement importante.

LES APPORTS AU MARIAGE A LYON AU XVIIIe SIÈCLE

Période	Nombre de contrats	Apports totaux	Valeur moyenne des apports
1728-1730 ...	2 420	4 540 000 l.	1 875 l.
1749-1751 ...	2 661	7 910 000 l.	2 970 l.
1786-1788 ...	3 802	15 206 000 l.	4 000 l.

La valeur moyenne des apports a plus que doublé pendant les soixante années qui forment les deux extrémités de nos coupes chronologiques. Cette augmentation traduit en partie une hausse continue du prix de la vie pendant cette période. Cependant le prix des produits de première nécessité connaît une hausse plus limitée : pour le froment par exemple, la valeur moyenne du bichet passe de 3 l. 15 s. à 4 l. pour la décennie 1726-1735, à 5 l. 10 s. pour les dix années 1776-1785 : une progression de moins de 50 %. Il semble donc que les premières valeurs dégagées par ces chiffres des apports au mariage indiquent une sensible amélioration du niveau de vie général de la population lyonnaise pendant les règnes de Louis XV et de Louis XVI.

La répartition des apports selon leur importance souligne encore plus précisément cette évolution de la fortune lyonnaise.

LA RÉPARTITION DES CONTRATS DE MARIAGE LYONNAIS SELON LA VALEUR DES APPORTS AU MARIAGE

Apports au mariage	1728-1730		1749-1750		1786-1788	
	Nombre	%	Nombre	%	Nombre	%
Non évalués ..	228	9,5	80	3	40	1,05
Moins de 100 l.	439	18	431	16,25	693	18,25
100-499 l......	716	29,5	766	28,7	922	24,25
500-999 l......	430	17,9	570	21,4	713	18,75
1 000-1 999 l. .	254	10,5	394	14,8	586	15,4
2 000-4 999 l. .	204	8,5	214	8	448	11,75
5 000-9 999 l. .	63	2,5	88	3,3	149	3,95
10 000 l. et plus	86	3,6	118	4,55	251	6,6
TOTAL ...	2 420	100	2 661	100	3 802	100

La stabilité des catégories les plus défavorisées est le premier fait : plus de 18 % des jeunes mariés en 1786-1788 se constituent encore moins de 100 l. au moment de leur mariage. L'augmentation du niveau de vie ne permet pas l'amélioration du sort des plus pauvres, qui sont toujours aussi nombreux et aussi démunis. Au contraire, les catégories les plus fortunées profitent de l'ascension générale, en nombre absolu comme en pourcentage. L'étagement des fortunes et l'inégalité de la richesse semblent donc être encore plus prononcés à la veille de la Révolution qu'au début du règne de Louis XV. C'est là un des premiers caractères essentiels de l'évolution sociale de la population lyonnaise. L'enrichissement certain des classes aisées (de 1730 à 1786, le nombre des contrats comprenant des apports supérieurs à 10 000 l. triple, leur proportion double presque) ne profite pas à une partie importante des classes laborieuses les plus démunies.

A l'intérieur de chacune de ces catégories de fortune délimitées par la valeur des apports au mariage, des distinctions importantes sont à établir selon la nature et l'origine des biens décrits dans les contrats.

L'exemple des ouvriers en soie des dernières années de l'Ancien Régime permet de préciser ces différences. De 1786 à 1789 ont été dénombrés 128 contrats intéressant des ouvriers en soie ou compagnons fabricants en étoffes de soie dont les apports au mariage étaient inclus entre 500 et 999 livres : dans l'ensemble sont ainsi groupés des hommes de même métier et de même qualification professionnelle, épousant des femmes d'un milieu social très proche du leur, et dont les éléments de fortune sont très comparables. Dans le détail, cependant, des nuances apparaissent.

Pour ces 128 contrats, les renseignements sur la composition de la fortune manquent pour 10 contrats, pour 54 d'entre eux la future se constitue uniquement son trousseau ou sa garde-robe garnie à l'exclusion de tout autre bien. 42 fois elle s'est constituée seule ce trousseau, et dans 12 cas elle reçoit une aide de ses parents. Dans 64 contrats, les apports de la future épouse associent deux éléments : les effets divers et de l'argent, le plus souvent versé comptant au futur le jour de la conclusion du contrat. L'intervention des parents (directs, mais aussi indirects, tantes ou oncles, frères ou sœurs) est fréquente (21 cas), mais elle est très rarement à l'origine de la totalité des apports.

La nature de la dot et sa composition sont encore beaucoup plus variées quand les niveaux de fortune sont plus élevés. En effet, les gains et épargnes des filles qui travaillent sont toujours assez comparables, et modiques. Même quand la future possède une boutique personnelle de brodeuse ou de revendeuse, il est rare, même à la fin du siècle, qu'elle se constitue plus de 1 000 l., et encore souvent confond-elle alors la valeur de son fonds de boutique et ses gains. Marie Bonnand apporte ainsi 3 000 l. en espèces, comptant, provenant des « gains de son commerce », en plus d'un trousseau de 1 200 l. donné par son père : c'est une somme importante pour cette fille mineure, mais c'est aussi un cas exceptionnel de réussite rapide. Jeanne Desgouttes, dont on ignore également l'activité professionnelle, peut aussi se constituer une somme assez importante, provenant tout entière de ses gains : 5 000 l. répartis entre son trousseau (1 817 l. 10 s.) et une promesse souscrite en sa faveur par Capelin père et fils, négociants-commissionnaires (ses anciens employeurs ?), pour une somme de 3 182 l. 10 s.

Aux niveaux plus élevés, toutes sortes d'éléments peuvent intervenir dans la composition des dots. Si l'argent comptant n'est pas rare, souvent aussi les parents étalent dans le temps les sommes constituées à leurs enfants : Jeanne-Marie Barret, fille de jardinier du faubourg de La Guillotière, ne recevra que deux ans après son mariage les 2 000 l. promises par son père.

L'argent parfois n'est même jamais versé réellement : François-Marie Flacheron, commissionnaire, reçoit par exemple 7 200 l. de son épouse, mais l'essentiel est constitué par l'évaluation de la pension offerte aux jeunes époux par les parents de la femme estimée sur le pied de 600 l. par an pour la nourriture et le logement. Il est bien difficile de comparer une telle dot estimée à 7 200 l. à une autre de même somme, mais composée uniquement d'argent réellement payé comptant. Enfin le contrat de mariage peut être l'occasion de conclure d'importants accords à l'intérieur d'une famille ou d'une société de commerce.

La présence de portions de biens immobiliers dans les apports rend encore plus difficile l'évaluation globale de ceux-ci. Malgré le risque de rapprocher des situations très différentes, le contrat de mariage reste le véritable document de masse de l'histoire sociale lyonnaise du XVIIIe siècle. Son utilisation systématique pour définir les catégories socio-professionnelles privilégie dans la classification le facteur professionnel. On a fortement reproché aux premiers utilisateurs massifs des contrats de mariage l'importance accordée au métier et aux indications économiques, au détriment des facteurs psychologiques tout aussi importants pour la définition d'une catégorie sociale. Mais dans une ville comme Lyon, donner la première place dans les classements au métier, même au XVIIIe siècle, dans une société d'ordres où le métier serait moins important que le rang, peut se justifier assez facilement : dans la mesure où le contrat de mariage est généralisé dans toutes les couches sociales, même les plus pauvres, c'est d'abord la masse des différents travailleurs manuels qui est ainsi atteinte, et en deuxième lieu l'ensemble des professions commerciales, si importantes pour l'activité lyonnaise. Les individus qui se définissent par leur qualité ou leur état plus que par leur activité, les « Bourgeois » de Lyon par exemple, ne sont qu'une toute petite minorité que d'autres sources permettent d'approcher beaucoup plus précisément. De 1786 à 1789, sur plus de cinq mille contrats de mariage dépouillés, vingt et un futurs époux seulement sont qualifiés par le seul titre de bourgeois (contre par exemple 119 négociants) : c'est une proportion beaucoup plus faible que l'importance numérique réelle des bourgeois dans la ville. Il faut ajouter que dix de ces vingt et un bourgeois sont des veufs. Mais cette double constatation est déjà un élément important de la connaissance de ce groupe social des bourgeois de Lyon. En dehors du contenu juridique du terme, le mot désigne avant tout des personnes âgées, retirées de leur activité professionnelle propre : le plus souvent le fils du bourgeois est désigné par son métier, il est négociant ou avocat, ou officier : son titre de bourgeois ne fait que s'ajouter alors à la réalité de son activité professionnelle, prépondérante à la fois socialement et économiquement.

Retenir uniquement le cadre professionnel pour définir les individus n'est pas cependant sans danger. Cela conduit d'abord à augmenter l'importance de certains groupes temporaires : les compagnons des divers métiers par exemple sont beaucoup plus nombreux au moment du mariage que dans les registres mortuaires. Les commis de magasin ou commis-négociants deviennent eux-mêmes souvent des marchands, et ne seraient plus rangés dans la même catégorie à une autre époque de leur vie. Les domestiques enfin continuent-ils leur fonction après leur mariage ? C'est poser la question importante de la mobilité professionnelle dans la société française d'Ancien Régime. Certains historiens la croient considérable et la présentent comme un trait fondamental de cette société. Mais cette instabilité concerne peut-être surtout les catégories les plus défavorisées et l'ensemble de ce qu'on appellerait aujourd'hui les manœuvres non spécialisés : tel affaneur ou portefaix est appelé indifféremment manœuvre, ou journalier, et si de grands travaux exigent une main-d'œuvre abondante, il devient manœuvre maçon, ou charpentier. Il est, à d'autres saisons, batelier ou voiturier sur la rivière. Mais l'ouvrier des métiers organisés, ayant subi l'apprentissage et accédé au compagnonnage, apparaît beaucoup plus stable : sa simple appartenance à un corps constitué (bien souvent à deux institutions parallèles et non confondues : la communauté du métier et le compagnonnage) lui confère une place fixe dans la société. Il peut être sans doute victime de crises économiques locales qui le contraignent au chômage et à un changement d'activité, mais sa mobilité devient peut-être alors plus géographique que professionnelle. Il reste bien sûr qu'écrire l'histoire individuelle des travailleurs manuels les plus humbles reste des plus difficile, faute de sources multiples. C'est pour eux que les contrats de mariage sont les plus importants : c'est souvent le seul acte précis qui les désigne, avec les registres paroissiaux, et le dépouillement de ceux-ci pour la reconstitution des familles a montré que sur de longues périodes les indications professionnelles ne subissent pas de variations importantes.

b) *Les inventaires après décès.*

Même dans sa forme, l'inventaire après décès lyonnais ne peut se comparer au contrat de mariage. Ce dernier reste un acte privé, auquel le recours au notaire donne une garantie d'authenticité. L'inventaire après décès est un acte judiciaire effectué par le personnel du tribunal de la sénéchaussée. Dans quelques quartiers de Lyon, les justices ecclésiastiques gardent le privilège de procéder à l'établissement de ces actes pendant la plus grande partie du XVIIIe siècle. Mais surtout l'inventaire après décès n'est pas obligatoire et systématique : il n'est établi que sur requête d'une partie intéressée, héritier inquiet devant les charges d'une succession, créancier qui cherche à protéger ses droits, tuteurs représentant des enfants mineurs. La requête indispensable réduit considérablement le nombre des inventaires effectués, et explique que ce document soit beaucoup moins généralisé que le contrat de mariage. Aussi en face de plus de mille contrats de mariage annuels, ne sont établis que 100 ou 150 inventaires après décès chaque année.

Cet échantillon limité de la société lyonnaise a-t-il valeur représentative de l'ensemble de la population lyonnaise ? Par sa nature, l'inventaire après décès concerne surtout des personnes âgées : le nombre des veuves et des personnes sans activité professionnelle précise augmente beaucoup. Les bourgeois par exemple, presque absents des contrats de mariage, deviennent un des groupes les plus nombreux dans les inventaires après décès. Le plus souvent, derrière la façade du titre de bourgeois se cache une ancienne activité, abandonnée à cause de l'âge.

Ouvriers et artisans sont sous-représentés et, à l'intérieur de cette catégorie, des métiers sont favorisés comme ceux de l'alimentation. La nécessité de procéder à l'inventaire des stocks de marchandises ou à la vérification des livres et quittances explique l'importance prise par les marchands et négociants : ce n'est donc pas une image fidèle de la société que transmettent les inventaires après décès.

Reflet déformé de la société, les inventaires ne livrent également qu'un miroir infidèle des fortunes. En premier lieu l'inventaire ne peut se suffire à lui-même : seuls les effets mobiliers de toute sorte sont décrits avec une grande minutie, mais c'est souvent une façon de cacher, par cette longue énumération de chaises bancales ou d'objets divers, les éléments réels de la fortune, obligations et rentes qui ne sont que rarement fidèlement décrits, promesses et créances commerciales mentionnées sans leur montant chiffré, argent liquide qui disparaît mystérieusement avant l'apposition des scellés dans la plupart des cas. Que d'inventaires de boutiques ou de caisses des plus grands négociants dans lesquelles ne sont enfermés que quelques liards ou sous, mais bien peu d'écus d'argent ou de solides louis d'or ! Il faut parfois de lents recoupements pour évaluer les immeubles, pour essayer de découvrir dans le fatras des titres et papiers longuement décrits et soigneusement numérotés, les valeurs réelles qui constituent la partie la plus intéressante d'un actif ainsi bien difficile à évaluer.

L'utilisation statistique des inventaires après décès est donc encore plus délicate que celle des contrats de mariage. Il est toujours difficile de reconstituer un état probable d'une fortune à partir de ces inventaires. Cependant des éléments de comparaison subsistent. Les huissiers priseurs et les spécialistes appelés pour l'évaluation des objets mobiliers donnent en général des valeurs faibles aux meubles qu'ils décrivent, mais le coefficient d'erreur reste le même dans tous les inventaires. Quelques comparaisons avec les prix de vente qui suivent parfois la liquidation d'une succession permettent de rétablir le prix réel des effets décrits. Les stocks de marchandises des négociants, l'estimation de l'argenterie sont également des éléments intéressants de comparaison. Les inventaires décrivent plutôt un décor, les éléments d'un train de vie. La présence de tableaux ou d'estampes, de livres ou de bibliothèques importantes, même la garde-robe ou des coffres de linge permettent de mieux situer le cadre dans lequel vivait tel ou tel Lyonnais. Il est possible également de reconstituer les différents éléments constitutifs de chaque fortune individuelle, la part des immeubles ou celle des valeurs mobilières. Toutefois ce n'est jamais qu'un certain nombre d'exemples particuliers qui sont ainsi découverts : la procédure de l'inventaire après décès explique que les plus grandes fortunes de la ville ne sont pas décrites, chaque fois que la succession ne pose pas de problèmes particuliers.

Il faut ajouter enfin que d'autres documents permettent de trouver des estimations globales des fortunes. L'hôpital général de la Charité de Lyon recevait chaque année des vieux ouvriers de Lyon auxquels leur âge ne permettait plus de travailler. Au moment de leur réception, une liste rapide et une évaluation sommaire de leurs biens sont faites par les recteurs de l'hôpital. Ces inventaires fournissent quelques renseignements sur les catégories laborieuses peu représentées dans les inventaires après décès. Enfin les minutes notariales contiennent deux types d'actes qui apportent quelques indications supplémentaires pour l'évaluation des fortunes. Ce sont d'abord les bilans des marchands faillis qui demandent un accord à leurs créanciers. Ces dépôts de bilans, nombreux dans les années de crise, même s'ils ne concernent que la partie des gens du commerce dont les affaires sont mauvaises, contiennent des renseignements sur les éléments du train de vie (rappel de la dot de l'épouse, évaluation globale du mobilier et des immeubles s'il y en a, estimation aussi des dépenses du ménage dans les années qui ont précédé la faillite). En dehors de leur intérêt pour l'histoire économique et commerciale de Lyon, ces bilans complètent pour une classe sociale les inventaires après décès.

Les testaments enfin présentent aussi parfois des estimations chiffrées. Les testaments sont très nombreux dans les minutes notariales, mais leur intérêt est très variable (1).

15 à 20 % seulement des Lyonnais adultes en rédigent, certains plusieurs fois dans leur vie. Source essentielle de l'histoire des mentalités, et remarquable instrument de mesure de la foi religieuse, le testament ne peut être utilisé qu'avec réserves pour une histoire socio-économique. Il est cependant un élément essentiel de l'approche des groupes sociaux les plus favorisés.

(1) Pour l'étude des testaments, nous renvoyons à l'œuvre de Michel Vovelle.

CHAPITRE II

LE MONDE DU TRAVAIL : DU « MENU PEUPLE » A LA BOURGEOISIE MÉDIOCRE

INTRODUCTION

La grande majorité de la population active de Lyon est constituée par l'ensemble des masses populaires, que, non sans un léger anachronisme, regroupe l'appellation « monde du travail ».

Il est particulièrement difficile d'établir des limites, des frontières, des zones de contact et des points de rupture dans ce milieu très nombreux, à la fois homogène et hétérogène. Tous les individus qui le composent ne font qu'en apparence partie d'un même État : le Tiers État. Deux approches, l'une professionnelle, l'autre socio-économique, ont été employées pour distinguer et regrouper les trois catégories qui dominent dans la ville de Lyon :

- les journaliers, et l'ensemble des travailleurs sans spécialisation, en deçà du monde des métiers;
- les membres de communautés d'arts et métiers, avec toutes les nuances qui distinguent les ouvriers peu différents des manœuvres, des maîtres artisans;
- les ouvriers en soie qui forment un groupe puissant, original, propre à la ville de Lyon.

Mais que de difficultés pour définir ces milieux populaires, qui ne sont pas toujours unis. L'exemple d'une querelle entre cordonniers et savetiers au milieu du XVIIIe siècle peut servir de point de départ.

Les cordonniers s'opposent longuement à ce que les savetiers (ou « cordonniers en second », ou cordonniers en « vieux ») soient intégrés à leur communauté. Leurs arguments sont ceux de tous les procès entre corporations (défense de la clientèle et recherche de la qualité de la marchandise), mais ils ajoutent des motifs plus précis de différenciation sociale. Tous les termes employés par les cordonniers dans leur réquisitoire sont à retenir : « L'opposition et la demande des savetiers sont d'autant plus mal fondées que les savetiers sont gens *sans qualité* et *sans domicile.* » Un arrêt du Parlement du 28 août 1745 a permis aux savetiers de s'ériger en communauté avec des statuts, mais les cordonniers font remarquer que « leurs mouvements ont été inutiles : ils sont dans la même *condition de troupe errante et irrégulière* ». Troupe errante : il semble bien que ce soit là le reproche fondamental. On pense aux troupes vagabondes dans les campagnes, dont les citadins se racontent, effrayés, les exploits plus ou moins imaginaires. L'argent explique aussi en partie la différence entre cordonniers et savetiers : « Les savetiers étant très nombreux, et souvent sans domicile, plusieurs se placent au coin des rues et, par leur indigence, ne payent aucune charge et sont très souvent réduits à solliciter et à recevoir chaque semaine le pain de la Charité. » Et après avoir rappelé les obligations auxquelles se soumettent les cordonniers pour satisfaire les besoins et les exigences de leurs clients, ils concluent : « Il serait d'ailleurs bien injuste que des *aventuriers* qui n'ont point essuyé les épreuves, et qui n'ont point rempli les obligations auxquelles les maîtres cordonniers ont été sujets, vinssent partager leur *état ;* ce serait même détruire toute discipline et tous règlements, puisque la *condition* des savetiers serait égale à celle des cordonniers, il ne serait plus besoin de se soumettre aux statuts pour l'apprentissage, le compagnonnage et la maîtrise. »

En oubliant les acteurs en cause, qui ne sont sans doute pas aussi éloignés que les cordonniers veulent le faire entendre, il y a là une preuve remarquable de la conscience ressentie dans la société d'un clivage dont les causes sont nettement décrites : l'absence de métier appris et exercé selon des règles et statuts fixes, l'absence de domicile, la pauvreté plus grande, tout cela détermine une condition inférieure qui interdit d'entrer dans un « état » qui est symbole de position sociale. Le refus des « aventuriers » est très caractéristique : quand on n'est pas intégré dans un état, on n'est pas réellement fixé dans la société. Apparaît ainsi l'esprit foncièrement conservateur des corps de métiers : le lien avec une communauté est définitif et il interdit tout changement, tout départ, toute aventure, en un mot toute promotion sociale. Le risque des gens sans état est que justement ils ne subissent pas ces entraves et pourraient en profiter pour s'élever plus haut par la fortune.

La langue française du XVIIIe siècle n'avait pas trouvé d'équivalent aux deux mots latins désignant le peuple; de la « plebs » au « populus », il n'y avait pas identité entre plusieurs éléments d'un même « peuple ». Dans les archives judiciaires de Lyon, nous avons toujours été surpris par l'indulgence dont faisaient preuve les magistrats envers les gens des métiers compromis dans les diverses scènes d'émotions populaires, dont fut témoin le XVIIIe siècle lyonnais. Même quand un milieu professionnel est directement compromis, comme ce fut le cas des bouchers en 1714, instigateurs d'une révolte particulièrement grave de lèse-majesté, puisque le but est de détruire une taxe royale, non seulement les peines requises furent particulièrement légères, mais encore dans la bouche du procureur il n'est plus question des bouchers, mais bien uniquement de la « populace » qui a profité de l'attroupement pour se livrer à des scènes de pillage. Le fait que, lors de l'affrontement, ce soit bel et bien un boucher qui ait été tué par les décharges des agents de l'octroi ne change rien à leurs conclusions. Il y a là un autre signe évident de la distinction entre deux peuples que l'on ne veut pas confondre : celui des métiers a droit à une certaine dignité; il appartient vraiment au corps social qui ne le rejette pas et prend sa défense dans toutes les circonstances. En dessous de lui existe un autre peuple, que les dictionnaires définissent sans ambiguïté. C'est la « populace » : « Menu peuple, la lie du peuple, foule de petites gens », mais c'est aussi la canaille : « C'est un terme collectif. Il se dit de la populace, des gens qui n'ont ni naissance, ni bien, ni courage », ou encore à l'article « Peuple » : « Le petit peuple, le menu peuple, le commun du peuple est malin et séditieux. Il y a bien du « peuple » au quartier des Halles, c'est-à-dire de la populace, de la canaille. »

Dans les situations les plus critiques, il peut sans doute y avoir collusion entre peuple et populace, mais les termes sont toujours soigneusement distingués. Lors de l'émeute de 1744 dont il sera reparlé, les compagnons ouvriers en soie (et une partie des maîtres) se rendent presque les maîtres de la ville, mais dans leur correspondance avec le contrôleur général des Finances, aussi bien l'intendant de la généralité de Lyon que le prévôt des marchands séparent nettement les deux termes : « Les attroupements continuent, la populace s'y joint. »

Il est difficile de préciser la composition de cette populace tant méprisée. Quelques indications assez floues se trouvent dans les interrogatoires et dépositions des témoins de ces diverses émotions populaires, dans lesquelles la « canaille » semble jouer un si grand rôle. Un banquier de 38 ans qui a assisté à une scène de pillage d'un entrepôt du tabac décrit ainsi les coupables : « Tous ceux qui faisaient le pillage étaient défigurés par la sueur et la noirceur de la fumée du tabac qui était attachée à leur visage, et d'ailleurs ils paraissaient être tous du *bas peuple* avec qui le déposant n'a aucune relation. » Qu'un banquier prenne ce ton indigné pour dénoncer les gens du bas peuple ne surprend guère. Jean-François Raffin, marchand épicier de 44 ans, est plus explicite lors de sa déposition : les pillards étaient, dit-il, des « crocheteurs, domestiques, polissons et autres gens de cette espèce ». Gabrielle Lambert, 30 ans, tenant une boutique de mercerie, épouse d'un cocher, dénonce de la même façon les pillards qui emportent les balles de tabac volé et qu'elle voit passer devant sa boutique. Après avoir affirmé qu'elle ne les connaissait pas, elle ajoute : « C'étaient des gueux et petites gens ». Pour la nécessité d'une déposition en justice, des gens du peuple essaient de bien se séparer de ces « coquins » qui troublent l'ordre public, ou de ces petits polissons qui ont vite débordé les maîtres bouchers et leurs valets, qui sont à l'origine de cette revendication aussi brutalement exprimée. Le procureur du Roi finit par conclure en employant toujours les mêmes termes : « La plus vile populace, la canaille, animée par leur exemple, se joignit à eux ». Crocheteurs et domestiques sont cependant nommément désignés à plusieurs reprises comme composant l'essentiel de cette troupe indéterminée, sur laquelle on veut accumuler tous les griefs. Foule bigarrée, dans laquelle chacun se refuse à reconnaître un individu particulier, troupe mêlée d'hommes et de femmes (celles-ci sont décrites avec leurs tabliers relevés dans lesquels elles cachent leur butin).

C'est cependant une des rares fois au cours du siècle que des qualificatifs professionnels précis sont évoqués dans une affaire de ce genre. La composition professionnelle de ce menu peuple reste vague et mouvante, d'autant plus que les gens qui le forment sont justement mouvants et instables, changeant de place et de maître à tout instant, aussi difficiles à replacer dans l'espace que dans la société. Les affaneurs, les voituriers et les domestiques sont sans cesse présents dans les rixes quotidiennes, vacarmes publics et coups, qui les conduisent devant le tribunal de la sénéchaussée. Ce sont en partie eux qui sont responsables de ce climat général de violence qui semble caractériser la société d'Ancien Régime dans son ensemble, et lors de ces procès les procureurs ne cessent de dénoncer ces mœurs brutales des « gens du peuple ».

Il n'y a d'ailleurs pas cassure complète entre ces hommes sans métiers et certains ouvriers dont le titre laisse supposer une certaine qualification professionnelle. Chaque fois que l'on essaie de cerner une catégorie socio-professionnelle, il est nécessaire de marquer l'existence de groupes-charnières, à la limite inférieure et à la limite supérieure de ce groupe. Même le menu peuple n'échappe pas à cette loi : en deçà se trouve le monde des « pauvres » de métier, vagabonds et mendiants, permanents ou épisodiques, citadins ou errants qui ne trouvent dans la ville qu'un asile provisoire entrecoupé de fréquents séjours dans les hôpitaux ou les prisons, monde sur lequel restent muets aussi bien les archives fiscales que les contrats de mariage ou les inventaires après décès. Il est toujours difficile de compter ces masses mobiles, et les rapports officiels ont peut-être tendance à en amplifier l'importance pour diminuer la responsabilité des citoyens honnêtes entraînés dans ces troubles. « Ce qu'il y a de malheureux, c'est qu'à l'occasion de cet attroupement... un nombre prodigieux de coquins et de vagabonds dont cette ville est pleine s'y sont joints, et il n'y a rien dans le monde que des gens de cette trempe ne soient capables d'entreprendre. » Inversement, le menu peuple côtoie très largement le monde des métiers. Les mêmes textes et les mêmes événements mettent en lumière le rôle de certains groupes professionnels, ou les craintes qu'ils suscitent dans l'administration. Sont ainsi cités, et semble-t-il redoutés, par exemple les maçons : en 1744, l'intendant ordonne la délivrance des prisonniers, de crainte que les émeutiers ne forcent les portes des prisons, « ayant avec eux un très grand nombre de maçons, il y en a eu un de tué à la première émeute ». Les chapeliers également sont souvent évoqués. « Je serais bien embarrassé, avoue en 1786 le prévôt des marchands Tolozan de Montfort, si les chapeliers qui sont en grand nombre, et dont les têtes sont généralement mauvaises..., venaient à se joindre aux ouvriers en soie. » Dans les deux cas il s'agit de métiers où existent des ouvriers journaliers et manœuvres, qui ne passent pas par l'apprentissage. Ces groupes forment la liaison entre deux mondes différents, celui des journaliers et celui des ouvriers proprement dit.

I. — AFFANEURS ET JOURNALIERS

Peut-on considérer comme synonymes ces deux termes ? Les dictionnaires du XVIIIe siècle ignorent le plus souvent le mot affaneur, propre à la région lyonnaise, aussi bien rural qu'urbain. C'est d'ailleurs un point commun : les travailleurs manuels à la journée sont dénommés journaliers ou manouvriers (manœuvres déjà dans la région lyonnaise) indifféremment, mais à la campagne peut-être plus qu'à la ville. Le *Dictionnaire de Trévoux* établit une différence assez artificielle entre les manœuvres (« à la campagne, se dit des pauvres gens qui vivent du travail de leurs bras, et qui n'ont aucun bien, ni commerce, ni industrie ») et les manouvriers (« compagnon artisan qui sert les maîtres »). Il ne semble pas qu'à Lyon au XVIIIe siècle cette dernière acception ait été en usage. D'ailleurs le même dictionnaire cite l'emploi du terme manœuvre pour désigner les aides des maçons ou des couvreurs (« c'est-à-dire un homme de peine qu'on prend à la journée pour servir les maçons et les couvreurs, et faire autres fonctions qui n'ont besoin d'aucun art, ou apprentissage »). C'est le sens même du mot journalier dans le vocabulaire lyonnais et dans les actes notariaux en particulier. Cependant une nuance importante peut être ajoutée : même dans une grande ville, les faubourgs restent encore par bien des aspects ruraux ou semi-ruraux, et le mot « journalier » dans ces faubourgs peut très bien s'appliquer à des travailleurs de la terre.

Les lexiques lyonnais du XIXe siècle définissent à

peu près de la même façon les « affaneurs » : le mot alors disparaissait du vocabulaire courant et n'existait plus que par survivance. Les équivalents donnés sont toujours les mêmes : journalier et manœuvre. Cependant, de façon plus particulière, les affaneurs seraient plutôt l'équivalent de ceux que l'on désigne à Paris de trois termes différents, et qui ont sensiblement les mêmes fonctions : les crocheteurs, les portefaix ou même tout simplement les gagne-deniers. Si l'on rencontre parfois à Lyon des crocheteurs et des portefaix, l'expression gagne-denier n'est jamais employée. Le plus souvent le mot affaneur est employé seul. Il arrive toutefois que le mot soit associé à un autre. Parfois sont associés deux des termes : on parle alors d' « affaneur journalier », ou de « manœuvre crocheteur ». Souvent c'est le lieu de travail qui est précisé. Les règlements de police assignent à chaque crocheteur ou affaneur une place sur un port ou à la douane. C'est là en effet la fonction essentielle de ces crocheteurs ou affaneurs. Ils sont chargés de porter les différents colis, de les décharger des bateaux sur les ports, et de les porter ensuite à destination, chez les négociants ou dans les maisons bourgeoises de la ville. Pour cela ils sont organisés en une véritable communauté, légèrement différente des corps de métiers de Lyon. En effet, dans les ordonnances de police il est parlé souvent du « Corps des Affaneurs » : cependant ce corps ne fait pas partie des 72 communautés d'arts et métiers, parce que leur activité n'est pas réellement un art; il n'y a pas apprentissage pour exercer cette activité, mais pour avoir le droit de séjourner sur une place déterminée, il faut acheter une charge et maîtrise de maître affaneur et crocheteur, qui est un véritable privilège. Ce titre de maître est parfois employé dans les contrats de mariage, mais le plus souvent l'appellation de maître n'est pas mentionnée, à la fois par oubli ou désuétude à la fin du siècle. Les porteurs et mesureurs de charbons entre autres sont organisés de la même manière. Enfin le mot affaneur, par généralisation, est étendu à d'autres emplois. Peu à peu le mot est étendu à toutes les activités des transports de marchandises, et il existe des affaneurs sur la rivière de Saône qui ne sont que des voituriers ou mariniers, qui sont aussi désignés comme manœuvres sur la Saône ou journaliers sur la rivière. Malgré les différences de statut ou de fonction, il y a donc là dans l'ensemble un milieu homogène, à la fois par l'activité et la nature des fonctions, et par le caractère non spécialisé du travail.

Il y a moins de variété dans les qualificatifs des journaliers. Le plus souvent c'est le domicile qui distingue leur type d'activité : on est journalier à La Guillotière, et c'est peut-être signe d'une activité rurale. Très rarement, le journalier est attaché au service personnel d'un employeur fixe. Il est probable, dans certains cas, que le journalier soit un véritable ouvrier ou compagnon. Aux journaliers enfin peuvent être associés des métiers plus spécialisés, mais qui connaissent les mêmes conditions d'emploi. Les scieurs de long en particulier, peut-être d'ailleurs souvent travailleurs temporaires dans la ville, sont employés ainsi par les bourgeois ou les charpentiers de Lyon au gré de leurs besoins et ne sont que rarement attachés au service d'un seul maître.

Plus peut-être que tous les autres habitants de la ville de Lyon, le journalier est un nouveau Lyonnais. Pendant tout le XVIIIe siècle, ce sont des ruraux des provinces voisines de Lyon qui quittent leur village du Lyonnais ou du Dauphiné (67 % des journaliers sont originaires de ces deux provinces) pour chercher un emploi de manœuvre dans la grande ville ou dans ses faubourgs : 24 % seulement des journaliers mariés à Lyon sont natifs de Lyon ou de ses faubourgs.

Ils étaient fils de manouvriers dans leurs villages déjà : quelle que soit l'imprécision de la terminologie, sur 137 journaliers d'origine campagnarde, 67 sont fils de journaliers ou de manouvriers, 14 fils de vignerons et 31 fils de laboureurs. Dans les dernières années de l'Ancien Régime, apparaissent des journaliers dont les parents exerçaient une activité artisanale dans les campagnes. Jean-Pierre Fournel, journalier à La Guillotière, est fils d'un cordonnier de Saint-Cyr en Vivarais. Le contrat de mariage signale que le père de l'époux est absent de sa paroisse depuis vingt ans : le fils, abandonné par son père, quitte à son tour le village pour chercher du travail.

Le journalier d'origine rurale ne s'intègre pas à la société urbaine par son mariage. Leurs épouses sont aussi d'origine campagnarde (72 % nées hors de Lyon).

L'origine rurale des épouses est presque aussi nette que celle des hommes. Le plus souvent aussi, elles sont filles de paysans : 59 filles de journaliers ou manouvriers, 10 filles de vignerons et 22 de laboureurs. Il y a peut-être cependant une représentation un peu plus importante des métiers artisanaux parmi les professions de leurs parents (charpentier, coutelier, serrurier) ou les métiers ruraux les plus traditionnels (peigneur de chanvre, tisserand, cordonnier). Il existe là encore quelques exceptions de filles de « notables » ruraux : une fille de notaire par exemple. Plus que pour les hommes également, ces épouses de journaliers proviennent déjà d'un milieu urbain, et leur arrivée à Lyon est la deuxième étape de leur migration de la campagne vers la ville. Marguerite Barberot est née à Marnay en Franche-Comté, mais lorsqu'elle épouse Nicolas Aubry, journalier à Lyon, son père est maître serrurier à Besançon. De même nous avons rencontré une fille de maître charpentier du Puy-en-Velay, une autre de maître cordonnier de Vienne...

Quant à la minorité des journaliers nés dans la ville ou les faubourgs de Lyon, leur état de journalier ne marque aucun changement dans leur condition. Le plus souvent ils sont fils ou filles de journaliers, ou, dans les faubourgs, de vignerons ou de jardiniers, ce qui fait apparaître le lien avec les métiers ruraux des faubourgs. Très rares sont les hommes dont les parents exerçaient une profession artisanale : un fils de boulanger et un fils de bennier sont les deux seuls exemples. Il apparaît donc déjà qu'on ne quitte pas facilement son milieu familial d'origine et que restent des exceptions les cas de déchéance sociale qui feraient d'un fils de maître fabricant par exemple un simple journalier.

La pauvreté des journaliers

	Apports au mariage			
	Moins de 100 livres %	100 à 1 000 livres %	Plus de 1 000 livres %	Moyenne en livres
1728-1730	70	28,5	1,5	144
1749-1751	51	40,2	8,8	239
1786-1788	49	37,5	13,5	671
Ensemble du XVIIIe siècle...	56	35,5	8,5	384

A leur arrivée à Lyon, les journaliers ne possèdent qu'un bien faible bagage; c'est l'éternelle description des errants et des voyageurs populaires sur les routes de l'Ancien Régime, quand ils sont contrôlés par la maréchaussée, ou suspectés de vagabondage ou de mendicité. La pauvreté leur fait quitter la campagne, et leurs atouts sont faibles quand ils pénètrent dans la métropole lyonnaise. Ils ne connaissent aucun métier, le plus souvent sont analphabètes, et enfin leurs habits misérables sont le plus souvent leur seule fortune. Il n'est pas étonnant que les apports au mariage des journaliers soient parmi les plus faibles de tous ceux que nous avons rencontrés.

Un simple report aux valeurs moyennes des dots souligne à quel point les journaliers sont défavorisés par rapport à l'ensemble des Lyonnais. Pendant les deux premières périodes chronologiques, la valeur moyenne des apports des journaliers est plus de dix fois inférieure à la moyenne générale de la ville. A la fin de l'Ancien Régime, leur situation semble s'être considérablement améliorée, puisque la valeur moyenne de leurs apports au mariage a été multipliée par 4,6 depuis les années 1730, mais les journaliers restent encore bien en dessous des autres catégories socio-professionnelles, leurs 671 livres d'apports moyens n'étant encore que le sixième du chiffre moyen global.

C'est la masse des très pauvres, de ceux qui ne possèdent rien ou presque, qui est responsable de cette pauvreté d'ensemble : moins de 100 livres pour 70 % des journaliers en 1730, pour la moitié d'entre eux pendant tout le reste du siècle. On peut même dire que, compte tenu de l'enrichissement général et de la hausse continue des prix, la situation des plus pauvres s'est encore aggravée tout au long du XVIIIe siècle. Les quelque 40 à 48 livres que déclarent posséder à la veille de leur mariage la moitié des journaliers lyonnais ne représente plus qu'un capital infime à la fin du règne de Louis XVI. Il faut préciser également que cette misère est le fait non seulement des hommes, mais aussi de leurs épouses. Qu'elles soient journalières elles-mêmes, domestiques ou dévideuses de soie, la plupart sont au même degré de pauvreté. Parmi celles qui n'ont pas 50 livres en 1786 figurent des lingères, des chapelières, des blanchisseuses, en un mot des membres de tous les petits métiers féminins.

Beaucoup de ces femmes n'ont d'ailleurs pas encore

fait un séjour suffisamment long à Lyon pour avoir eu le temps d'accumuler quelques épargnes. Geneviève Tallot, fille d'un maître d'école champenois, est couturière à Lyon depuis six mois seulement lors de son mariage, et cette installation récente est l'explication des 48 livres seulement qu'elle possède. Plusieurs veuves ne sont pas dans une situation meilleure. Après la mort de son premier mari, Joseph Bouvet, cabaretier au Moulin-à-Vent, sur la paroisse de Vénissieux à la porte de Lyon sur la route du Dauphiné, Étiennette Melin vient s'installer à Lyon, paroisse Saint-Nizier. Huit mois plus tard elle épouse un journalier, fils de vigneron de la même paroisse de Vénissieux, et journalier à Lyon. Elle n'a rien retiré de l'héritage et ne possède rien lors de son remariage. Livrées à elles-mêmes, ces filles infortunées sont d'ailleurs souvent des victimes d'une société urbaine qu'elles ne connaissent pas et des... entreprises des journaliers. Beaucoup sont contraintes à un mariage précipité, comme Marie-Rose Fravier, journalière à La Guillotière, fille d'un laboureur de Megève en Savoie, et qui se déclare « enceinte des œuvres du futur époux », Jean Berlhie, lui aussi journalier à La Guillotière. A côté de cette pauvreté d'ensemble figurent cependant quelques dots plus importantes. C'est l'image que nous retrouverons souvent de l'ouvrière qui, au bout de longues années de travail, a pu se constituer quelques centaines de livres, qui lui ont servi à acheter son trousseau.

La composition de la dot des femmes ne présente aucune originalité : un lit garni, des effets, des habits, parfois une croix en or. L'argent liquide reste rare, ou ne s'élève qu'à quelques dizaines de livres. Un cas particulier cependant peut être noté : l'énoncé des avantages consentis aux futurs époux est beaucoup plus détaillé, et en apparence plus important, quand les attaches au milieu semi-rural des faubourgs sont nettement précisées.

Seules les marchandes peuvent se constituer des sommes un peu plus importantes, si elles tiennent une boutique (la plupart des revendeuses ne possédant rien). La boutique d'une marchande de Vaise (mercière sans doute) est estimée à 300 livres en 1787, ce qui reste bien modeste. Anne Repiquet, marchande de la paroisse Saint-Vincent, peut se constituer en dot 6 000 l., dont 4 800 en argent comptant : c'est là un cas tout à fait exceptionnel. Le mari, journalier, est fils de jardinier de Limonest. On peut supposer qu'après son mariage il quittera le monde des journaliers et entrera dans le commerce aux côtés de sa femme. Mais sur l'ensemble des contrats de mariage de journaliers, c'est à peu près le seul dont on puisse dire qu'il changera de rang dans la société par suite de son mariage.

Il faut d'ailleurs ajouter que, pour les dernières années de l'Ancien Régime, il semble bien que les mots ont perdu parfois leur sens exact. Il est possible qu'un journalier épouse une marchande aisée, mais la fortune de Marie-Joseph Pernet, garçon de peine, paroisse Saint-Nizier, constitue un cas aberrant. Non seulement il reçoit 13 000 livres de son épouse, veuve d'un postillon de la Poste royale, mais lui-même possède une somme de 4 000 l. : à eux seuls, ils détiennent le tiers de la fortune des 88 journaliers qui contractent mariage de 1786 à 1788. Cet exemple unique indique combien chaque groupe conserve à ses limites des contacts avec d'autres (ici le monde des voituriers et des transporteurs, celui des domestiques aussi — on ne sait pas exactement ce qu'est ce garçon de peine — c'est la seule fois que l'expression est rencontrée en dehors des listes des citoyens non actifs de 1791).

D'autres éléments renforcent cette imprécision d'un groupe plus mal délimité à la fin du siècle. Nous avons déjà souligné son enrichissement certain, beaucoup plus grand que celui de l'ensemble de la population. Il y a aussi une transformation dans la répartition des journaliers dans la ville et les faubourgs de Lyon. Lors de la première coupe chronologique, c'est le faubourg de La Guillotière qui est le plus représenté (38 %), mais son importance relative ne cesse de décroître : 25 % au milieu du siècle, 23 % à la fin, au profit de la paroisse Saint-Nizier, au cœur de la ville, dont la proportion ne cesse de croître (26,28 puis 32 %). De même les faubourgs des collines de la rive droite de la Saône perdent de l'importance : 14 % des journaliers qui se marient y habitent en 1750, 3 % en 1786. La paroisse d'Ainay devient alors la résidence de beaucoup de ces nouveaux Lyonnais (de 4 à 18 %). Ces quelques chiffres indiquent une évolution dans l'emploi même du mot de journalier. Dans les faubourgs il désigne encore des travailleurs de la terre. Dans les paroisses du centre, plus encore dans celle d'Ainay où ont lieu de grands travaux, les journaliers sont plus ce que l'on appellerait aujourd'hui des manœuvres, employés aux ouvrages de terrassement ou de construction. Ce sont alors deux groupes professionnels différents qui sont désignés par le même mot, et cela explique les différences de fortune, et une évolution marquée en fin de siècle par l'enrichissement de quelques individus, qui n'auraient pas trouvé des sources de profit suffisantes dans le travail de la terre.

Cette progression dans la fortune, qui accompagne cette mutation dans le travail, est sensible aussi dans leur niveau culturel. Pauvres, les journaliers sont aussi fortement handicapés par leur manque total d'instruction. Les signatures des contrats de mariage sont rares, et le restent pendant tout le XVIIIe siècle, aussi bien pour les hommes que pour les femmes.

Pour l'ensemble du siècle, à peine plus du quart des hommes, et un huitième seulement des femmes, savent signer leur nom. Quelques signatures, ou présentées comme telles, ne dénotent pas d'ailleurs une pratique de l'écriture bien familière. Deux remarques sont cependant nécessaires : la première concerne la progression remarquable du pourcentage des signatures entre la première moitié du siècle et sa fin. Cette proportion passe de 20 à 37 % pour les hommes, de 9 à 18 % pour les femmes. Comme leur recrutement reste tout aussi rural au cours des trois coupes chronologiques, on peut en déduire une nette amélioration de l'instruction dans les campagnes (cependant, alors qu'un journalier sur trois signe en 1786, la proportion n'est que de un sur quatre dans le faubourg de La Guillotière : ceux des journaliers qui gardent le contact le plus direct avec la terre sont ainsi en position d'infériorité). La seconde souligne un certain parallélisme entre la progression de la fortune et celui du pourcentage des signatures : dans les contrats pour lesquels les apports sont inférieurs à 100 livres, un homme sur cinq, une femme sur dix signe son nom. Pour les contrats aux apports de plus de 500 livres, la proportion devient de un homme sur trois et de une femme sur cinq. C'est là un signe des avantages procurés par un minimum d'instruction dans les classes populaires.

Dans les termes utilisés, et dans la forme du travail, des analogies apparaissent entre les groupes des journaliers et des affaneurs. Par-delà cette ressemblance, l'analyse des contrats de mariage permet de mettre en lumière des différences importantes.

Une première opposition existe dans l'aire de recrutement géographique des affaneurs.

La proportion des ruraux parmi les affaneurs est bien moins grande que pour les journaliers. Alors que les trois quarts de ceux-ci étaient de nouveaux Lyonnais, plus de la moitié des affaneurs (et cela jusqu'à la fin du siècle, malgré l'accélération du mouvement migratoire observé alors) sont nés à Lyon et sont donc des habitants de la ville depuis au moins deux générations. Cependant, alors que dans la première coupe, 60 % des épouses des affaneurs sont nées à Lyon, cette proportion n'est plus que de 33 % dans les dernières années du règne de Louis XVI. Il y a là une mutation importante, dont il faudra chercher les motifs.

Les ruraux ne sont pas seulement moins nombreux : leurs lieux d'origine ne sont pas exactement les mêmes. Dans l'ensemble, les affaneurs nouvellement installés dans la cité lyonnaise viennent de plus loin que les journaliers.

La généralité de Lyon, et plus précisément la province du Lyonnais, était le principal lieu de recrutement des journaliers. C'est au contraire vers l'Est lyonnais, dans les montagnes du Dauphiné, et plus loin dans le Bugey et en Savoie que se trouve l'origine des affaneurs. Il y a là un fait capital, dont l'explication réside en particulier dans les activités propres aux deux groupes : les journaliers conservent à Lyon même des attaches avec le sol. Les affaneurs, préposés aux transports, ont suivi jusqu'à Lyon les routes du grand commerce ou du portage vers la métropole régionale. Les routes de l'est restent beaucoup plus animées, vers la Suisse, l'Italie et la Savoie, que celles de l'ouest vers l'Auvergne. Par leur recrutement même, les affaneurs s'apparentent ainsi étroitement au monde des transports.

De quel milieu socio-professionnel sont les affaneurs nés à Lyon? Le plus grand nombre d'entre eux sont fils eux-mêmes d'affaneurs lyonnais : il y a là une première constatation de permanence d'une activité professionnelle dans un milieu familial. L'organisation du métier est une première explication : la place de maître affaneur ou crocheteur dans un port de Lyon représente un capital qui se lègue de père en fils. Dans les testaments, cette place de maître crocheteur, évaluée 1 030 livres, est souvent la majeure partie des biens déclarés par les affaneurs. Sur l'ensemble des contrats de mariage d'affaneurs relevés, la moitié des hommes nés à Lyon sont fils d'affaneurs : cette proportion est cependant plus élevée au début du siècle qu'à la fin (31 fils d'affaneurs sur 54 en 1730, et seulement 23 sur 54 en 1786). Les maîtres affaneurs sont les héritiers de la place de leur père; ils ont les apports au mariage les plus importants. De 1728 à 1730, sur 22 affaneurs de parents lyonnais qui se constituent moins de 100 livres lors de leur mariage, la moitié est de parents affaneurs. Sur ceux qui se constituent entre 100 et 500 livres, 12 sur 22 sont fils d'affaneurs. C'est le cas de 8 des 10 affaneurs qui possèdent plus de 500 livres lors de leur mariage. Quelques-uns des autres sont nés dans des familles de journaliers ou d'autres travailleurs de ces petits métiers non spécialisés (voituriers, domestiques, porteurs de chaises), mais les métiers artisanaux deviennent nombreux, et de plus en plus au cours du siècle. Les petits métiers, fréquents surtout dans les faubourgs, se rencontrent souvent : cordiers, tisserands, tonneliers, mais aussi des représentants des

LA STAGNATION DE LA FORTUNE DES AFFANEURS PENDANT LE XVIIIe SIÈCLE

Périodes	Apports au mariage			
	Moins de 100 livres %	100 à 1 000 livres %	Plus de 1 000 livres %	Moyenne (livres)
1728-1730	48,3	48,3	3,4	246
1749-1751	42,7	50,4	6,9	351
1786-1788	46,1	46,9	7	368
TOTAL	45,6	48,5	5,9	325

activités les plus importantes de la ville. De 1786 à 1788, six affaneurs sont fils d'ouvriers en soie et maîtres fabricants, deux de maîtres passementiers. Il y a même un fils de marchand épicier. On retrouve des caractères identiques dans le choix des épouses : les affaneurs constituent déjà un milieu professionnel d'une grande cohésion sociale. Les mariages entre enfants d'affaneurs sont fréquents, et les filles d'affaneurs sont les plus nombreuses parmi les épouses de parents lyonnais, au moins pendant la première moitié du siècle. Il y a cependant des signes d'une évolution importante : de 1749 à 1751, 17 épouses d'affaneurs sont filles d'affaneurs; 36, filles de divers artisans (6 ouvriers en soie, 5 cordonniers par exemple). De 1786 à 1788 il n'y a plus que 6 filles d'affaneurs et 18 filles d'artisans.

La comparaison avec les journaliers souligne la différence de l'évolution. Lors du premier sondage, les affaneurs apparaissent comme un peu moins pauvres que les journaliers, à la fois par le pourcentage des apports très faibles et par le chiffre moyen de leur fortune. Mais alors que les apports des journaliers subissent une progression considérable de 1730 à 1786, ceux des affaneurs ne connaissent pas cet enrichissement : en 1786 il y a autant d'apports de moins de 100 livres qu'en 1730, la valeur moyenne des apports a augmenté seulement de 50 %; les journaliers sont à la fin du siècle nettement plus fortunés que les affaneurs. Il semble bien que les affaneurs (et les crocheteurs) souffrent non seulement d'une pauvreté évidente, mais encore d'un certain mépris dans lequel ils sont tenus par les autres membres des classes populaires. Les affaneurs n'ont pas changé, ils sont encore pour une large part de parents lyonnais, souvent encore ils succèdent à leur père dans leur charge, mais leurs revenus ont baissé, leurs privilèges (un véritable monopole dans le déchargement et le transport des marchandises conformément aux règlements de leur communauté) ne sont plus aussi fidèlement observés. Il faut sans doute voir là une des conséquences sociales des tentatives de liberté du travail et de suppression des privilèges des communautés, et en particulier de la réforme de Turgot. Le métier d'affaneur est devenu moins rémunérateur, et les filles qui travaillent à Lyon n'acceptent plus de rentrer dans un ménage aussi dépourvu de ressources et d'avenir. Ce sont de plus en plus des filles d'origine rurale, les plus souvent d'implantation récente à Lyon (elles n'ont pas encore constitué une dot convenable lors de leur mariage) qui deviennent les femmes des affaneurs lyonnais.

Dans la plupart des cas, l'affaneur peut alors être identifié à un journalier, dont il partage le mode de vie et la pauvreté. C'est une sorte de définition qui est contenue dans un contrat de mariage de 1749 : l'épouse se constitue pour tous biens ses nippes de valeur de 50 livres et l'époux « n'a aussi que ses nippes, de valeur de 40 livres, travaillant pour gagner sa vie ». Cette notion du travail, synonyme d'absence de tout bien, est particulièrement caractéristique du menu peuple : il ne possède rien, même pas les instruments ou les outils de son travail. On pourrait multiplier ces exemples. D'autres époux en 1788 affirment qu'ils « n'ont rien quant à présent qui puisse mériter la plus légère estimation ». Pour d'autres, tous les biens ne sont qu'un « très pauvre mobilier », et ce sont parfois de bien tristes réalités que signale tel ou tel contrat.

L'alphabétisation des affaneurs n'est pas plus importante que celle des journaliers.

Comme pour les journaliers, un quart des hommes signent leur contrat de mariage. Il faut remarquer que l'origine lyonnaise des affaneurs ne leur donne aucun privilège d'instruction sur les journaliers. Les femmes ont un pourcentage de signatures légèrement plus important que pour les épouses de journaliers. Il y a un léger progrès au cours du siècle, au moins entre les chiffres de 1750 (23 % pour les hommes) et ceux de 1786 (30,5 % des hommes). La fortune explique les plus grandes différences dans le niveau d'instruction.

La moitié des affaneurs, qui se constituent plus de 500 livres, sait signer; ce n'est le cas que d'un homme sur cinq pour ceux dont les apports sont inférieurs à cent livres. Là encore le niveau d'instruction des femmes est inférieur à celui des hommes, quelle que soit la fortune. Il y a là une observation générale, mais il faut remarquer qu'au niveau de fortune le plus élevé, le pourcentage des signatures féminines subit une régression permanente au XVIIIe siècle : l'origine rurale d'une proportion de plus en plus grande d'épouses explique cette évolution. Il subsiste en effet une différence importante entre les natifs de Lyon et ceux qui viennent d'arriver de l'extérieur. En 1728-1730, la proportion des signatures des hommes nés à Lyon est de 35,1 % (et 37,5 % en 1786-1788). Pour les nouveaux Lyonnais ces pourcentages ne sont que de 16,6 % et 22,2 % (et encore faudrait-il distinguer parmi ces derniers les ruraux pour lesquels le pourcentage est encore plus faible, et ceux originaires des villes qui, dans l'ensemble, signent leur contrat de mariage).

Ces diverses observations conduisent à une image des affaneurs qui ne peut pas être monolithique. Il y a d'un côté la masse des affaneurs journaliers, ne participant pas au monopole des colporteurs, et payés chichement à la tâche. Beaucoup exercent une activité annexe : quand ils sont en même temps cabaretiers, ou quand leur épouse tient une petite boutique, ils atteignent un niveau économique un peu supérieur. Très au-dessus sont quelques maîtres crocheteurs et affaneurs, aux ports et surtout à la douane de Lyon. Il n'est pas rare qu'ils emploient eux-mêmes des domestiques, sans parler des journaliers qui forment leur main-d'œuvre. Jean-Baptiste Chapuis, crocheteur et affaneur de la Grande Douane, aveugle, sans parler de la fondation de nombreuses messes basses dans six églises ou chapelles de sa ville, lègue ainsi à Claudine Besançon, sa domestique, 150 livres, une robe de deuil, un lit garni et sa vaisselle d'étain. Il y a là un exemple intéressant des conditions testamentaires faites au domestique fidèle, dont l'usage existe aussi dans les milieux populaires. L'écrivain (teneur de livres) de la communauté des crocheteurs est chargé de payer la rétribution des messes et le legs, sur les sommes qui seront dues au défunt comme émoluments des affaneurs : on voit par cet exemple que leur organisation et le partage des bénéfices dans une même place séparent radicalement ces maîtres affaneurs des journaliers. Le même lègue aussi 3 000 livres, déposées à l'Hôtel-Dieu avec un intérêt de 3 %, à ses quatre petits-enfants, instituant son fils comme héritier universel.

Une minorité des affaneurs vit assez largement de son travail protégé par des règlements qui lui permettent de s'enrichir assez largement. Il y a donc là un milieu urbain vraiment original, qui, dans une place en apparence modeste, permet pendant la plus grande partie du XVIIIe siècle une ascension sociale assez remarquable, même pour de nouveaux venus à Lyon.

2. — DOMESTICITÉ ET PEUPLE DES FAUBOURGS

La cohésion de leur corps procure aux affaneurs une place privilégiée dans les milieux populaires lyonnais. Au contraire, la domesticité ne forme pas un groupe homogène.

Comme dans tous les milieux urbains, les domestiques sont nombreux à Lyon. Il reste difficile d'en évaluer le nombre. Dans la manufacture de soieries surtout, la différence entre la servante et l'ouvrière est faible. Dans les registres de la contribution mobilière de 1791 sont déclarés 6 200 domestiques, 5 000 femmes et 1 200 hommes, employés par 13 % des familles lyonnaises.

La condition du domestique varie selon l'employeur, et il y a presque autant de différence entre la pauvre servante d'une veuve de petit boutiquier et l'homme de confiance d'un grand bourgeois qu'entre leurs deux maîtres. Dans l'ensemble cependant, la condition domestique n'attire pas les Lyonnais : 6 % des domestiques sont nés à Lyon, l'immense majorité est d'origine rurale. Pour les femmes, il s'agit d'ailleurs souvent d'une activité temporaire, arrêtée par le mariage, après les quelques années nécessaires au rassemblement d'une dot modeste. Mêlés étroitement aux milieux des notables, les domestiques restent à part dans le monde populaire. Dans l'ensemble, ils sont plus cultivés; ils signent plus souvent que les journaliers leurs contrats de mariage, ils sortent plus souvent de leur condition.

Les faubourgs offrent enfin une dernière image de ce menu peuple. Les faubourgs lyonnais, Saint-Just et Saint-Irénée, Vaise, La Croix-Rousse et La Guillotière, sont encore peu peuplés. Ils n'ont encore qu'un lien lâche avec la ville, et ils ne participent presque pas à l'activité artisanale. La population des faubourgs lyonnais — et en cela Lyon est très différent de Paris à la fin du XVIIIe siècle — reste partagée entre deux activités particulières : le travail de la terre et les métiers des transports.

Jardiniers et maraîchers forment un groupe original, nombreux et homogène. En dehors des quelques valets de ferme, qui mettent en valeur les propriétés des bourgeois lyonnais, les jardiniers constituent un corps fermé, relativement aisé, très jaloux de ses biens, soigneusement maintenus dans les familles au moment des mariages, le plus souvent contractés dans le même milieu.

Un deuxième groupe, celui des voituriers, par terre ou par eau, est directement lié aux activités économiques de la grande ville, dont il assure l'approvisionnement et le commerce.

Ce monde des ouvriers des transports est cependant difficile à décrire. Le métier de voiturier est resté libre; n'importe qui peut l'exercer. Aussi coexistent de véritables entreprises de transports, de gros « marchands-voituriers » sur la rivière, de petites entreprises artisanales, qui sont limitées à une personne, propriétaire d'une charrette ou d'une plate sur la rivière, et une main-d'œuvre nombreuse, souvent temporaire, proche des journaliers.

Ce monde original n'occupe sans doute plus au XVIIIe siècle la place qui fut la sienne autrefois. Les marchands lyonnais font appel à des transporteurs non-lyonnais, nombreux sur tous les ports de la Saône et du Rhône, en amont comme en aval de Lyon. Plus encore que pour les groupes précédents, les voituriers appartiennent en fait à deux catégories distinctes : la plus grande partie est constituée d'ouvriers non spécialisés, qui ne se distinguent pas des autres manœuvres. Au-dessus d'eux leurs employeurs côtoient le monde de l'artisanat, peut-être même celui des marchands.

3. — OUVRIERS DES MANUFACTURES ET ARTISANS

Le menu peuple, malgré la diversité de ses activités, est en dehors des corps de métier. Mais il ne compose qu'une partie réduite de la population laborieuse de Lyon.

La grande majorité des travailleurs manuels est, pendant presque tout le XVIIIe siècle, intégrée à l'une des 72 communautés d'arts et métiers de Lyon. Pourtant, l'existence de ces métiers réglés ne suffit pas à définir le statut de la main-d'œuvre, ni ses conditions d'existence. En réalité la ville est dominée par quelques grandes manufactures, qui concentrent la majorité des ouvriers, et la plupart des autres métiers ne regroupe que quelques centaines de personnes, parfois moins.

La seule statistique complète, qui n'est pas sans défaut, est l'œuvre d'un nommé Jean-Claude Déglize, « préposé à l'inscription et au placement des ouvriers de la ville de Lyon » sous le Consulat et le premier Empire. Déglize, à plusieurs reprises, de 1800 à 1807, adresse des rapports très intéressants sur la situation du travail, du commerce et des manufactures de la ville de Lyon, aux ministres, aux conseils, ou au préfet. Ce partisan fervent des réglementations de l'industrie et du commerce, ne cesse de dénoncer les méfaits causés par la liberté depuis la Révolution. Et, pour mieux étayer ses démonstrations, l'auteur de ces mémoires rappelle les statistiques du commerce et du travail à Lyon à la fin de l'Ancien Régime. Il peut consulter les archives des anciennes communautés, aidé par les responsables de la police lyonnaise, et en l'an XII il rédige un volumineux rapport intitulé : *Statistique des manufactures, fabriques, arts et métiers de la ville et faubourgs de Lyon.* Pour chaque activité, les ouvriers sont divisés en trois catégories : maîtres, ouvriers ou compagnons, apprentis. 318 métiers sont ainsi recensés à la fois en 1789 et en l'an XI, avec pour 1789 les chiffres totaux suivants : 18 053 maîtres, 26 013 compagnons, 4 578 apprentis, 48 644 personnes au total. La division entre maîtres et compagnons est particulièrement critiquable : parmi les maîtres sont rangés de véritables marchands (les épiciers en gros par exemple, ou les marchands drapiers), mais aussi des hommes de loi (les huissiers) ou des membres de professions libérales (architectes, médecins). Sont même rangés parmi les maîtres 660 « manouvriers de la ville et de la campagne » dont une note explique que ce sont les maîtres crocheteurs des ports, loin cependant d'être tous possesseurs d'une maîtrise.

En plus de la statistique globale, le rapport de Déglize comporte quatre tableaux du personnel de quatre grandes manufactures lyonnaises : la fabrique d'étoffes de soie, celle des bas de soie (ou bonneterie), celle des passementiers, et enfin la manufacture de chapeaux. Deux manufactures enfin ne font pas l'objet d'études spéciales : celle des papiers peints (deux ateliers, deux maîtres marchands et 200 ouvriers) et celle d'indiennes, toute récente à Lyon (12 maîtres et 1 600 ouvriers). Quant à l'effectif des quatre grandes manufactures, il se serait composé en 1789 de :

34 762 travailleurs pour celle des étoffes d'or, argent et soie;
6 630 pour celle des bas et bonneterie;
1 119 pour celle de passementerie et galons d'or, argent et soie;
4 873 pour celle de chapellerie, soit un total de
47 384 personnes, égal à celui donné dans le tableau général pour l'ensemble des métiers et activités de la ville. Ce n'est pas là une des moindres contradictions de ce document.

L'exemple de la fabrique d'étoffes de soie permet de comprendre la juxtaposition de ces deux statistiques contradictoires. Sur un total de 34 762 employés, 20 268 (soit plus de 58 %) ne sont pas compris dans le tableau général du personnel des arts et métiers de Lyon en 1789 : il s'agit des femmes, fils et filles de maîtres travaillant sur le métier (10 514) et des dévideuses et autres servantes préparant le travail des métiers (9 754);

c'est montrer l'importance de la main-d'œuvre féminine, beaucoup plus grande encore que ne le laisse croire la contribution mobilière de 1789, dans les grandes manufactures. De même, pour la manufacture de chapellerie, sont ajoutées aux ouvriers proprement dits 1 114 femmes ou filles, cardeuses, déjarreuses ou garnisseuses.

Il devient possible, en tenant compte de ces réserves, de dresser un tableau plus complet des activités artisanales lyonnaises en 1789. On a regroupé les divers métiers selon leur spécialisation, sans pouvoir distinguer toujours de façon totalement rigoureuse les métiers du textile et ceux de l'habillement (les fabricants de bas par exemple, ou les chapeliers...), et en excluant les métiers entièrement féminins (les brodeuses, lingères et couturières, les dentellières, les modistes, mais aussi les fabricantes de fleurs artificielles qui, d'après Déglize, auraient été 3 300 — certaines sont sans doute comptées deux fois, avec les brodeuses).

L'ARTISANAT LYONNAIS EN 1789 : LA RÉPARTITION DE LA MAIN-D'ŒUVRE SELON LES DIVERSES BRANCHES D'ACTIVITÉ

Type d'activité	Maîtres Nombre	Ouvriers Nombre	Apprent. Nombre	Total	
				Nombre	%
Soierie	7 937	5 159	980	14 076	38,35
Divers textiles et habillements	1 171	4 262	357	5 790	15,75
Chapeliers	157	2 696	311	3 164	8,6
(Total textiles)	(9 265)	(12 117)	(1 648)	(23 030)	(62,7)
Bâtiment	661	2 136	568	3 365	9,2
Chaussures	1 090	1 500	89	2 679	7,4
Alimentation	1 694	740	126	2 560	7,1
Travail du bois	576	288	91	955	2,6
Travail du métal	388	370	107	865	2,4
Cuirs et peaux	192	549	58	799	2,1
Constructions de voitures	140	337	44	521	1,4
Industrie chimique	224	247	30	501	1,3
Perruquiers	190	271	25	486	1,3
Papier et livres	124	290	17	431	1,2
Art et précision	190	96	32	318	0,7
Faïence	86	89	—	175	0,4
Total	14 820	19 030	2 835	36 685	99,9

Cette statistique — même incomplète — suffit à démontrer la supériorité de la manufacture sur l'artisanat; manufacture lyonnaise dont le modèle, la Grande

Fabrique, est reproduit par les fabricants de bas de soie, les fabricants de gazes, les passementiers et malgré quelques nuances, les chapeliers.

Il est difficile d'utiliser les projets de codes socio-professionnels proposés ces dernières années, pour présenter une classification du monde lyonnais du travail. L'importance des façonniers, les degrés de dépendance des divers ouvriers vis-à-vis du maître-marchand, ont conduit à une analyse légèrement différente de celle proposée par Adeline Daumard par exemple.

Toutes les indications (origine sociale, statut professionnel, ascension sociale...) concernant les ouvriers en soie sont concordantes : les différences sont mineures (sauf l'âge pour les apprentis) entre les diverses sortes d'ouvriers en soie définies par leur statut. Qu'ils s'appellent compagnons, simples ouvriers en soie, fabricants ou maîtres, ils sont avant tout rapprochés par deux faits : leur métier d'abord (tous travaillent sur le métier), leur dépendance ensuite, absolue et totale (sauf pour une petite minorité de maîtres ouvriers-marchands toujours combattus et jamais très puissants), à l'égard des marchands-fabricants, pour lesquels ils façonnent les étoffes. Il n'y a qu'une différence de degré entre la dépendance du maître et celle du compagnon, ou une différence d'intermédiaire. Mais tous les chiffres concordent également parfaitement, le compagnon ouvrier en soie n'a pas une existence réellement propre et autonome. Ce n'est que l'état transitoire entre l'apprentissage et la maîtrise, comme le montre l'absence de divergences sérieuses, pendant tout un siècle, entre maîtres et compagnons lors des graves conflits qui marquent l'histoire de la Fabrique lyonnaise au XVIIIe siècle : le compagnon ouvrier en soie est un futur maître, et dans ces conditions il est inutile de séparer les travailleurs de cette Fabrique en deux catégories. En réalité, si seuils on veut établir, et degrés, la communauté de la Fabrique en comprend trois :

— Au niveau le plus bas il y a la masse considérable des domestiques et servantes, ni gens de maison, ni gens de métier, parce qu'ils n'ont pas accompli l'indispensable apprentissage. Deux signes rendent évidente leur infériorité : ce sont pour la plupart des filles, et elles n'ont pour ainsi dire aucune possibilité d'ascension sociale (sauf pour la minorité qui peut accéder au travail sur le métier en devenant épouse de maître).

— Le deuxième étage est occupé par les maîtres et les compagnons, les gens de métier proprement dits, qui ont mérité cette place (et leur dépendance, et leurs quinze heures quotidiennes de travail... et leur médiocrité financière) par suite de leurs cinq ans d'apprentissage. En aucun cas, en aucun moment du siècle, malgré les restrictions, l'accession à la maîtrise ne fut fermée, ou réservée aux seuls fils de maîtres. Et si le compagnon passe quelques années dans la soupente d'un maître, c'est à la fois parce qu'ainsi le veulent les règlements et parce que c'est le seul moyen pour lui de pouvoir accéder un jour à la possession de son atelier personnel.
— Enfin occupent seuls le troisième niveau les marchands-fabricants (même si tous les barreaux ne sont pas coupés sur l'échelle qui peut permettre à quelques-uns des ouvriers d'accéder à ce troisième palier) qui disposent et de la matière première, et du droit de fixer le prix de façon, et du produit fini qu'ils vendent.

Ce schéma simple n'est pas applicable à tous les métiers de la ville. Un trait commun à toutes les fabriques d'étoffes de soie est la supériorité numérique des maîtres sur les compagnons, et ce tout au long du XVIIIe siècle. Ce rapport entre ces deux catégories des travailleurs permet une première classification des métiers. Dans les véritables manufactures, comme celles d'indiennes et de toiles peintes, il n'y a en présence que des manufacturiers peu nombreux (12 d'après le tableau de Déglize) en face d'un grand nombre d'ouvriers (2 000) : le rapport maîtres/compagnons est des plus faibles : 0,6/100. C'est ce qu'on pourrait appeler la grande manufacture, qui se rapproche le plus des formes industrielles nouvelles. A l'opposé, les manufactures lyonnaises qui emploient des maîtres façonniers présentent un rapport tout à fait différent entre maîtres et compagnons, oscillant entre 60 et 80 % de maîtres : la structure du métier est tout à fait différente. Entre ces deux extrêmes se trouvent deux ou trois activités intermédiaires, dont les deux types les plus nets sont la chapellerie et la teinturerie. D'après Déglize toujours, la manufacture de chapeaux lyonnaise est composée de 70 maîtres fabricants qui emploient 2 504 ouvriers chapeliers (fouleurs et apprêteurs) et 275 apprentis. A côté des fabricants, existent encore 78 marchands chapeliers en détail, qui vendent une partie de la production des premiers. D'après ce seul tableau, il est évident qu'il n'y a aucune commune mesure entre le maître fabricant chapelier et le maître fabricant en étoffes de soie : alors que souvent ce dernier n'a pas un seul compagnon dans son atelier, le fabricant de chapeaux dirige un atelier beaucoup plus vaste. Il emploie en moyenne 40 ouvriers dans sa fabrique. Les conditions sont à peu près les mêmes pour les teinturiers, avec cependant des dimensions plus restreintes : 72 maîtres teinturiers donnent du travail à 649 ouvriers ou compagnons; il y aurait en moyenne 9 ouvriers par atelier, et le rapport maîtres/compagnons est d'environ 1/10. Une proportion semblable se rencontre pour quelques autres métiers, moins importants à Lyon : les corroyeurs ou les tanneurs par exemple. Dans ces métiers — du type manufactures plus que de celui artisanat — la dimension des ateliers et le nombre des ouvriers imposent une hiérarchie très différente de celle que la fabrique de soieries présente : l'ouvrier chapelier ou l'ouvrier teinturier est un ouvrier définitif, qui n'a aucune chance d'accéder un jour à la maîtrise, qui dans ce cas ressemble beaucoup plus à la condition d'un marchand qu'à celle d'un artisan façonnier.

Dans ces secteurs d'activité se rencontrent les travailleurs lyonnais dont le statut se rapproche le plus de celui de l'ouvrier dans un sens plus moderne : il y a une différence de nature, et non plus seulement un passage par des stades intermédiaires et temporaires, entre le maître chef d'atelier et le compagnon qui ne peut espérer quitter sa condition, même après de longues années de travail. Le grand nombre des ouvriers par rapport aux maîtres a d'ailleurs de multiples conséquences pour la vie sociale de ces communautés : les ouvriers chapeliers sont mieux organisés, et ils participent plus activement à toutes les revendications ouvrières du XVIIIe siècle. Pour essayer de diminuer l'unité de leurs ouvriers, les marchands chapeliers cherchent, et à diminuer le volume de leurs ateliers (en répartissant la main-d'œuvre dans des ateliers de plus faible dimension, ou en permettant aux approprieurs de travailler à domicile), et à rompre la solidarité ouvrière en embauchant des manœuvres journaliers qui n'ont pas satisfait aux conditions de l'apprentissage. Dans leurs mémoires, les marchands se vantent même de cette pratique : ils font appel à « des jeunes gens ou même des hommes faits » auxquels ils apprennent le métier en les payant de 15 à 20 sous par jour (soit environ la moitié du salaire quotidien du véritable compagnon). C'est le seul métier lyonnais qui transgresse ainsi les règlements et ne respecte pas les lois de l'apprentissage : « Il était réservé à la chapellerie de Lyon d'offrir ce nouveau secours à tant d'êtres indigents, à tant de pères de famille surchargés d'enfants qui s'élèveraient dans la misère et dans l'oisiveté, source à la fin de tous les vices. » Il y a donc une sorte de voie parallèle d'accès au compagnonnage, et c'est là un trait original dans le monde lyonnais du travail au XVIIIe siècle. Cette masse d'ouvriers était-elle stable, et installée durablement dans la ville de Lyon ? Lors de la grève de 1786, les autorités de la ville se contredisent à ce sujet. Le prévôt des marchands Tolozan parle d'une « classe d'ouvriers formés de gens errants », alors que l'intendant Terray affirme que les compagnons approprieurs, qui sont à l'origine de la grève, sont « tous mariés et pères de famille ».

Dans les métiers du bâtiment, les maîtres ne sont également qu'environ 20 % des membres des communautés.

Dans ce domaine, encore, existent des ouvriers qui ne sont que manœuvres, recrutés pour le gros œuvre, sans avoir fait leur apprentissage. Comme pour les chapeliers, la plupart des ouvriers maçons ou tailleurs de pierres n'ont aucune chance de parvenir à la maîtrise de leur métier. Il n'est pas étonnant non plus que dans ces métiers les organisations de compagnonnage soient particulièrement importantes. Le problème de la mobilité se pose d'ailleurs aussi pour ces ouvriers, attirés dans une ville lors de grands travaux, mais qui peuvent la quitter après leur achèvement.

L'ensemble des métiers groupés sous la rubrique « alimentation » présente une situation totalement différente. Pour l'ensemble de ces activités, les maîtres sont plus nombreux que les ouvriers, compagnons, garçons ou apprentis réunis. La proportion des maîtres atteint 75 % pour les pâtissiers, 68 % pour les bouchers, 55 % pour les boulangers : en moyenne 66 % des membres de ces communautés seraient des maîtres, d'après les relevés de Déglize. L'unité de travail est, dans ces métiers, la boutique plus que l'atelier, la main-d'œuvre reste avant tout familiale. Le grand nombre d'enfants de la plupart de ces familles d'artisans bouchers ou boulangers conduit ces corporations à une attitude très restrictive à l'égard des nouveaux venus : pendant des années les bouchers se voient interdire le droit de former des apprentis. Il en est de même à diverses époques pour beaucoup d'autres métiers. Le résultat de cette politique protectionniste fait que les quelques compagnons de ces métiers éprouvent eux aussi de grandes difficultés pour accéder à la maîtrise. Les taxes exigées pour acquérir le brevet de maître ne cessent d'augmenter pendant tout le XVIIIe siècle : les boutiquiers en exercice, pour protéger leur niveau de vie et conserver leur étal à leur famille, empêchent la création de toute boutique nouvelle, luttent sans cesse contre la concurrence des forains ou des artisans des faubourgs. Paradoxalement, c'est dans ces métiers où le nombre de maîtres est proportionnellement le plus grand que les chances de promotion pour les ouvriers sont les plus faibles. Les plaintes des ouvriers bouchers ou des garçons boulangers en ce sens sont nombreuses, et s'ils trouvent parfois un débouché dans des professions voisines (comme charcutiers ou tripiers), ils ne tardent pas à se voir fermer l'entrée même dans ces professions qui adoptent bientôt la même attitude. Dans ces corporations se forment et se perpétuent pendant plus d'un siècle de véritables dynasties de maîtres boulangers ou de marchands bouchers, à vocation nécessairement conservatrices et exclusives : les idées nouvelles sur la liberté du travail et du commerce restent totalement étrangères à ces corps très importants, qui tiennent une place originale dans le monde lyonnais de l'artisanat.

Les autres métiers présentent des visages divers. Il semble que le modèle présenté par les métiers de l'alimentation se retrouve par exemple pour les métiers d'art ou de précision : les orfèvres, les horlogers vivent également en milieu fermé. Les généalogies des maîtres orfèvres témoignent de la longévité de familles comme celle des Nesme qui fournissent une série continue d'artisans pendant plus d'un siècle. On retrouve un schéma semblable chez les graveurs de monnaie, les balanciers, les doreurs, les tapissiers. Cette continuité se traduit d'ailleurs par une sclérose, ou un effacement relatif de ces activités, qui, ne se développant pas, perdent une part de leur importance dans l'ensemble de l'économie lyonnaise. Enfin dans d'autres métiers, numériquement plus importants, les cordonniers ou les tailleurs d'habits, les maîtres ne forment pas tout à fait la moitié de l'effectif global; l'espoir d'accession à la maîtrise subsiste pour les nombreux compagnons, et le nombre des procès intentés par les maîtres gardes contre les ouvriers chambrelans est un signe de l'idéal des compagnons : acquérir une certaine indépendance dans le travail, même si le taux exigé pour l'acquisition du titre de maître est un obstacle souvent insurmontable.

Quelle image d'ensemble retenir de ce monde lyonnais du travail ? Le premier point consiste dans l'importance et le maintien des structures artisanales : dans cette ville manufacturière, si fière de l'éclat de son « industrie », la grande majorité des travailleurs conserve l'état et la mentalité des artisans. Pour les façonniers, comme pour les tailleurs d'habits ou pour les boulangers, l'idéal reste le même : celui de la boutique réduite à un étal, à l'ouvroir traditionnel, de nature familiale. Deux attitudes divergent à partir de ce point commun : dans beaucoup de métiers, il n'y a pas coupure entre le maître et le compagnon, mais plutôt un passage continu, plus ou moins lent, plus ou moins important selon le rythme des conditions économiques ou démographiques générales. Il serait vain alors de provoquer une cassure artificielle entre des ouvriers et des patrons. Il est bien évident que les 1 090 maîtres cordonniers lyonnais de 1789 sont de bien petits « patrons » aux ressources aussi limitées que les dimensions de leur boutique, aussi réduites que le nombre de leurs employés. Dans les métiers moins nombreux, la cassure entre les deux catégories ne cesse de s'aggraver : les règlements cherchent à augmenter les privilèges attachés au statut de maître ou de maître marchand. Mais ce phénomène est limité à l'artisanat de consommation strictement urbain, à des métiers dont la main-d'œuvre reste faible. En réalité, ce n'est que dans les domaines où les règlements des métiers sont transgressés (par l'emploi de manœuvres non qualifiés — les chapeliers, les maçons) que l'on trouve les caractères propres d'un monde « ouvrier » distinct des structures particulières à l'artisanat. Dans l'ensemble on peut dire que les structures sociales des travailleurs lyonnais sont encore directement influencées par l'évolution propre à chaque métier : la cohésion de la communauté professionnelle l'emporte le plus souvent sur les divergences nées des divers statuts sociaux.

a) *L'accès au métier.*

« Voulons et nous plaît que notre dite ville de Lyon soit conservée et maintenue en son ancienne exemption, franchise et liberté », tel est le texte de la déclaration de

Louis XIV datée de 1661 à Fontainebleau. Les lettres patentes de Louis XII datées de 1512 explicitaient clairement les avantages de cette liberté : les personnes de quelques arts et métiers qu'ils fussent pourraient venir « demeurer, résider, besogner et louer boutiques de leurs métiers » à Lyon, sans « ce qu'ils soient tenus pour ce à aucuns deniers ni faire chefs-d'œuvre ». Louis XIV allait même jusqu'à accuser certains des artisans lyonnais d'avoir, « par une contravention manifeste, fait entre eux des règlements, qui empêchent cette franchise et liberté ancienne ». Quelques années plus tard Colbert encourage non moins manifestement ces contraventions. En réalité il ne s'agit pas le moins du monde d'une liberté des métiers, mais d'un privilège de la ville de Lyon, non du libre accès de tous aux métiers lyonnais, mais du droit consulaire de légiférer en matière d'organisation des arts et métiers.

« Le Consulat a une Juridiction contentieuse sur tous les Arts et Métiers, dans chacun desquels il choisit tous les ans deux Gardes pour veiller aux contraventions qui se font aux Règlements... » Il suffit d'ouvrir les liasses des papiers des diverses communautés pour constater que toutes se glorifient de l'ancienneté de statuts qui les gèrent depuis plus de deux siècles pour la plupart. Les savetiers s'opposent-ils à leur réunion au corps des cordonniers ? Ils invoquent aussitôt leurs statuts accordés par le consulat de Lyon dès 1640, qui justifient leur indépendance, et les cordonniers répondent en dénonçant ces prétendus règlements, que, d'après eux, les savetiers n'ont jamais pu obtenir : « Les savetiers de Lyon... ont mis tout en usage pour obtenir les Lettres Patentes, et pour être érigés en Communauté avec des statuts : leurs mouvements ont été inutiles. » Les maîtres boulangers rappellent orgueilleusement des ordonnances qui comportent règlement de leur profession, datées de 1379, 1439, 1481, et il n'est pas de métier qui ne puisse invoquer au moins une confrérie du XVIe siècle, même si les premiers statuts imprimés sont nettement postérieurs.

En quoi ces règlements anciens sont-ils différents de ceux des villes à métiers jurés ?

Dans tous les métiers répétés « libres », les mêmes exigences sont reproduites. Il faut accéder au corps lui-même (c'est-à-dire à ses privilèges, et en particulier au monopole de l'exercice dans la ville et faubourgs de Lyon), au moins se soumettre à des conditions pécuniaires particulièrement lourdes. Les pâtissiers imposent cette pratique du chef-d'œuvre dès leurs règlements de 1575, et c'est une lourde charge : l'aspirant maître pâtissier doit faire trois plats de pâtisserie, un d'oublierie, un de cuisine et un pâté de bonne viande. En 1725, les maîtres pâtissiers demandent une révision de leurs statuts : « Les règlements ne fixent leur maîtrise à aucune somme, mais les engage à faire un chef-d'œuvre dont les frais montent à 8 ou 900 livres, outre que la Communauté est dans l'usage d'exiger pour elle 200 livres. » La communauté demande l'anéantissement de ce chef-d'œuvre, qui serait remplacé par un droit plus modéré.

D'une façon générale, l'obligation du chef-d'œuvre n'existe pas dans les règlements des communautés lyonnaises de métiers. Mais pendant tout le XVIIIe siècle, les maîtres en place cherchent à faire augmenter, de façon parfois considérable, les frais de réception dans le métier, en multipliant les redevances exigées à tous les niveaux, depuis le brevet d'apprentissage jusqu'au titre de maître. Les revendications des maîtres tailleurs sont particulièrement significatives de l'état d'esprit qui se manifeste pendant tout le XVIIIe siècle. En 1708, les maîtres tailleurs expliquent que dans les principales villes du royaume il en coûte de 4 à 500 livres, sans parler du chef-d'œuvre, pour accéder à la maîtrise. Les droits exigés à Lyon (40 livres et pas de chef-d'œuvre) sont si faibles que « les compagnons qui n'ont pas de quoi y parvenir (dans les autres villes) se jettent en cette ville, y travaillent en secret pour leur compte, afin de gagner leur maîtrise et dérobent l'ouvrage aux maîtres ». Ils demandent en conséquence l'alignement des tarifs lyonnais sur ceux des autres villes : ne viendraient alors à Lyon « que de bons ouvriers qui auraient de quoi payer, au lieu qu'il ne vient que des indignes et ignorants ». En 1728, les maîtres tailleurs renouvellent leur demande avec de plus amples détails : ils rappellent qu'à Paris la maîtrise de tailleur coûte 1 000 livres, et 500 dans toutes les grandes villes de France (Toulouse, Bordeaux, Marseille, Nantes, La Rochelle) et même certaines plus petites (Clermont, Riom) : « On doit trouver extraordinaire que cette ville, qui est la seconde du royaume, soit en cette rencontre mise au niveau de celles du troisième ordre. » Ils demandent que les droits à Lyon soient élevés à 400 livres pour les apprentis forains, à 300 pour ceux qui ont fait leur apprentissage à Lyon : le consulat accède presque totalement à leur requête et fixe les droits respectivement à 350 et 250 livres.

De telles revendications sont présentées comme inspirées avant tout par le souci du bien public : « Les garçons qui aspireront à la Maîtrise deviendront plus assidus et plus laborieux, afin de se procurer par leur travail les moyens de payer les droits de maîtrise, au lieu que la modicité de ceux que l'on paye à présent étant un objet qui les touche peu, ils négligent le travail et consument en débauche tout ce qu'ils gagnent. »

Les maîtres des communautés lyonnaises d'arts et métiers du XVIIIe siècle ont tous une même tendance : ils désirent contrôler leur corporation, la fermer le plus possible aux apports extérieurs, au bénéfice de leurs enfants en particulier. C'est une mentalité profondément malthusienne qui se découvre dans toutes leurs requêtes : « Pour les arts mécaniques, il ne faut pas trop d'ouvriers. Ils ne font que se nuire et s'affamer les uns les autres, et remplir la société civile de membres inutiles et misérables, ce qui est le plus grand mal qui puisse lui arriver. »

Les conditions de l'apprentissage sont la première manifestation de cet état d'esprit. Dans presque tous les métiers les mêmes conditions se retrouvent, avec simplement des nuances d'une activité à l'autre. La durée moyenne de l'apprentissage est de quatre ans pour la plupart des communautés. Elle n'est que de trois ans pour certains métiers fort importants comme les cordonniers ou les tailleurs d'habits, pour les tonneliers, pour les boulangers et les pâtissiers. Elle est d'au moins cinq ans pour tous les métiers de la soierie (mouliniers, cardeurs, passementiers, teinturiers...), mais aussi pour les couteliers, les papetiers et les tireurs d'or. Enfin elle atteint huit ans chez les orfèvres, qui, il est vrai, ne forment pas beaucoup d'apprentis.

Par sa seule durée, l'apprentissage exclut la plus grande partie des jeunes Lyonnais ou ruraux attirés dans la ville : le jeune garçon de 14 ans, la fille de 12 ans que la misère ou une famille trop nombreuse chassent de leur village ne gagnent pas la ville avec la possibilité de vivre trois ou quatre ans sans gagner leur vie : ils doivent nécessairement s'engager comme manœuvres journaliers, ou comme servantes domestiques dans les maisons bourgeoises ou dans les ateliers des fabricants. De même la plupart des artisans lyonnais, chargés de nombreux enfants, ne peuvent guère se permettre de faire apprendre un autre métier que le leur à leurs fils.

Car il ne s'agit pas seulement de temps écoulé et de manque à gagner : l'apprentissage représente aussi pour les parents une dépense souvent lourde. Dépense d'abord parce que le maître, s'il loge son apprenti, ne l'entretient pas. Le maître accorde la nourriture, mais le plus souvent exige en compensation une somme d'argent pour le dédommager : Claude Valette, maître cordonnier, précise qu'il ne fournira à son apprenti que la « soupe », mais que toutes les autres dépenses de l'apprenti pendant deux ans et demi seront à la charge du père. Le père doit souvent fournir les habits, parfois le lit et les outils de la profession dans laquelle il engage son fils : Alexandre Brudelle, affaneur à Lyon, engage son fils comme apprenti chez Georges Dupré, maître cordonnier en second. Il promet de fournir un lit, les crépins et la nourriture pendant deux ans. Dans de nombreux cas il est précisé que le maître ne se charge pas de l'entretien de l'apprenti, en particulier les dimanches et jours de fête.

Plus grave encore : non seulement l'apprenti ne rapporte rien à son père et est même source de dépense, mais la pratique de l'apprentissage payant s'est répandue de plus en plus, et ce en dépit des règlements. Les maîtres des métiers vendent en quelque sorte les secrets de fabrication qu'ils livrent à leurs jeunes élèves. Les prix sont très variables, selon les métiers, selon les conventions particulières, mais ils sont très fréquemment indiqués dans les contrats. C'est parfois un simple dédommagement, et dans ce sens les cautions de l'apprenti doivent promettre une somme assez importante au maître en cas de fuite ou de départ volontaire de l'apprenti. Mais c'est souvent beaucoup plus. Sur 214 contrats établis en 1786 avec des clauses pécuniaires, les sommes exigées des parents de l'apprenti varient de 24 livres (un cordonnier) à plus de 1 000 livres (un orfèvre, ou 1 332 livres pour un chapelier) : 69 contrats exigent entre 100 et 200 livres, 68 entre 200 et 400, et 27 entre 400 et 600 livres; une telle somme est totalement hors de portée de la plupart des ruraux qui envoient leurs enfants vers Lyon, et même de beaucoup des artisans lyonnais. Il y a là une restriction considérable au développement des métiers de la ville.

D'un métier à l'autre, les conditions peuvent présenter de sensibles différences. Le prix moyen de l'apprentissage permet d'effectuer une sorte de classement des métiers lyonnais selon leur considération, ou leur volonté de renouvellement. Les cordonniers, par exemple, dans la première moitié du siècle, sont un métier « cher » : plus de 100 livres sont demandées à plus de la moitié des apprentis (et jusqu'à 298 livres). A la fin de l'Ancien Régime, quand les cordonniers et les savetiers ont été réunis en une seule communauté, le prestige des cordonniers semble avoir baissé : ils demandent moins d'argent à leurs apprentis (en moyenne 50 livres en 1786), d'ailleurs moins nombreux. Les charpentiers ont également des exigences modestes, quelques dizaines de livres le plus souvent, et en 1786 la plupart des contrats ne comportent aucune clause d'une somme quelconque à verser : c'est le type même du métier qui n'attire pas les Lyonnais, et qui exige cependant un grand nombre d'ouvriers qualifiés. Parmi les métiers qui sont les plus fermés, par suite de l'ampleur des exigences en argent, figurent au premier plan les divers métiers de l'alimentation : les boulangers (le prix de l'apprentissage est en nette augmentation dans la deuxième moitié du siècle, ce qui semble correspondre à une volonté de lutte contre les boulangers forains qui, après leur apprentissage à Lyon, établissent leur boutique dans les faubourgs ou dans les paroisses voisines, d'où ils viennent vendre leur pain sur les marchés et les places de Lyon), les pâtissiers (170 livres en moyenne), les bouchers ou les charcutiers. Beaucoup plus exigeants encore sont les maîtres de certaines activités artisanales comme les chandeliers (moyenne 310 livres) ou les selliers (340 livres de moyenne) : c'est une façon de fermer l'accès au métier.

A la fin de l'apprentissage, il faut faire inscrire le brevet sur le livre de la communauté, et ce sont encore de nouveaux frais. Les droits, même modiques (entre 6 livres pour les charpentiers, et 20 livres pour les boulangers), souvent avancés par le maître, s'ajoutent aux sommes précédentes. L'apprenti qui n'a encore reçu aucun salaire devient compagnon : mais le contrôle de son temps d'apprentissage et de compagnonnage, l'obligation de payer régulièrement un droit annuel de confrérie font que l'accession à la maîtrise se trouve soumise à des conditions extrêmement onéreuses pour la plupart des jeunes travailleurs lyonnais. Toutes ces causes justifient le petit nombre de vrais apprentis qui s'engagent chaque année dans les boutiques lyonnaises : il ne s'agit là vraiment que d'une minorité privilégiée, qui, dès son entrée dans une communauté, sait qu'elle possède déjà les plus grandes chances de rentrer un jour dans le corps des maîtres. Sans doute les communautés lyonnaises ne sont pas entièrement fermées aux nouveaux arrivants, mais le lent processus de l'apprentissage et les conditions exigées font que les risques d'une invasion des métiers par de jeunes éléments étrangers sont réduits.

Les règlements et statuts de la communauté des maîtres et marchands chapeliers de 1787 exposent parfaitement les conditions de l'accès au métier de chapelier. Ces règlements comprennent trois titres : le titre I, « Des maîtres et apprentis », énumère les règles de l'apprentissage et les conditions à remplir pour accéder à la maîtrise; ce sont des articles très semblables à ceux que l'on a rencontrés dans la plupart des autres métiers : 4 ans d'apprentissage (âge minimum 14 ans, un seul apprenti par maître), 24 livres pour se faire enregistrer, au moins deux ans de travail comme compagnon dans la ville de Lyon (12 livres de frais) et 200 livres (plus 24 livres d'aumônes aux hôpitaux) pour acquérir la maîtrise, avec des avantages particuliers accordés aux fils de maîtres, et l'exclusion des filles de maîtres comme maîtresses chapelières.

Le titre II, « Régie de la Communauté », montre que la gestion des affaires de la corporation est strictement limitée aux maîtres qui ont rempli les conditions d'accès définies au titre I. Est ajouté enfin un titre III : « De la police des affermés, compagnons, ouvriers et ouvrières travaillant pour les professions réunies de la Communauté. » C'est là un texte inhabituel, d'ailleurs en partie inspiré par les craintes nées du soulèvement des chapeliers en 1786. Il est précisé que chaque maître chapelier a une complète liberté du nombre de ses ouvriers, « tant dans leurs ateliers que dehors ». Ces ouvriers, qui peuvent travailler à façon à domicile, n'accomplissent pas nécessairement leur apprentissage à Lyon. Ils arrivent à Lyon comme compagnons, doivent se faire enregistrer. S'ils ne sont que manœuvres, ils doivent nécessairement contracter (par-devant notaire) un acte d'affermage. Mais pour bien montrer la différence entre l'apprenti et l'affermé, il suffit de préciser qu'un ouvrier ou une ouvrière à domicile peut « former des élèves » et engager des « affermés » (un seul à la fois également). Pour ces ouvriers d'une autre catégorie, aucun temps n'est prescrit, mais il n'y a bien sûr pour eux aucune possibilité de quitter leur condition d'ouvrier pour accéder à la maîtrise. Les contrats déposés dans les minutes des notaires témoignent bien de cette dualité du métier de chapelier. D'un côté sont des apprentis, qui sont plus des aspirants marchands (ou manufacturiers) que de futurs maîtres artisanaux. De tous les métiers lyonnais importants, c'est celui dont l'apprentissage est le plus onéreux : en moyenne 650 livres en 1786 pour 8 contrats; ces jeunes apprentis sont ou lyonnais (fils d'un marchand de vin, d'un maître tapissier, d'un marchand cafetier et d'un maître emballeur), ou originaires de villes de la région où leurs pères sont marchands ou bourgeois. Le fils d'un marchand de Saint-Genis-Laval ne paye que 400 livres, mais le fils d'un bourgeois de Chalon-sur-Saône doit verser à son maître pour ses cinq années d'apprentissage 1 332 livres. Il s'agit d'hommes qui n'auront jamais connu réellement la condition ouvrière (pendant leur apprentissage et leur compagnonnage, ils sont plus des commis des marchands que des apprentis). Ils doivent cependant, pour accéder à la maîtrise, subir une sorte d'examen comportant et la fabrication d'un chapeau et une interrogation sur les autres arts annexes (apprêt et appropriage) : ce sont de futurs chefs d'ateliers qui sont ainsi formés. Une deuxième catégorie est constituée par des contrats de plus faible durée : de 1 à 3 ans, ou parfois même « pour le temps nécessaire », pour lesquels les apprentis payent à leur maître une somme plus modique (de 100 à 200 livres). Ces apprentis deviennent ensuite des ouvriers à façon travaillant à domicile, un peu comme les maîtres ouvriers en soie, mais ils n'ont pas droit au titre de maître. Plus fréquents encore sont enfin des contrats qui n'ont plus d'apprentissage que le nom : il s'agit là le plus souvent de ruraux (Bugistes, Savoyards, Dauphinois, ou paroisses du Lyonnais; cf. carte 13), souvent plus âgés (jusqu'à 24 ou 25 ans), qui viennent faire un stage rapide de quelques mois pour se perfectionner dans le métier. S'ils n'en possèdent encore que les rudiments, ce sont encore eux qui versent une rétribution au maître. Le plus souvent, comme il s'agit d'ouvriers déjà habiles, qui viennent seulement apprendre un type nouveau de fabrication ou une technique particulière, le maître les paie à un tarif moindre que celui des ouvriers. Leur salaire est alors progressif : par exemple 16 sous par jour pendant deux ans, et 18 sous la troisième année.

Mais les contrats notariés restent muets sur le recrutement d'un grand nombre d'ouvriers de certaines activités. Comment par exemple les manufactures d'indiennes ou de papiers peints engagent-elles à la fin de l'Ancien Régime leur main-d'œuvre? On sait que les entrepreneurs font venir de l'extérieur, et parfois même de l'étranger, quelques spécialistes, mais il semble que la plupart des autres ouvriers soient de simples manœuvres sans spécialisation, engagés sans apprentissage, Lyonnais en partie, mais pour la plupart venus des campagnes voisines. Il en est de même pour la plupart des travailleurs du bâtiment. Les grands travaux entrepris alors pour l'urbanisme ou la construction nécessitent de nombreux ouvriers maçons ou charpentiers. Si les apprentis charpentiers (et menuisiers — les deux communautés finissent par être réunies en 1777, mais depuis longtemps les ouvriers avaient le droit de travailler dans les deux métiers) sont encore assez nombreux, il n'en est pas de même pour les maçons ou les tailleurs de pierres. Les quelques exemples retrouvés montrent d'ailleurs qu'il s'agit plus de contrats de travail que de contrats d'apprentissage : l'apprenti maçon est payé 13 sous par jour ouvrable les deux premières années, 14 sous la troisième année, ce qui n'est pas très inférieur au tarif accordé alors aux ouvriers. Les apprentis tailleurs de pierres reçoivent de 12 à 16 sous par jour. Comment s'explique cette situation? Il semble que dans ces communautés la séparation entre les maîtres (ou les entrepreneurs) et les compagnons soit plus nette que dans la plupart des autres métiers. Le recrutement est presque entièrement extérieur à la ville même : les maçons en particulier sont dominés par quelques maîtres de naissance lyonnaise, mais les ouvriers sont des nouveaux venus. Le Massif Central, Marche, Poitou, Limousin, mais aussi Auvergne dans la seconde moitié du siècle, les montagnes du Jura méridional (Bugey et Valromey) fournissent d'importants contingents. Ces hommes ne viennent pas très jeunes à Lyon : ils n'y font pas l'apprentissage du métier, ayant reçu celui-ci, dès leur jeune âge, de leurs parents, ou dans leurs premiers déplacements avant l'arrivée à Lyon. Beaucoup enfin travaillent avec la seule qualité de manœuvres, sans même le titre de compagnon. Comme dans beaucoup de métiers, ils se regroupent en associations de compagnons et cherchent de l'embauche par l'intermédiaire de leurs organisations de compagnonnage.

Ces ouvriers, les plus instables, les plus turbulents dans la ville, constituent une frange de l'artisanat qui, par bien des côtés, est beaucoup plus proche de ceux que nous avons décrits comme appartenant au « menu peuple » de Lyon, et qui ne trouvent dans les statuts que des obstacles et des entraves, sans bénéficier le moins du monde des avantages que les communautés accordent à leurs membres. « Aucun d'entre eux n'est apprenti ni compagnon de ville, et ne forme jamais d'engagement fixe et limité... Ce sont des hommes à journée que l'on renvoie et qui s'en vont quand l'on veut. Ils ne savent pour la plupart ni lire, ni écrire, et ont toute la rudesse et l'ignorance des habitants des hautes montagnes. »

b) *L'évaluation des fortunes artisanales.*

A la diversité des statuts et des conditions dans le monde du travail correspondent naturellement d'importants écarts dans les fortunes. Il faudrait pouvoir faire entrer dans l'évaluation de ces fortunes de multiples facteurs.

La répartition des apports au mariage pendant le XVIIIe siècle pour l'ensemble du monde artisanal et pour diverses catégories professionnelles particulières souligne les clivages économiques à l'intérieur de ce groupe extrêmement divers. Les indications professionnelles des contrats de mariage ont été respectées, même si elles manquent de précision, même si souvent elles sont différentes de celles des actes de mariage dans les registres paroissiaux. Le qualificatif de « maître » est nettement moins employé dans la dernière coupe chronologique (1786-1789) que dans les deux premières. Cela correspond en partie à une évolution déjà soulignée : le désir de fermeture des métiers et leur refus de recevoir des maîtres nouveaux; mais cela semble répondre aussi à une transformation des habitudes de pensée. Jusqu'en 1775 environ, il semble impensable qu'un habitant de Lyon, maître d'un métier, omette de faire inscrire son titre dans un document officiel le concernant. Après les réformes, même avortées, de Turgot, le titre a perdu un peu de son éclat et de son prestige. Il faudrait cependant corriger un peu les indications : le plus souvent sont réellement maîtres tous ceux qui, non désignés comme tels, sont fils de maîtres lyonnais du même métier. Dans l'ensemble, il y a trois catégories d'importance numérique sensiblement égale, dégagées par les contrats de mariage : les compagnons, les ouvriers indéterminés et les maîtres forment à peu près un tiers de l'ensemble, les maîtres étant à peine moins nombreux (il ne faut pas oublier que sont comprises des activités comme la chapellerie, dans laquelle les ouvriers forment plus de 90 % de l'ensemble de la main-d'œuvre).

Deux faits principaux se dégagent :

— la relative richesse des maîtres par rapport aux autres travailleurs des métiers artisanaux;
— l'écart entre les maîtres et les ouvriers se creuse au cours du XVIIIe siècle.

Les apports moyens pour toutes les catégories réunies sur l'ensemble du siècle sont à peine supérieurs à 1 000 livres, mais cette moyenne recouvre de considérables écarts entre les périodes et les catégories. Les divers ouvriers n'atteignent jamais ce niveau moyen de 1 000 livres, même dans les années proches de la Révolution, alors que dès 1730 les maîtres sont déjà au-dessus de ce seuil minimal. Pour l'ensemble du siècle, l'augmentation moyenne des apports individuels est d'un peu plus de 50 %, mais l'évolution est loin de se faire de la même manière pour tous.

ÉCART CROISSANT ENTRE LA FORTUNE DES MAITRES ET LA PAUVRETÉ DES OUVRIERS AU COURS DU XVIIIe SIÈCLE

Périodes	Ouvriers		Maîtres	
	Apport moyen	Augmentation	Apport moyen	Augmentation
1728-1730 ..	475 l.		1 160 l.	
1749-1751 ..	600 l.	+ 25 %	1 870 l.	+ 60 %
1786-1789 ..	850 l.	+ 80 %	2 840 l.	+ 145 %

Le rapport entre les apports moyens des maîtres et ceux des ouvriers passe de 2,4 à 3,3 de 1730 à 1786 : la conséquence directe de cette aggravation des écarts est la difficulté de plus en plus grande rencontrée par la majorité des ouvriers pour accéder à la maîtrise.

Il n'est pas possible de transposer ces proportions et ces valeurs d'apports en notion de niveau de vie : il est seulement possible d'affirmer que le coût d'accession à la maîtrise, ou plus exactement les frais d'installation d'une boutique deviennent de plus en plus élevés, puisque les apports des maîtres ne sont souvent que l'équivalent du capital nécessaire à cette première installation. Compagnons et ouvriers, dont les apports n'augmentent pas au même rythme, sont de plus en plus éloignés du seuil de richesse indispensable pour devenir des travailleurs indépendants. Il y a bien sûr dans cette situation source de rancœurs et de conflits à l'intérieur même des communautés. De plus en plus nombreux sont les ouvriers qui cherchent à transgresser les règlements pour essayer d'ouvrir des échoppes plus ou moins clandestines, travaillant en chambre, vendant à une clientèle d'ouvriers, qui cherchent à défendre ces chambrelans contre les contrôles des syndics des métiers.

Mais les statistiques globales recouvrent des réalités particulières très diversifiées. L'évolution est loin d'être la même pour chaque métier : les nécessités économiques, le nombre de boutiques, le nombre des travailleurs de chaque métier sont cause de profondes différences d'un secteur d'activité à l'autre. Il n'est pas possible, à moins d'une étude exhaustive de chaque corps de métier, de présenter les caractères propres à chacun. Cependant, pour quelques groupes, les contrats de mariage (éclairés par quelques inventaires après décès) permettent de déceler des attitudes différentes, et surtout des niveaux socio-économiques dissemblables. Ce sont encore les représentations graphiques qui illustrent le mieux ces oppositions.

A en croire les témoignages contemporains, tous les métiers seraient uniformément pauvres. Les délibérations des communautés sont remplies d'éternelles plaintes sur la misère régnante et sur l'absolu dénuement de la majorité de leurs membres. En 1710, la communauté des cordonniers demande à la justice consulaire de prendre des mesures contre les forains et les chambrelans qui ruinent « une communauté déjà misérable ». En 1711, les cordonniers modifient leurs statuts pour interdire des changements trop fréquents d'atelier des compagnons, qui réclament des avances à leurs maîtres : la grande majorité des maîtres est trop pauvre pour consentir des avances, et ces maîtres sans main-d'œuvre restent donc sans travail, et leur misère ne cesse de s'accroître. En 1744, un conflit très grave oppose les cordonniers en second (ou savetiers) à la communauté des cordonniers en neuf. Les savetiers demandent l'égalité avec les cordonniers et justifient leur demande par l'état misérable de la plupart de ces derniers : les cordonniers sont huit ou neuf cents maîtres, « dont il n'y a pas deux cents qui fassent ou qui soient en état de faire du neuf, (parce qu'ils) n'ont pas le moyen d'acheter des marchandises, et sont absolument réduits à raccommoder de vieux ouvrages, pour pouvoir subsister avec les aumônes ». Mais les savetiers ne sont pas mieux partagés : quand le pouvoir royal crée des charges de contrôleurs et inspecteurs de la communauté, celle-ci annonce qu'elle « est absolument hors d'état de la payer, les trois quarts de leurs maîtres étant réduits au pain et à l'aumône, et obligés de travailler dans le coin des rues ». Les mêmes plaintes et constatations se retrouvent dans les délibérations de la communauté des tailleurs d'habits. En 1708, une demande de révision des statuts est accompagnée de la remarque suivante : « Le nombre des maîtres de leur art était devenu si grand qu'ils étaient plus de six cents, lesquels composent avec leur famille plus de deux mille cinq cents personnes, que la plupart étaient réduits à la mendicité. » Les vieux maîtres et les veuves sont particulièrement accablés par la misère, ce qui prouve le peu de rentabilité du métier. En 1728, la communauté, lourdement obérée, doit procéder à une répartition entre ses membres pour éteindre une partie de la dette. Les maîtres réunis dénoncent leur incapacité à faire cette répartition : sur les 500 maîtres tailleurs de Lyon, les deux tiers sont « presque à la mendicité, absolument hors d'état de rien contribuer », sur le reste un grand nombre est obéré et ne paierait qu'avec une extrême réticence; il en reste « 60 à peine, qui fussent en état de payer leur contingent ». En 1743, les tailleurs d'habits doivent fournir des hommes à la milice, et ils obéiront aux ordres de Sa Majesté, « malgré leur triste situation ». En 1752, les maîtres ne sont plus que 250, « dont la moitié est dans une indigence extrême et ne subsiste que de charité ». Des notations semblables se retrouvent dans les papiers d'un grand nombre de corps de métiers.

Même s'il y a une part d'exagération dans la description de la misère générale, ces éternelles plaintes des maîtres traduisent un sentiment permanent d'insécurité, une précarité toujours angoissante des revenus individuels et du niveau de vie de la plupart des artisans lyonnais.

Les apports constitués aux nouveaux époux dans les contrats de mariage confirment-ils ces jugements pessimistes? La comparaison de deux métiers fournit plusieurs éléments de réponse. Les cordonniers et les boulangers représentent deux types d'activités artisanales traditionnelles, présentes dans toutes les villes et même dans les bourgs les plus minimes. Mais la profession du boulanger est réglementée beaucoup plus strictement que celle des cordonniers, les autorités municipales lyonnaises ayant toujours apporté une attention constante aux problèmes de l'alimentation de base de la population. D'autre part, le nombre des cordonniers est beaucoup plus élevé que celui des boulangers : ce sont deux métiers dans lesquels les maîtres sont nombreux, et qui essaient de fermer le plus possible l'accès à la maîtrise pendant le cours du siècle. Or les contrats de mariage mettent en lumière une considérable différence de niveau économique entre les membres de ces deux communautés. Les apports globaux de 552 contrats de mariage de cordonniers entre 1728 et 1789 se montent à 284 000 livres, alors que 183 boulangers seulement se constituent ensemble la somme de 352 000 livres. La moyenne des apports des cordonniers est à peine supérieure à 500 livres, alors que celle des boulangers est proche de 2 000 livres : deux communautés organisées selon les mêmes principes peuvent donc présenter des écarts considérables (dans la proportion de 1 à 4 dans ce cas) dans la constitution de leur fortune, opposition encore aggravée par l'évolution. De 1749 à 1751, les apports moyens des cordonniers sont de 650 livres; ceux des boulangers de 1 770 livres (rapport 1 à 2,7); de 1786 à 1789, la fortune moyenne des cordonniers n'est plus que de 550 livres, celle des boulangers s'élève à 2 420 livres (rapport de 1 à 4,4). Les cordonniers sont un des rares métiers dont le niveau de fortune est en baisse dans la deuxième moitié du siècle (— 15 %), alors que les boulangers connaissent un enrichissement normal (+ 37 %). Il y a dans cette constatation un signe de désaffection évident pour un type d'activité artisanale dans une ville où le travail du textile attire la plus grande partie de la main-d'œuvre (et où les cordonniers subissent une concurrence active des ateliers installés dans les paroisses rurales voisines).

Cette stagnation, voire même cette récession de leur niveau de fortune, les cordonniers la subissent quel que soit leur statut professionnel. Si les maîtres disposent d'un capital plus important, ils ne bénéficient pas d'une quelconque amélioration de leur condition dans la seconde moitié du siècle. En 1750, le rapport entre la fortune des maîtres cordonniers et celle des maîtres boulangers est de 1 à 2,5 : il est de 1 à 5,1 en 1786.

Le contraste économique entre les maîtres de deux professions artisanales va de pair avec de sérieuses différences sociales. Il est possible de représenter statistiquement la notoriété d'une profession à partir des éléments fournis par les contrats de mariage sur les rapports entre groupes, et les liaisons d'un groupe à l'autre. En simplifiant au maximum les données socio-professionnelles, le milieu d'origine de ces artisans lyonnais et de leurs épouses peut se diviser en quatre catégories : le recrutement interne, héréditaire pourrait-on dire : des cordonniers fils de cordonniers, dont il faut rapprocher l'ensemble des autres artisans ; un fils de maître boucher peut-il devenir maître boulanger ou réciproquement ? On pourrait considérer (sous toutes réserves) comme signe de promotion sociale le passage de l'état ou de travailleur de la terre ou de manœuvre sans qualification à celui d'artisan, mais en même temps la présence d'un grand nombre de ruraux ou de journaliers témoigne du peu de renom du métier dans la ville et dans les milieux artisanaux, de sa désaffection et du mépris dans lequel il est tenu. Enfin, quatrième catégorie, est-ce déchoir pour un fils de bourgeois, fût-ce d'un petit bourg, pour celui d'un marchand de campagne, ou d'un marchand en détail, ou pour le fils d'un petit officier de justice, que devenir maître boulanger ou cordonnier à Lyon ?

ORIGINE SOCIO-PROFESSIONNELLE DES MEMBRES DE DEUX PROFESSIONS LYONNAISES AU XVIIIe SIÈCLE

Origine sociale	Cordonniers %	Boulangers %
Ruraux et journaliers ..	43,2	32
Artisans	20,5	14,7
Recrutement interne	32,8	43,2
Milieu « bourgeois »	3,5	10,1

Il n'y a pas véritablement opposition dans ce tableau entre ces deux professions : tout juste peut-on mettre en lumière la proportion plus forte des ruraux pour les cordonniers, le recrutement interne plus développé chez les boulangers. Mais la différence devient beaucoup plus nette si l'on considère le choix des épouses, plus révélateur des comportement sociaux des individus.

LE CHOIX DES ÉPOUSES DANS DEUX COMMUNAUTÉS LYONNAISES

Origine sociale	Épouses de cordonniers %	Épouses de boulangers %
Ruraux et journaliers ..	51	21,9
Artisans	32,7	31,1
Recrutement interne	14,5	33,3
Milieu « bourgeois »	1,8	13,7

Il n'est pas douteux qu'une fille de marchand, même d'un petit marchand rural, que la fille d'un huissier ou celle d'un maître d'école ne devient pas la femme d'un cordonnier : cela est réservé à des filles d'origine rurale, de condition paysanne, qui ont servi comme domestiques dans la ville de Lyon; mieux même, les cordonniers de Lyon ne cherchent pas à faire demeurer dans leur milieu professionnel leurs filles : si elles ont travaillé dans la Fabrique, on les retrouve femmes d'ouvriers en soie; souvent elles deviennent épouses d'affaneurs ou de journaliers : elles ne connaissent pas ainsi de déchéance, car leur sort économique reste le même. Bien distincte est la position d'une femme de boulanger : elle n'est plus la femme d'un obscur artisan miséreux, mais celle d'un boutiquier honorable et parfois aisé. L'origine rurale est rare : l'endogamie professionnelle devient la règle pour les maîtres, qui cherchent à préserver le patrimoine familial. Et même ne sont pas rares les alliances avec des filles en apparence de condition supérieure : des chirurgiens, un bourgeois de Thizy, un procureur de Montbrison, plusieurs marchands de Lyon ou du Lyonnais assistent à l'union de leurs filles à des maîtres boulangers lyonnais, et ils leur constituent des dots parfois importantes, ce qui prouve bien qu'ils ne se sentent pas abaissés et qu'ils ne sont pas hostiles. Une telle énumération serait bien impossible avec les contrats de mariage des cordonniers. Il y a là une concordance remarquable entre le niveau économique et la considération sociale. Une dernière comparaison suffit pour mieux séparer ces deux corps d'artisans. Sur les listes de citoyens éligibles en 1790 ne figurent que 28 cordonniers sur plus de 1 000 maîtres vivant à Lyon; les boulangers lyonnais n'étaient pas plus de 200, et

70 d'entre eux paient des impositions suffisantes pour être inscrits sur les listes des éligibles.

Si l'on cherche à résumer les principaux éléments de la condition des artisans lyonnais pendant le XVIIIe siècle, c'est peut-être encore l'impression d'insécurité qui domine : quelques individus dans chaque profession échappent à ces incertitudes de la vie quotidienne. Mais la plupart sont tout autant que les ouvriers en soie soumis aux vicissitudes de la conjoncture générale. Un chômage prolongé, une hausse des prix imprévue font diminuer le nombre des chalands, et l'artisan a des charges plus lourdes : loyer élevé (de 500 à 800 livres/an pour une boutique de boulanger ou de boucher), surtout fournisseurs implacables, qui demandent le paiement de leurs fournitures, même quand les recettes sont médiocres. Les marchands de blé de Lyon, mais aussi ceux de Bourgoin ou ceux de Bourgogne font peser une menace permanente sur les boulangers lyonnais, de même que les corroyeurs ou marchands tanneurs sur les cordonniers : ce n'est qu'en apparence que la maîtrise confère à ces maîtres des métiers l'indépendance économique, qui semble leur principal caractère en face du monde ouvrier.

Mais cette fortune moyenne, « médiocre » disait-on au XVIIIe siècle, ne peut définir l'ensemble des milieux artisanaux. Elle caractérise les artisanats traditionnels. La situation est très différente dans les métiers du bâtiment. Pour l'ensemble de ces activités (sauf peut-être pour les serruriers, qui forment un corps particulier, avec des statuts particulièrement anciens et des jurandes qui ont contribué à fermer l'accès au métier depuis plusieurs siècles), on assiste tout au long du XVIIIe siècle à une désagrégation progressive du corps de métier traditionnel. Les maîtres sont peu nombreux par rapport aux ouvriers, mais surtout beaucoup de maîtres n'ont même pas l'indépendance de leur travail : trop modestes pour faire de grands chantiers, manquant de moyens financiers pour acheter les matériaux nécessaires à des constructions neuves, de nombreux maçons ou charpentiers s'engagent sur des chantiers plus importants, où ils font fonction de « chefs de chantier », plus payés que les compagnons ou que les manœuvres, mais en fait réduits à la même condition dépendante.

Dans les contrats de mariage, nombre de maîtres maçons et de maîtres charpentiers ne peuvent se constituer que des sommes dérisoires, quelques dizaines de livres pour la valeur de leurs outils. Lors de son remariage, Luce Berger, veuve de Claude Micoud, maître charpentier à Lyon, décrit les biens laissés à son décès par son premier époux : en tout, mobilier du ménage compris, c'est un objet de 680 livres, avec quelques pauvres outils, quelques douzaines d'ais et des plateaux de bois. C'est là le cas moyen de maîtres semi-dépendants, capables de refaire une toiture, de poser un plancher, mais souvent en quête d'ouvrage. Les quelques livres ou carnets de compte retrouvés montrent la médiocrité d'un chantier effectué par un maître maçon ou un maître charpentier : quelques dizaines de livres pour la réfection d'une cheminée, quelques centaines dans les cas les plus favorables pour l'exhaussement d'une maison, et des bourgeois qui ne payent qu'avec réticence et retard. Dans l'ensemble, les travailleurs du bâtiment ne font pas fortune pendant le siècle. Et si les maîtres n'atteignent que rarement un niveau moyen, on peut dire que les ouvriers restent toujours en dessous.

Les contrats de mariage n'indiquent une progression d'ensemble que de 40 % pour l'ensemble des travailleurs du bâtiment entre 1730 et 1786, la progression étant particulièrement faible pour les charpentiers (+ 12 % seulement). Voyant les maîtres travaillant avec eux, et presque aux mêmes conditions, les compagnons ne recherchent plus l'accès à la maîtrise qui ne changerait rien à leur condition : plus de 50 % des travailleurs du bâtiment qualifiés de maîtres se constituent moins de 1 000 livres à leur mariage. De plus en plus les leviers de commande sont tenus par quelques personnes seulement, titulaires d'une maîtrise, mais qui surtout ont pu, par des spéculations sur les terrains, ou par des associations, ou parfois par des talents particuliers, acquérir des capitaux assez puissants pour se lancer dans des entreprises de plus grande envergure. Il n'y a plus guère de commune mesure entre le maître menuisier, dans sa petite boutique, vivant chichement d'un travail irrégulier, et le grand entrepreneur de bâtiments, qui parfois s'adjoint le titre d'architecte, et peut brasser des sommes considérables. L'exemple de Perrache est trop connu pour insister. Les entrepreneurs sont souvent propriétaires des bâtiments qu'ils ont construits, ils rachètent les vieilles maisons délabrées pour reconstruire du neuf, payant les travaux avec les bénéfices de la revente.

Les deux manufactures de chapellerie et de teinturerie offrent un dernier exemple de ces clivages entre main-d'œuvre dépendante et patrons, clivages accentués par l'appel à des ouvriers peu spécialisées, manœuvres qui ne suivent pas un long apprentissage.

Contrairement aux ouvriers en soie, chapeliers ou teinturiers de condition ouvrière ne possèdent même pas leurs instruments de travail, et le plus souvent ils ne travaillent pas à domicile, mais dans la « fabrique » de leur employeur. Toutes proportions gardées, il y a bien là structures de petite industrie. Les contrats de mariage sont ici un parfait révélateur des oppositions sociales : l'écart de fortune entre les maîtres et les ouvriers est d'autant plus marqué que les ouvriers ne possédant même pas leurs outils et n'aspirant pas à la maîtrise qui leur est inaccessible, puisqu'ils n'ont pas fait l'apprentissage réglementaire, sont totalement démunis au moment de leur mariage. Dans cette classe des ouvriers se rencontrent les apports au mariage les plus faibles, 80 % des ouvriers chapeliers, 60 % des ouvriers teinturiers se constituent moins de 500 livres à leur mariage, et ce encore en 1786 : même les cordonniers, pourtant les plus défavorisés des artisans de type traditionnel, sont au-dessus de ce niveau. De 1786 à 1789, période de grande prospérité de la fabrique de chapeaux, sur près de 300 contrats de mariage de chapeliers, 46 % indiquent des apports inférieurs à 100 livres. Les deux époux ne possèdent que quelques hardes au moment de leur mariage, et les femmes elles-mêmes le plus souvent ne se constituent aucune dot. La pauvreté des épouses est là encore un signe de la condition particulière des ouvriers chapeliers lyonnais : là se rencontrent les ouvriers les plus proches des journaliers et des travailleurs non spécialisés, que nous avons rassemblés sous le titre commun de menu peuple. Mais l'appartenance des chapeliers à une industrie considérable leur donne d'autres attitudes mentales, favorise plus les contacts entre ouvriers d'un même atelier : s'il est possible de parler de « classe ouvrière » à Lyon dans l'Ancien Régime, c'est bien à leur propos. Quant aux maîtres marchands de ces activités, leur condition économique est intermédiaire entre celle des maîtres des métiers artisanaux et celle des négociants. La moyenne de leurs apports (un peu plus de 5 000 livres) est supérieure à celle de presque tous les autres maîtres de métiers (on ne trouve des valeurs comparables que pour les tireurs d'or et les orfèvres, beaucoup moins nombreux), mais elle reste inférieure à celle de la plupart des marchands et négociants. En fait, là encore, il n'y a pas égalité entre les individus. En face d'une majorité de fabriques médiocres, de dimension modeste et de faibles capitaux, s'établissent quelques unités plus conséquentes, qui dominent l'ensemble de la communauté, Pour les teinturiers, près de 45 % des maîtres ne se constituent pas 1 000 livres à leur mariage : c'est tout à fait insuffisant pour acheter les ustensiles nécessaires à une fabrique. L'atelier moyen d'un maître teinturier en draps contenant quatre chaudières et quatre cuves pour la teinture coûte environ 3 000 livres, et les stocks d'ingrédients nécessaires, sans parler des dépenses de combustibles, doivent former au moins la même somme dans une fabrique moyenne. 30 % à peine des maîtres teinturiers sont dès leur mariage assurés de pouvoir monter une fabrique de ce genre, et 11 % d'entre eux sont nettement plus favorisés avec des apports supérieurs à 10 000 livres. Ceux-ci sont alors de véritables négociants, qui sortent de la classe des artisans. Un exemple peut en être fourni avec les papiers de la succession de Jean Meillan, maître teinturier à Lyon en 1769 : sa veuve, tutrice des enfants mineurs, rassemble les parents et amis qui constituent le conseil de tutelle; sur dix-huit personnes rassemblées, il y a un teinturier, 14 négociants, un architecte et même un conseiller secrétaire du roi : l'alliance avec le milieu du négoce est incontestable. Les maîtres chapeliers sont un peu comparables. Ici, beaucoup moins d'apports très faibles (3 % de moins de 1 000 livres), un grand nombre d'apports moyens (40 % entre 2 et 5 000 livres) et un nombre important de grosses fortunes : 22 % des apports sont supérieurs à 10 000 livres; même quand ils portent le titre de maîtres et marchands il ne s'agit en fait que de négociants, chefs de fabriques importantes. Les mêmes disparités que nous avons signalées dans les milieux artisanaux se retrouvent au niveau de ces propriétaires de fabriques. Il suffirait de citer, pour s'en convaincre, des états de répartition entre les maîtres chapeliers dans le premier quart du siècle : les huit ou neuf plus gros fabricants payent à eux seuls de 50 à 60 % de la somme répartie entre tous les membres, alors que les trente-cinq ou quarante plus petits fabricants versent à eux tous moins de 20 % du total.

CHAPITRE III

LES OUVRIERS EN SOIE

I. — LEUR PLACE DANS LA CITÉ

La richesse et la réputation de Lyon sont dues au très grand nombre de ses manufactures, mais par-dessus tout à la Grande Fabrique des étoffes de soie. « C'est la seule ville du monde où 30 000 ouvriers ou environ s'occupent tous de l'emploi de la même matière. » Tous les dictionnaires économiques, ou les descriptions géographiques de la France, depuis Savary des Bruslons jusqu'à Peuchet au début du XIXe siècle, répètent les mêmes chiffres d'ensemble sur l'importance numérique des effectifs de la communauté « des marchands et maîtres ouvriers en draps d'or, d'argent et de soie de Lyon ».

La connaissance précise de la main-d'œuvre de la Fabrique lyonnaise est toutefois beaucoup plus difficile à établir. Justin Godart a fait remarquer fort justement que dans la plupart des documents, œuvre des responsables de la communauté elle-même, les chiffres sont volontairement gonflés pour augmenter encore l'importance relative des ouvriers en soie dans la ville de Lyon. Lors de l'opposition entre la communauté lyonnaise et M. de Gournay, l'avocat de la communauté est chargé de prouver qu'il y a « actuellement » cent vingt mille individus occupés par la manufacture. Un mémoire anonyme de 1746, qui prétend trouver des solutions à la menace de destruction qui pèserait sur la Fabrique, affirme que « près de 150 000 personnes y sont occupées » : c'est beaucoup plus que l'ensemble de la population de la ville et de ses faubourgs à cette époque.

Tous les renseignements du personnel de la Fabrique effectués au XVIIIe siècle sont cependant dans l'ensemble concordants : le nombre des maîtres ouvriers (ceux que l'on appelle aussi parfois les chefs d'ateliers) ne dépasse jamais 7 000; les apprentis, compagnons, femmes travaillant comme ouvrières sont au maximum au nombre de 5 à 6 000. Ce sont là les véritables ouvriers en soie, correspondant au nombre de métiers en exercice dans la ville (il faut un ouvrier qualifié pour chaque métier). Mais à côté des tisseurs proprement dits les métiers exigent la présence dans les ateliers de beaucoup d'autres travailleurs. Les métiers de plein nécessitent le concours d'une dévideuse, les métiers à la tire pour les étoffes façonnées emploient chacun quatre ou cinq personnes, pour la confection de l'étoffe, suivant sa qualité et « à proportion de ce qu'elle est plus ou moins chargée d'ouvrages et de façon ». Un long mémoire de 1731 énumère tous les autres ouvriers employés à des ouvrages dépendant du métier : les liseurs de dessins, les faiseurs de lacs, les attacheurs de semples, les remetteurs en corps et en peignes, les lisseurs ou fabricants de lisses, les plieurs, les tordeurs, les ouvriers en plomb, ceux qui fabriquent les peignes en acier et en canne, les faiseurs de navettes, sans parler des charpentiers et menuisiers qui fabriquent ou restaurent les métiers, « une multitude innombrable de personnes qui attendent leur subsistance de ce travail ». Dans la liste des communautés d'arts et métiers de la ville de Lyon, huit communautés concernent directement le travail de la soie : les veloutiers et les fabricants, les teinturiers de soie, les cardeurs de soie, les passementiers, les mouliniers de soie, les plieurs de soie et les fabricants en bas de soie. Il faudrait ajouter à cette liste les guimpiers et les tireurs d'or, dont les manufactures sont étroitement liées à celles des ouvriers en soie, auxquels elles fournissent une partie de leur matière première.

Les responsables de la communauté, mais aussi les autorités de la ville et les grands marchands, n'ont cessé au cours du XVIIIe siècle de souligner combien cette fabrique d'étoffes de soie était sujette aux variations de la conjoncture nationale et internationale. Il suffit d'un deuil à la cour, d'un changement de mode vestimentaire à Versailles, mais aussi à Londres ou en Hollande, pour que les soieries lyonnaises ne trouvent plus leurs débouchés habituels. Les plaintes sont incessantes contre les fabriques concurrentes qui s'installent et se développent en Angleterre, en Suisse ou en Italie, et dans tous les mémoires il n'est question que des ouvriers sans travail, qui sont contraints à l'émigration, à la suite de telle ou telle crise de chômage dans la Fabrique lyonnaise. Les chiffres du nombre des métiers soulignent ces fluctuations, malgré une hausse dans l'ensemble continue pendant le XVIIIe siècle. Les mémoires utilisent toujours les mêmes arguments : la Fabrique est menacée de ruine, et toujours les auteurs se réfèrent aux temps heureux que Lyon a connus dans les décennies précédentes. Ainsi en 1731 les négociants regrettent-ils l'heureuse époque de Law « où rien ne fut épargné pour satisfaire le luxe de ces nouveaux riches; les yeux de tout le monde, accoutumés à ne voir que le beau et le magnifique, ne purent plus souffrir ce qui ressentait la simplicité du temps passé. Chacun voulut être vêtu plus magnifiquement qu'il n'était séant à sa condition ». L'auteur du mémoire conclut en rapprochant les 5 à 6 000 métiers travaillant en 1731 des 14 000 qu'elle occupait dans le temps de sa splendeur. Or l'enquête du 23 mars 1720 ne recense que 5 067 métiers et, même si elle est incomplète, on ne peut supposer une aussi grande différence. Ce total de 14 000 métiers environ est celui qui est le plus vraisemblable à la fin de l'Ancien Régime, et il est le double de ce qu'il était à la fin du règne de Louis XIV : cela ne signifie pas que tous les métiers sont toujours en activité. Les crises les plus graves, même si elles sont de peu de durée, entraînent aussitôt l'arrêt d'un certain nombre d'ateliers : il semble que les métiers d'étoffes unies soient les plus durement touchés par ces crises passagères, parce qu'elles sont les plus sensibles à la concurrence étrangère, encore incapable de reproduire les plus riches étoffes façonnées de la Fabrique lyonnaise. Les derniers chiffres de l'Ancien Régime, ceux de 1788 reproduits par le préfet Verninac, signalent qu'en 1788, par suite du ralentissement brutal de l'activité dû, entre autres, au traité de commerce franco-anglais, 5 442 métiers sont inoccupés sur un total de 14 777.

Toutes les sources de l'histoire sociale lyonnaise confirment cette importance humaine des ouvriers en soie dans la ville. Les registres paroissiaux révèlent leur place dans les divers quartiers de la ville. L'étude démographique de trois paroisses entre 1688 et 1699 indique certaines proportions : les ouvriers textiles sont plus de 80 % de la population dans la paroisse Saint-Georges, 45 % dans celle de Saint-Vincent, plus de 30 % dans celle de Saint-Paul. Les visites générales de la Fabrique et les rôles de capitation particuliers à la communauté, de 1761, 1770 et 1788, contiennent un état des ateliers de chacun des 28 quartiers de la ville : cependant les différences sont si grandes de l'un à l'autre que l'on ne peut guère les accepter tels quels. On ne peut en retenir que quelques observations caractéristiques : les ateliers des ouvriers en soie n'ont pas encore en 1788 gagné La Croix-Rousse hors des murs (25 ateliers seulement, chiffre confirmé en gros par la cote immobilière de 1791), ni les autres faubourgs de la ville. Les tentatives, répétées à plusieurs reprises pendant le règne de Louis XV de disséminer un peu plus les ateliers et d'ouvrir des manufactures parallèles au moins dans les faubourgs, sinon dans la campagne lyonnaise, ont échoué. A l'intérieur même de la ville, certains quartiers sont privilégiés, en particulier les pentes des collines, dont les maisons laissent pénétrer un peu plus généreusement la lumière dans les ateliers : le Gourguillon et la montée de la Grande-Côte sont exclusivement le domaine des ouvriers en soie, mais ce n'est pas là une particularité du XVIIIe siècle : l'installation le long de la Grande-Côte date du règne de Louis XVI et non de celui de Louis XV.

La lumière n'est d'ailleurs pas la seule cause de l'installation des ouvriers en soie sur les rues en pente ou dans les cinquièmes étages des maisons du centre : le coût des loyers est aussi une raison de ce déplacement vers les quartiers périphériques, ou le choix des étages les plus élevés et les moins confortables des maisons. Veut-on décrire le maître ouvrier type, comme l'inspecteur des manufactures Buisson ? « Un maître ouvrier en soie de cette ville occupe une chambre à un cinquième étage, près du Port Dauphin à côté du Chapeau Rouge. Cet ouvrier en soie occupe deux métiers seulement, quelquefois trois. Il est chargé de six enfants, dont trois en nourrice à la campagne et trois chez lui dont l'aîné n'a pas plus de 7 ans... Combien de maîtres se trouvent dans le même cas ? »

Le dépouillement des contrats de mariage a permis de trouver des transformations dans la répartition des ouvriers en soie à l'intérieur de la ville pendant le XVIIIe siècle, et à mis en lumière l'augmentation considérable du nombre des ouvriers en soie de 1730 à 1786 : le total a plus que doublé, et ce malgré la crise de la fin de l'Ancien Régime.

Les paroisses sont groupées en quatre ensembles géographiques : le centre constitué par la paroisse Saint-Nizier, le sud (la seule paroisse d'Ainay), le nord (les trois paroisses des pentes de La Croix-Rousse dans les murs : Saint-Vincent, Notre-Dame de La Platière, Saint-Pierre et Saint-Saturnin), et l'ouest (les quatre paroisses de la rive droite de la Saône, côté Fourvière : Saint-Georges, Sainte-Croix, Saint-Pierre-le-Vieux, Saint-Paul).

L'ÉVOLUTION DE LA RÉPARTITION DES OUVRIERS EN SOIE DANS LA VILLE DE LYON AU XVIIIe SIÈCLE

Quartiers de Lyon	1728-1730	1749-1751	1786-1788
	%	%	%
Centre	37,8	35,2	23,3
Nord	34,2	33,4	36,2
Sud	5,6	6,5	5,6
Ouest	21,6	24,4	34

Deux faits apparaissent particulièrement nets : la diminution relative de la part de la paroisse Saint-Nizier, qui rassemble plus du tiers des ouvriers dans la première période et moins du quart dans la troisième. Il semble que les ouvriers en soie abandonnent ces maisons obscures, mais aussi le loyer élevé, qui sont laissées au petit commerce et à l'artisanat. Cette diminution du centre profite presque entièrement aux paroisses de la rive droite de la Saône, dont les pourcentages évoluent de façon presque exactement inverse de ceux de Saint-Nizier. Plus que les pentes de La Croix-Rousse (où seule la paroisse Saint-Vincent connaît une progression très rapide), les paroisses pauvres du côté Fourvière deviennent le domicile le plus fréquenté par les ouvriers en soie à la fin de l'Ancien Régime.

Ce ne sont pas seulement les compagnons travaillant pour le compte, et dans les ateliers des maîtres, qui recherchent les quartiers les plus pauvres de Lyon, mais bien aussi les maîtres eux-mêmes qui cherchent à réduire leurs frais (les deux progressions les plus rapides sont, pour les ouvriers se constituant plus de 500 l., les paroisses de Saint-Vincent et de Saint-Paul, deux des plus pauvres de Lyon).

La paroisse Saint-Nizier conserve cependant la première place pour les activités secondaires de la soierie, dans lesquelles le glissement vers la rive droite est plus lent. Le nombre des passementeries (d'ailleurs en diminution à Lyon), et des fabricants de bas de soie (en augmentation) domicilié à Saint-Nizier passe de 80 à 57,5 % entre 1728 et 1788. Les paroisses de l'ouest n'en comprenaient que 3,6 % au début de la période : elles en abritent 21 % à la fin.

Deux visites générales de la Grande Fabrique, effectuées en 1768 et 1788, apportent quelques enseignements complémentaires. La supériorité des quartiers pauvres de l'ouest, totale pour les métiers de plein utilisés pour les étoffes unies, est encore contestée par la paroisse Saint-Nizier, qui renferme encore la majorité des métiers en tire, utilisés pour les riches étoffes façonnées.

La visite générale effectuée, sur ordre du consulat entre le 18 octobre et le 12 décembre 1788, souligne la rapidité du transfert de la majorité des ateliers vers les quartiers les plus pauvres de la ville.

Sud	3,4 %	(+ 0,5 %)
Centre	22,9 %	(— 6,2 %)
Nord	26 %	(— 3,8 %)
Ouest	46,8 %	(+ 8,6 %)
Faubourgs	0,9 %	

Seuls les quartiers du côté Fourvière connaissent un développement important entre 1768 et 1788, et ce au détriment non seulement des quartiers du centre (paroisse Saint-Nizier), mais aussi des quartiers du nord de la place des Terreaux, en diminution également.

Le tableau établi après la visite de 1788 contient l'indication du prix global des loyers pour chaque quartier. L'examen du montant moyen des loyers dans chaque groupe de quartiers explique fort bien ce transfert du domicile des chefs d'atelier lyonnais. Dans les quatorze quartiers du centre, le loyer moyen est de 180 livres (minimum 160 livres dans le quartier du Port du Temple, maximum 203 livres dans le quartier de la rue Buisson). Il est de 175 livres dans les cinq quartiers du Nord (entre 160 livres pour la Grande Côte et 203 livres pour le quartier des Terreaux), de 150 livres dans le quartier de Bellecour (Sud). La moyenne des huit quartiers du côté Saône n'est que de 98 livres, comprise entre 72 livres dans le quartier de Portefroc et 126 livres dans celui du Change.

Cependant les ouvriers en soie, de mentalité urbaine, refusent encore le glissement vers les faubourgs, qui offrent pourtant des loyers encore plus modérés.

2. — LES CONDITIONS DE L'ACCÈS AU MÉTIER

La diversité du statut professionnel des tisseurs lyonnais de soie est montrée déjà par la terminologie. Neuf appellations différentes ont été relevées dans les contrats de mariage, mais il est possible de les ramener à trois catégories principales, qui ont évolué de façon très nette au cours du XVIIIe siècle. Les « compagnons » ouvriers en soie sont toujours minoritaires dans les contrats de mariage, et rarement plus de 20 % de l'ensemble de la main-d'œuvre. Les maîtres ouvriers en soie, ou maîtres fabricants sont de moins en moins nombreux : 68 % en 1728-1730, ils ne sont plus que 17 % en 1786-1788. La plupart des nouveaux mariés de cette dernière période ne portent plus le titre de maître. Ils s'appellent simplement « ouvriers en soie » ou « fabricants ».

C'est à l'intérieur des structures socio-professionnelles de la Fabrique qu'il faut chercher les raisons profondes de cette évolution. Toutes les statistiques fournies par les visites de la communauté tout au long du siècle indiquent un certain nombre de traits constants : la progression incessante du nombre des maîtres en est le premier. Leur nombre fait plus que doubler entre 1739 (3 299) et 1786 (7 000), ce qui est confirmé par le nombre de contrats de mariage enregistrés. Cette simple constatation conduit à une première remarque : si dans les contrats de mariage, de moins en moins nombreux sont ceux qui se dénomment maîtres ouvriers ou maîtres fabricants, ce n'est pas parce qu'en fait ils sont moins nombreux, mais parce que le titre de maître tombe en partie en désuétude, que le fait important reste le métier, et que la différence de condition, de travail, entre le compagnon et le maître s'est estompée. Toujours dans le même sens, on peut aller jusqu'à dire que l'équivalent de l'expression « maître-ouvrier en étoffes de soie », utilisée dans plus de deux tiers des contrats en 1730, est en 1786 tout simplement « ouvrier en soie », ou mieux encore « fabricant » : c'est à la fois le résultat d'une transformation du vocabulaire usuel et du fait social. La tentative de réforme de Turgot a précipité ce mouvement, commencé en réalité bien avant, dès les revendications parfois violentes qui opposent ouvriers et marchands depuis 1731 : la cassure sociale n'est pas, ou n'est plus, entre les compagnons et les maîtres, mais entre le bloc uni des compagnons et des maîtres et celui des tout-puissants marchands-fabricants. La place exacte tenue par les compagnons est d'ailleurs difficile à définir. Les résultats des visites sont contradictoires et malaisés à expliquer. Les compagnons sont toujours moins nombreux que les maîtres, mais avec des écarts considérables selon les périodes. D'une façon générale il n'est pas exagéré de dire que l'état de compagnon n'est jamais qu'un état provisoire : sauf dans quelques cas, on n'est pas compagnon ouvrier en soie pour la vie entière, mais simplement dans l'attente que sa situation personnelle soit devenue assez confortable pour accéder à la maîtrise, qui représente la véritable situation sociale du tisseur lyonnais. Il faut ajouter que le compagnon, plus jeune que le maître, le plus souvent encore célibataire, parfois logé par son employeur dans l'atelier même, est moins stable que le maître ouvrier puisqu'il ne possède dans la ville de Lyon ni attaches familiales, ni propriété quelconque, même pas celle de ses outils de travail.

C'est en fait un des plus graves problèmes de l'histoire « politique » de la Fabrique lyonnaise qui est ainsi posé. Tous les auteurs, tous les mémoires, ceux des marchands comme ceux des maîtres, les écrits des responsables de la communauté comme ceux des magistrats de la ville sont d'accord sur un fait : les compagnons sont un des maillons essentiels de l'équilibre humain de la Fabrique : « Le compagnon doit être caressé pour le conserver, surtout quand il est bon ouvrier, de crainte qu'il ne passe dans les pays étrangers pour y établir la fabrique. » Il y a là une crainte et un souci constant. Lors de la crise de 1731, les marchands se plaignent sans cesse de la rareté trop grande des « bons ouvriers », en prenant soin de toujours désigner par le qualificatif « bon » l'ouvrier capable de faire de belles étoffes (et non celui qui n'est pas trop revendicatif...). Si les maîtres sont restés, la plupart des compagnons sont partis à l'étranger : « Cela est si vrai qu'à peine trouverait-on aujourd'hui dans Lyon deux cents compagnons à qui avec sûreté et tranquillité pour la perfection on puisse confier une étoffe de conséquence ».

La conclusion tirée par tous est simple : il faut trouver le moyen d'augmenter le nombre des ouvriers, mais cette solution comporte une insoluble contradiction. Pour augmenter la main-d'œuvre, il faut pouvoir la fixer de façon durable à Lyon, et l'accès à la maîtrise semble le meilleur moyen. La péroraison du mémoire des marchands en 1731 contient sous la forme d'un apologue une double morale justificative de l'état de soumission permanent qui doit rester celui du compagnon à l'égard des tout-puissants marchands : il compare la Fabrique lyonnaise à une armée, « qui périrait de ses propres mains » si les officiers faisaient preuve d'indépendance à l'encontre de leur général, et plus encore si « cet esprit d'indépendance passait jusqu'au simple soldat »; « le compagnon qui sans l'habileté nécessaire devient maître ouvrier, et le maître ouvrier qui sans faculté et sans intelligence devient marchand, forment une multitude assez semblable à cette armée sans discipline ». La conclusion est très caractéristique des structures mentales de la classe dirigeante, dès la première moitié du XVIIIe siècle. « Ces ouvriers seront donc bien plus recommandables à la République dans un *état qui leur est propre*, et qu'ils rempliront dignement, que dans un état emprunté et auquel ils n'ont nulle aptitude. Ils en seront même d'autant plus heureux que le bonheur de l'homme ne consiste point à être placé dans un rang plus ou moins élevé mais à *savoir se placer et se plaire dans celui qui lui est propre.* »

A cette société figée, les ouvriers opposent la conception d'une société plus ouverte, caractérisée par la possibilité d'une promotion interne indispensable à l'essor de la Fabrique, parce que seule elle pourrait attirer une main-d'œuvre de qualité, d'autant plus soucieuse de la perfection du travail que seule cette perfection lui permettrait de « sortir ainsi promptement que possible de la poussière ». Même quand ils ont abandonné l'espoir de devenir marchands, en 1761 par exemple, les maîtres ouvriers écrivent : « Le motif de celui qui se destine à un métier est d'y travailler, non pas comme ouvrier toute sa vie, mais comme maître. » Pendant tout le XVIIIe siècle les maîtres se font ainsi les porte-parole et les défenseurs des compagnons, dont ils ne diffèrent guère le plus souvent que par l'âge, et ils dénoncent toujours avec la même vigueur la cupidité du marchand qui « veut empêcher le pauvre ouvrier de sortir de son état et le réduire à l'esclavage... sans qu'il puisse avoir part au gâteau que le riche veut s'approprier en entier ». C'était déjà l'opinion des maîtres en 1731 quand ils assimilent apprentis, compagnons et maîtres dans un seul groupe hostile aux prétentions des marchands : « Combien cette option n'effraie-t-elle pas le compagnon et l'apprenti qui perdent la même espérance que le maître...? En effet, qui voudrait s'engager à une longue et pénible servitude, si ce n'est l'espérance de parvenir ensuite à un état plus doux? »

Après les émeutes de 1744, finalement les marchands imposèrent leur loi : ils purent dominer impunément jusqu'à la Révolution (et après...) les tisseurs lyonnais, que ceux-ci aient un statut de compagnon ou de maître. « On connaît actuellement dans la Fabrique plus de cinq cents compagnons dans le cas de s'établir et de se faire recevoir maîtres, qui sont obligés (parce que trop pauvres) de travailler toujours en qualité de compagnons. Mais il y a aussi plus de deux cents maîtres qui travaillent chez d'autres maîtres en qualité de simples compagnons. »

Comment d'ailleurs pourrait-il y avoir séparation entre deux groupes d'ouvriers que toute l'histoire de la Fabrique réunit? Le compagnon, succédant à l'apprenti, se rapproche de ce titre de maître qui est son ambition permanente. Dans les règlements, toutes sortes de clauses permettent de faciliter cet accès à la maîtrise. Seuls des droits d'inscription assez élevés, et l'obligation de 5 ans de travail comme compagnon dans la ville sont exigés : le chef-d'œuvre n'est dans la Fabrique qu'une sorte de rapide examen de contrôle des capacités techniques du postulant, et n'est en aucun cas une œuvre originale et difficile comme pour beaucoup d'autres métiers. Il est possible d'obtenir des lettres de maîtrise sans satisfaire à ces obligations : tout compagnon bénéficie d'une franchise, s'il épouse une fille de maître, ou une veuve. Il n'a alors que des frais plus faibles à payer, et il ne lui est point besoin de séjourner aussi longtemps dans le purgatoire du compagnonnage. Cette possibilité toujours existante de l'alliance avec une famille de maîtres suffit à expliquer la cohésion de la main-d'œuvre des ateliers. Dans tout le XVIIIe siècle, J. Godart n'a trouvé qu'une seule fois (en 1759) mention d'une initiative des compagnons hostile aux maîtres qui les employaient, avec menace de grève pour demander une augmentation du tarif de travail. En fait, dans la Fabrique, l'état de compagnon est uniquement transitoire : le compagnon n'a pas conscience de former un groupe à part, et ne ressent pas le besoin d'appartenir à des associations de compagnons, ou à des confréries particulières. La lutte sociale, quand elle a lieu, est menée par les maîtres auxquels sont associés les compagnons, contre les marchands qui décident souverainement des prix de façon.

Il ne faut pas oublier cependant que les règlements (et leurs modifications successives après 1667) contiennent toute une série d'articles que l'on a pu qualifier de malthusiens, en tout cas mesures de protection de la main-d'œuvre lyonnaise contre l'immixtion dans la Fabrique de travailleurs forains ou étrangers. On pourrait trouver dans l'application de ces règlements les éléments d'une rivalité importante entre Lyonnais et nouveaux venus. Les fils et filles de maîtres tirent de leur naissance lyonnaise tout un ensemble de privilèges considérables : ils sont dispensés de faire leur apprentissage, peuvent travailler (et être payés comme compagnons) très jeunes. Jusqu'en 1744, les fils de maîtres ont droit à la maîtrise à l'âge de 19 ans, repoussé à 21 ans ensuite (comme les compagnons qui épousent une fille de maître, dispensés ainsi de trois ans de compagnonnage). Il semble bien qu'un des buts essentiels des règlements soit la protection des privilèges des familles de maîtres.

De nombreuses limitations sont apportées à l'introduction dans la Fabrique d'éléments nouveaux. Les maîtres pendant tout le XVIIIe ne peuvent recevoir plus d'un apprenti en même temps; les apprentis ne sont acceptés que s'ils sont natifs de Lyon, ou des « neuf provinces limitrophes », ce qui exclut par exemple les Savoyards ou les Bourguignons. L'entrée des forains est soigneusement contrôlée, et les compagnons ou maîtres originaires des fabriques de Nîmes ou de Tours sont soumis à des restrictions si importantes qu'elles sont propres à décourager toute velléité d'installation à Lyon. Les étrangers, toujours soupçonnés de vouloir copier les secrets de fabrication pour les porter ensuite dans leur pays d'origine, sont exclus totalement des ateliers lyonnais, et leur installation devient tout à fait exceptionnelle, malgré les efforts de Gournay. Dans ces conditions, la Fabrique lyonnaise court le risque d'une sclérose progressive. Les adversaires des règlements, de Gournay à Turgot, accusent ceux-ci de concourir à la cherté excessive des soieries lyonnaises, le manque de concurrence entre la main-d'œuvre maintenant le prix de façon à un taux trop élevé.

La sclérose redoutée ne se produit pas. La Fabrique lyonnaise continue à attirer, peut-être plus à la campagne que dans la ville même. Il ne faut pas oublier que les familles d'ouvriers en soie ont de nombreux enfants : ceux-ci restent un réservoir important tout au long du XVIIIe siècle, les fils de maîtres ouvriers étant même parfois trop nombreux pour travailler dans l'atelier familial qui ne peut comprendre plus de quatre métiers.

La comparaison des contrats d'apprentissage et des contrats de mariage des ouvriers fait comprendre les conditions du renouvellement de la main-d'œuvre à l'intérieur de la Fabrique.

En moyenne, un apprenti sur quatre seulement est lyonnais, les trois autres étant provinciaux. La faible proportion des Lyonnais de naissance (étant bien entendu que les enfants des ouvriers en soie ne font pas leur apprentissage) est un fait important. Quelle que soit l'importance de la Fabrique, elle n'exerce pas une attraction considérable dans la ville de Lyon. Les difficultés des maîtres ouvriers sont bien connues de tous, et peu de parents envoient leurs enfants apprendre un métier dont l'avenir paraît toujours incertain.

La profession des parents est indiquée pour 203 apprentis nés à Lyon ayant passé leur contrat en 1746 et 1747. Le fait le plus important est que plus du tiers de ces apprentis sont fils de bourgeois (25) ou de marchands (59), donc d'origine sociale en apparence plus élevée que celle des ouvriers en soie. Les artisans forment cependant le groupe le plus nombreux (90) : une partie d'entre eux appartiennent déjà au monde des textiles (passementiers, fabricants de bas, teinturiers, tisserands et futainiers), mais toutes les professions artisanales de la ville sont représentées (9 fils de boulangers, 8 de cordonniers, 7 de tailleurs, 3 de charpentiers, 3 de menuisiers). Enfin les petits métiers non spécialisés ne se rencontrent que dans 22 contrats (10 affaneurs, 7 voituriers, 3 jardiniers, 2 domestiques). Il semble normal que ce soit les autres activités artisanales qui constituent le contingent le plus important des apprentis en soie extérieurs au monde de la Fabrique. Le fils de cordonnier, ou même celui de boulanger ne change pas réellement de monde en devenant ouvrier en soie. Plus surprenante est la présence d'un grand nombre d'enfants de marchands ou de bourgeois lyonnais.

La comparaison avec les contrats de mariage des ouvriers en soie montre qu'on ne retrouve pas ces fils de marchands installés comme ouvriers en soie. Sur 251 contrats de mariage de fabricants ou ouvriers, les fils de marchands et bourgeois ne sont que 49 (19,5 %), alors qu'ils formaient 41,3 % des contrats d'apprentissage. L'apprentissage du fils de marchand ou de bourgeois a le plus souvent un sens différent de celui du fils d'artisan. C'est avec l'ambition de faire de son fils un marchand-fabricant que le négociant, le marchand drapier, le marchand épicier, ou même le membre d'une profession libérale (le cas existe, bien que rare) le placent en apprentissage chez un maître ouvrier en soie. Après les années d'apprentissage, le plus souvent le jeune homme continue à apprendre le métier comme commis dans un magasin, avant d'acheter le droit de marchand : il est rare qu'il passe par la condition intermédiaire ou du compagnon ou du maître ouvrier. Les conditions mêmes de l'apprentissage sont différentes pour cette minorité plus riche.

L'étude des contrats de mariage signale l'augmentation du pourcentage des non-Lyonnais parmi les ouvriers en soie : mais ils ne sont cependant jamais plus de 40 %.

L'ORIGINE GÉOGRAPHIQUE DES OUVRIERS EN SOIE LYONNAIS AU XVIIIe SIÈCLE D'APRÈS LES CONTRATS DE MARIAGE

Périodes	Nés à Lyon		Nés hors de Lyon	
	Nombre	%	Nombre	%
1728-1730	275	78,4	76	21,6
1749-1751	288	60	191	40
1786-1788	460	63	269	37
TOTAL	1 023	66	536	34

Un quart des apprentis seulement est lyonnais de naissance. Deux tiers des ouvriers en soie au contraire sont lyonnais. Ces deux proportions traduisent l'importance des fils de maître dans la transmission du métier. Les trois quarts des Lyonnais, la moitié de l'ensemble des ouvriers en soie du XVIIIe siècle sont des fils de maîtres. Cette hérédité du métier a une énorme importance pour le maintien des traditions et des mentalités.

Les fils (mais aussi une partie des filles), habitués au travail sur le métier ou dans l'atelier dès leur enfance, restent toute leur vie dans ces ateliers, et ce malgré les difficultés et les risques de chômage. Dans leur réponse à Gournay, les maîtres ouvriers rappellent que la main-d'œuvre ne manque pas dans la Fabrique : ils citent l'enquête de 1753 d'après laquelle il y avait 8 163 enfants dans la Fabrique, « presque tous destinés à embrasser le métier de leur père ».

Ce sont ces maîtres ouvriers en soie, moitié fils de maîtres, moitié nouveaux venus dans la communauté, après un stage plus ou moins long comme apprenti ou compagnon, qui constituent la partie la plus vivante et la plus productive de la Fabrique lyonnaise. C'est leur idéal qu'ils décrivent quand ils s'opposent aux marchands, ou quand ils défendent leurs privilèges. Essayant de prouver que l'extension de la Fabrique dans la campagne serait la ruine des citoyens de Lyon et condamnerait à la misère ou à la désertion ses ouvriers, les représentants des maîtres ouvriers décrivent ainsi leur vie et leurs ambitions : « Il faut que l'*ouvrier trouve en travaillant les moyens de subsister*, et de soutenir les dépenses qu'il est contraint de faire continuellement par les changements de dessins; il faut du moins qu'un profit médiocre réveille son ardeur et excite son émulation... Nous ne sommes pas nés pour faire des fortunes, on n'en voit aucun exemple dans notre état, mais nous devons tirer quelque avantage d'un travail pénible et assujettissant. » Tel est l'idéal légué par les pères à leurs enfants, cette médiocrité laborieuse qui est transmise ainsi de génération en génération, malgré les peines et les difficultés.

L'état de la fortune des ouvriers en soie au XVIIIe siècle confirme-t-il cette image d'eux-mêmes que nous ont laissée les fabricants?

3. — LA MÉDIOCRITÉ DE LA FORTUNE DES OUVRIERS EN SOIE

Les contrats de mariage sont une fois encore la source quantitative la plus nombreuse pour l'étude de la fortune des ouvriers en soie.

Il est nécessaire de préciser que les fils et les filles de maîtres ne sont d'ailleurs pas toujours privilégiés par rapport aux autres ouvriers de la Fabrique lyonnaise : ils se marient en général plus jeunes, mais le plus souvent ils ne touchent pas de salaire pour leur travail effectué dans l'atelier familial, et n'ont donc à leur mariage d'autres revenus que la dot que veulent bien ou peuvent leur constituer leurs parents, souvent chargés de famille nombreuse, et dont l'essentiel de la fortune consiste dans la propriété des métiers de l'atelier.

LA RÉPARTITION DE LA FORTUNE DES OUVRIERS EN SOIE D'APRÈS LES APPORTS AU MARIAGE (cf. graphique XLVIII)

Apports au mariage	1728-1730		1749-1751		1786-1788	
	Nbre	%	Nbre	%	Nbre	%
Moins de 100 livres ...	107	23,7	76	13,4	127	13
De 100 à 500 livres	171	37,7	213	37,6	375	38,3
De 500 à 1 000 livres ..	99	21,9	163	28,8	278	28,5
De 1 000 à 2 000 livres.	48	10,7	78	13,7	126	13
Plus de 2 000 livres ..	27	6	37	6,5	71	7,2
TOTAL	452	100	567	100	977	100
Valeur moyenne des apports	581 livres		746 livres		886 livres	

La première remarque est celle de la stabilité de la fortune des ouvriers en soie : l'augmentation importante du nombre de la main-d'œuvre (plus que doublement de la première à la troisième période) ne semble pas se traduire par une augmentation du niveau de vie de ces ouvriers. Il y a sans doute une progression assez nette de la valeur moyenne des apports entre 1730 et 1750 (+ 28 %), mais c'est surtout après 1750 que se produit l'essor de la Fabrique marqué par la progression de la main-d'œuvre. De la deuxième à la troisième période, le nombre des ouvriers augmente de 72 %, et leur fortune moyenne de 18 % seulement, c'est-à-dire beaucoup moins que la simple hausse des prix pendant cette deuxième moitié du XVIIIe siècle. Cette première constatation indique (avec le fait que la crise de 1786-88 est particulièrement grave, et rejaillit donc sans doute sur la valeur des constitutions dotales) que la situation matérielle des ouvriers en soie ne s'est pas améliorée, ayant même parfois tendance à se dégrader.

Le nombre des contrats dans lesquels les apports sont particulièrement faibles (moins de 100 livres, c'est-à-dire moins que la valeur d'un métier, même de plein, même usagé) diminue sensiblement : il représente encore près du quart des contrats en 1730, moins d'un contrat sur sept ensuite. Les apports les plus élevés augmentent le plus ensuite : ceux de plus de 500 livres passant de 38,6 % lors de la première coupe, à 49 % dans la seconde et 48,7 % dans la troisième. La stabilité entre 1750 et 1786 est totale, il n'y a plus que des différences minimes, de moins de 1 % entre chaque niveau de fortune; il y a cependant une légère progression de la valeur moyenne explicable par le montant un peu plus élevé des contrats les plus importants, et par une légère augmentation des valeurs moyennes.

Cette statistique globale cache cependant certains éléments de l'évolution, ou d'une hiérarchie plus nette à l'intérieur du groupe des ouvriers en soie. On a vu combien la terminologie employée dans les contrats restait imprécise pendant tout le siècle : il est cependant possible de partager les nouveaux époux en deux grandes catégories, que l'on peut désigner pour des raisons de commodité de langage sous le nom, l'une des « compagnons », l'autre des « maîtres » ou, et cela semble bien recouvrir à peu près la même réalité dans la deuxième période, les « ouvriers en soie » (équivalent de compagnon) et les « fabricants » (ou maîtres). Les chiffres des apports au mariage séparent assez nettement ces deux groupes, qui suivent une évolution parallèle au cours du siècle, sans se rejoindre.

LA HIÉRARCHIE DES FORTUNES DES OUVRIERS EN SOIE ET DES MAITRES OUVRIERS SELON LES APPORTS AU MARIAGE

Apports au mariage	1728-1730		1749-1751		1786-1788	
	Compagnons	Maîtres	Compagnons	Maîtres	Compagnons	Maîtres
Moins de 100 l.	60	47	60	16	90	37
De 100 à 500 l.	44	127	115	98	205	170
De 500 à 1 000 l.	25	74	76	87	128	150
De 1 000 à 2 000 l.	10	38	28	50	55	71
De 2 000 à 5 000 l.	3	23	4	28	17	35
Plus de 5 000 l.	—	1	2	3	3	16
Total	142	310	285	282	498	479
Valeur moyenne des apports	373 l.	678 l.	532 l.	922 l.	635 l.	1.150 l.

Les écarts de fortune moyenne entre les deux groupes restent à peu près constants aux trois périodes du siècle, les apports au mariage des maîtres étant en moyenne de 80 % plus élevés que ceux des compagnons. Près du quart des compagnons ne se constituent pas 100 livres, et sont donc au même niveau que la plupart des travailleurs non spécialisés étudiés auparavant. Cependant, une évolution assez nette se dessine en faveur d'une réduction du pourcentage de ces ouvriers les plus pauvres : plus de 40 % dans la première moitié du siècle, moins de 20 % dans la seconde moitié sont en dessous de ce seuil de 100 livres. Le niveau médian reste la tranche de fortune comprise entre 100 et 500 livres : dans cette tranche se regroupent environ 40 % des compagnons ouvriers en soie lors de leur mariage.

L'enrichissement moyen est cependant très lent : au-dessus de 500 livres, la proportion reste plus basse dans la troisième période que dans la seconde, et 15 % seulement des compagnons disposent d'un capital évalué à 1 000 livres au moins lors de leur mariage, à la veille de la Révolution. Il semble bien que seuls ces quelques privilégiés aient une possibilité d'accéder à la maîtrise, c'est-à-dire de pouvoir payer les droits d'inscription sur les livres de la communauté, acheter la propriété des métiers et ouvrir un atelier indépendant.

La situation des maîtres est nettement meilleure. Une faible minorité est totalement démunie de fortune : 9 % se constituent moins de 100 livres, cette proportion n'étant même que de 5,5 % de 1749 à 1751. Les plus pauvres des maîtres ouvriers en soie sont d'ailleurs souvent des maîtres veufs, que la liquidation de leur premier mariage a laissés sans aucune ressource. La possession des outils de travail n'est pas toujours clairement énoncée dans les contrats, mais il ne faut pas oublier non plus que beaucoup de tisseurs, malgré leur titre de maîtrise, continuent à travailler comme compagnons dans d'autres ateliers, tant qu'ils n'ont pas les moyens suffisants pour s'installer à leur propre compte. Si la misère et le dénuement complets sont rares, la médiocrité reste l'image dominante présentée par ces maîtres ouvriers. Comme pour les compagnons, c'est dans la tranche de 100 à 500 livres que l'on en rencontre le plus grand nombre : près de 40 % encore, un peu plus au début du siècle, un peu moins à la fin. Le seuil de 1 000 livres n'est encore dépassé que par une minorité de maîtres : moins de 20 % en 1730, 29 % en 1750 et 26 % seulement en 1786. Cette baisse de la proportion des plus aisés en fin de siècle est assez caractéristique des difficultés du métier. On ne retrouve pas chez les ouvriers en soie, qu'ils soient compagnons ou qu'ils soient maîtres, une progression aussi nette des chiffres des apports au mariage que pour les membres des métiers.

La stagnation de la proportion des plus fortunés semble avoir deux significations. La Fabrique (du moins les ouvriers) profite moins que d'autres activités de l'enrichissement général du XVIIIe siècle. L'augmentation massive en nombre de la main-d'œuvre se traduit par un véritable appauvrissement de l'ensemble. La seconde moitié du XVIIIe siècle reste une période de prospérité pour la fabrique de soieries lyonnaise, qui accroît le nombre de ses métiers et sa production, mais cette progression se fait en grande partie au détriment des travailleurs de la Fabrique. Les mouvements sociaux de 1786 ont en partie leur source dans cette lente détérioration de leurs conditions de vie.

Les constitutions dotales lors du mariage révèlent donc une certaine hiérarchie des fortunes à l'intérieur du groupe des ouvriers en soie. La source utilisée pour établir cette hiérarchie nécessite quelques précisions supplémentaires. En effet, comme pour la plupart des Lyonnais, les dots sont avant tout constitutions des épouses, l'évaluation des biens des maris restant toujours des plus faibles. La personnalité des épouses est donc en grande partie responsable des différences de fortune entre des hommes exerçant la même activité dans des conditions comparables.

La répartition géographique des épouses fournit un premier renseignement :

L'ORIGINE GÉOGRAPHIQUE DES ÉPOUSES DES OUVRIERS EN SOIE AU XVIIIe SIÈCLE

Périodes	Nées à Lyon		Nées hors de Lyon	
	Nombre	%	Nombre	%
1728-1730	281	73,3	103	26,7
1749-1751	291	54,5	243	45,5
1786-1788	441	52,7	396	47,3
TOTAL	1 013	57,8	742	42,2

Si l'évolution est assez comparable à celle des hommes (progression nette des pourcentages des individus non lyonnais, et cependant supériorité numérique des Lyonnais jusqu'à la fin du XVIIIe siècle), une différence se remarque cependant : la proportion des épouses de naissance lyonnaise est toujours un peu plus faible que celle des hommes. A partir de 1750, c'est à peine plus d'un ouvrier en soie sur deux qui épouse une fille née à Lyon. Ainsi pour l'ensemble de nos trois sondages chronologiques il n'y a que 536 nouveaux Lyonnais parmi les ouvriers en soie, mais 742 nouvelles Lyonnaises parmi leurs épouses. C'est là un fait en opposition avec ce que nous avons remarqué pour l'ensemble des mouvements migratoires de la ville, fait qui renforce le caractère original et proprement lyonnais de la Fabrique (il ne faut pas oublier les lois restrictives pour l'admission des apprentis de l'extérieur, alors que les dévideuses savoyardes continuent à venir à Lyon en grand nombre pendant tout le siècle). Parallèlement à ce grand nombre de filles d'origine rurale et foraine, le pourcentage des filles de maîtres lyonnais est plus faible que pour les hommes.

LA PROPORTION DES FILLES DES OUVRIERS EN SOIE PARMI LES ÉPOUSES DES TRAVAILLEURS DE LA FABRIQUE AU XVIIIe SIÈCLE

Périodes	Nées à Lyon Nombre	Dont filles de fabricants		
		Nombre	% du nombre total	% des Lyonnaises
1728-1730 ..	281	184	47,9	65,4
1749-1751 ..	291	176	33	60,5
1786-1788 ..	441	305	36,4	69
TOTAL..	1 013	665	37,8	65,6

Pour un nombre comparable d'époux lyonnais par la naissance (1 023 hommes et 1 013 femmes), le nombre des fils d'ouvriers en soie est nettement plus important que celui des filles (767 contre 665); la place de celles-ci est donc dans l'ensemble moins importante, malgré les avantages qu'accordent les règlements aux compagnons qui épousent des filles de maîtres (franchise d'une partie des droits et diminution du temps de compagnonnage obligatoire). En réalité, deux sortes d'obstacles s'opposent au mariage des filles des ouvriers en soie. Quand leurs parents vivent encore, ceux-ci doivent leur constituer une dot : l'élément particulièrement recherché dans la dot par les compagnons est la présence d'un ou de plusieurs métiers, qui permettraient au jeune ménage d'ouvrir un atelier indépendant. Or chaque maître dispose d'un nombre restreint de métiers (quatre au maximum selon les règlements) : le plus souvent les fils recueillent ceux qui sont disponibles dans un héritage. Quand, au contraire, les filles de maîtres sont orphelines, leur situation est encore plus défavorable; et, même quand elles ont travaillé pendant des années sur le métier ou dans l'atelier paternel, elles n'ont jamais reçu le moindre salaire : leur travail permettait seulement de diminuer les frais de main-d'œuvre. Aussi les filles de maîtres, orphelines, n'ont-elles pas le plus souvent ce capital qu'ont amassé lentement les dévideuses et les ourdisseuses tout au long de leurs années de travail chichement payées.

Dans l'ensemble, en effet, ces jeunes femmes exercent un métier avant leur mariage, et le plus souvent leurs gains et épargnes forment l'essentiel de leur dot. Pour la dernière période où les contrats portent généralement l'indication du métier de la femme, 85 % des filles célibataires (veuves non comprises) sont indiquées comme exerçant un métier avant leur mariage, la grande majorité d'entre elles travaillant d'ailleurs déjà dans la Fabrique : 86 % étaient ou bien dévideuses ou bien ouvrières en soie. Le mariage est donc une association entre deux ouvriers du même travail : la femme continuera à travailler sur le métier après son mariage. C'est en quelque sorte une promotion pour les anciennes dévideuses, cela ne change guère le sort de l'ouvrière, qui devra ajouter les charges des enfants et du ménage à la conduite du métier.

Dans un essai de typologie des ménages d'ouvriers en soie, il ne faut donc pas donner trop de place à des images pourtant habituelles : la plus commune est celle de l'union de deux familles d'ouvriers en soie par le mariage, ce que l'on pourrait appeler pour des raisons de commodité des mariages mixtes (un fils de maître épousant une fille de maître), qui seraient le signe même de la stabilité et de la continuité du personnel de la Fabrique. De telles unions ne sont pourtant qu'une minorité des mariages contractés : 24 % seulement de 1729 à 1730, 22 % de 1786 à 1788; c'est montrer toute l'importance du renouvellement de la main-d'œuvre. La seconde image courante concerne le mariage d'un ouvrier avec la fille d'un maître, le plus souvent la fille du maître chez qui il travaille : ce type de mariage se rencontre dans moins de 10 % des contrats en 1730, dans 11 %

en 1786. Le plus souvent l'ouvrier en soie, qu'il soit déjà maître ou encore compagnon, épouse une fille de la campagne, assez souvent travaillant déjà dans son atelier, mais néanmoins nouvelle venue dans la Fabrique. Il faudrait ajouter les cas très nombreux de remariage : les veufs sont loin de tous épouser des veuves, et quelques veuves permettent par leur remariage l'accès à la maîtrise du compagnon qu'elles épousent. Les constitutions des veufs sont le plus souvent très faibles : il leur a fallu rendre à leurs enfants du premier lit, voire aux parents de leur première épouse, l'équivalent de la dot qu'ils avaient reçue, augmentée des droits divers accordés par le contrat, si bien qu'ils se retrouvent aussi pauvres que de jeunes compagnons, quand ils ne sont pas encore chargés de nombreux enfants. Les veuves se constituent les biens délaissés par leur mari défunt, le plus souvent inventoriés, et qui leur tiennent lieu de dot; les biens ainsi délaissés sont souvent inférieurs aux droits de la femme : ainsi Madeleine Prévot, veuve de Jean-Pierre Gubian, maître fabricant, explique-t-elle que son premier mari n'a pu augmenter sa fortune, à cause d'une maladie « dont il a langui pendant dix-huit mois avant sa mort, et à cause de la cessation de travail qui a porté et porte encore malheureusement la désolation dans la Fabrique ». Dans ces contrats intéressant des veufs se trouvent le plus fréquemment des métiers de toutes sortes : leurs prix sont des plus variables (selon le type de l'étoffe tissée, mais aussi selon la plus ou moins grande vétusté). Les contrats contiennent souvent des allusions à des ventes de métiers entre le nouveau maître et la famille de ses beaux-parents par exemple, ventes qui annulent totalement les dots. Même des constitutions en argent liquide sont, dès le contrat, hypothéquées en vue de l'achat de ces instruments nécessaires à la profession, et quand les parents peuvent donner quelques métiers, c'est en échange de compensations souvent onéreuses : les parents, surtout quand ils sont âgés, cherchent à se placer sous la protection et à la charge de leurs enfants, avec lesquels ils continuent à travailler quelque temps, mais chez lesquels ils veulent vivre le plus longtemps possible.

On se contente souvent, pour décrire la condition des ouvriers en soie de Lyon, du jugement que porta Arthur Young sur l'état de la Fabrique lyonnaise au début de la Révolution : « Justement, tous ceux de la ville avec qui j'ai parlé représentent l'état des fabriques comme atteignant la plus extrême misère. Vingt mille personnes ne vivent que de charités, et la détresse des basses classes est la plus grande que l'on ait vue, plus grande que l'on ne pourrait se l'imaginer. »

Les mémoires et les études sur Lyon ne manquent pas, pour décrire tous les aspects de cette misère, et il y aurait une anthologie à faire pour relever toutes les expressions utilisées, avec les transformations du goût et de la sensibilité, pour apitoyer les concitoyens sur le sort des ouvriers en soie lyonnais. Le plus souvent les deux notions de pauvre et d'ouvrier sont étroitement associées : un exemple significatif est donné par la correspondance de M. de Saint-Fonds et du président Dugas, dont les préoccupations sociales sont pourtant presque totalement absentes. Sur une période de 28 ans, on n'y trouve qu'une seule allusion au problème de l'aide aux pauvres dans la ville de Lyon, sous la forme d'une société de commandite qui occuperait les ouvriers en chômage : « M. Michalet vous a donc parlé de notre projet pour le soulagement des pauvres. Nous pensons, et c'est le sentiment commun, que la meilleure manière de les assister est de les faire travailler. Cela n'a pas besoin de preuves. Il ne s'agit, dans notre projet, que des *ouvriers en soie qui font le plus grand nombre des pauvres*. »

Cette assimilation commode ne recouvre pas exactement la réalité. Lors de la crise de 1709, dans le recensement opéré pour permettre la gestion du grenier de l'Abondance dans une période particulièrement grave de disette, c'est un total de 67 160 personnes dont la ville prend la nourriture à sa charge (77 % du total de la population lyonnaise) : si les « pauvres » représentent alors les trois quarts de la population, il faut bien admettre que les ouvriers en soie ne sont pas seuls à former leurs rangs. Il est assez logique de croire que c'est par facilité d'abord que les ouvriers en soie et les pauvres sont ainsi associés pendant tout le siècle, simplement parce qu'ils forment le corps de métier le plus nombreux.

Pendant le règne de Louis XVI, les ouvriers en soie, en présentant leurs revendications de salaires, vont plus loin dans la description de leur misère, dénonçant cette « alliance monstrueuse du travail et de la misère..., l'ouvrier le plus actif étant condamné à une triste indigence, qui ne devrait être que la punition de la paresse ». Présentant le budget type des ouvriers en soie lyonnais si souvent reproduit et commenté, avec son déficit annuel, les maîtres ouvriers ajoutent : « Comment nous avons fait? et demandez-le à tant de maîtres expatriés ou réduits à l'état de mendiants, demandez-le aux hôpitaux, où nos enfants abandonnés malgré le cri de la nature s'accumulent tous les jours, demandez-le à ceux qui ont vu s'absorber entre leurs mains les épargnes de leurs pères et les héritages qu'ils ont pu recueillir. Et si vous voulez comprendre encore mieux comment nous avons pu traîner jusqu'à ce jour notre malheureuse existence, venez dans nos ateliers, vous verrez quelques ouvriers se soutenir par un travail forcé de 18 ou 19 heures chaque jour, par un travail continu que les fêtes et les dimanches n'interrompent jamais; vous les verrez excédés de fatigue se refuser les aliments, ou ne se repaître que des rebuts dédaignés par l'aisance, retrancher sans cesse quelque chose sur les besoins ordinaires; vous les verrez couverts de haillons et leurs réduits dévastés : voilà les moyens qui en ont soutenu plusieurs. » Comme les marchands refusent toute augmentation des tarifs, force est de recourir à la charité. Faisant appel aux largesses des bourgeois lyonnais (et des fabricants !), le curé de Saint-Nizier, Navarre, en 1787, décrit la condition des ouvriers en soie, responsables de l'opulence de la ville de Lyon : « C'est dans les travaux de ces hommes nourris avec frugalité, de ces bras faibles à demi vêtus, qui ne paraissent avoir d'autre talent, d'autre force, que celle qui est nécessaire pour leur art, qui habitent dans des galetas dont les instruments de leur art font tout l'ornement, et qui après 40 ou 50 ans de travail terminent leur carrière dans le sein de la pauvreté, entre les bras de la Charité, et n'ont d'autre tombeau que celui qui est destiné aux pauvres. » Le plaidoyer du prêtre chargé de recueillir les dons et de les distribuer reprend en somme les termes mêmes utilisés par les maîtres ouvriers.

Il semble donc normal d'assimiler la pauvreté et l'état d'ouvrier en soie, condition normale et permanente d'une main-d'œuvre qui ne participe pas directement aux profits de la Fabrique et au luxe de la ville de Lyon. Il faut cependant remarquer que cette identification est faite particulièrement aux périodes de crise. Il serait alors nécessaire de définir plus exactement les crises de la Fabrique lyonnaise. Les causes peuvent sembler futiles, dans une activité qui dépend essentiellement d'une clientèle de luxe, à priori moins touchée par les crises alimentaires de type ancien. Les marchands ne cessent de souligner les trois causes extérieures les plus néfastes : les deuils de la cour, les guerres et la concurrence des fabriques étrangères, toujours favorisée par le départ et l'exode d'une partie des ouvriers lyonnais incapables de subsister à Lyon.

Toutes ces crises amplifient les phénomènes habituels de la misère, abandons d'enfants, départs des ouvriers, mendicité, charité demandée par tous et particulièrement par les vieux ouvriers qui demandent asile à l'hôpital de la Charité... Le curé de Saint-Nizier, pour « émouvoir » son auditoire de riches, trouve les mots les plus sensibles pour décrire l'état de ces ouvriers : « Ils vont dans leur atelier, la douleur dans le cœur, le maître envisage son métier comme le pilote échappé au naufrage regarde une portion du mât de son vaisseau submergé; l'épouse, voyant son époux rentrer dans la maison les mains vides, fond en larmes, les enfants entourent cette mère désolée, s'attachent à ses vêtements et, dans leurs embrassements de tendresse et de sensibilité, ils mêlent leurs pleurs avec ceux de leur mère. Le jour se passe en arrosant le peu de pain qui reste des larmes de toute la famille, et bientôt la faim dévore le père, la mère et les enfants. »

Crainte du chômage, hantise de la mendicité à laquelle est acculé l'ouvrier sans travail et sans réserves sont deux traits permanents de l'histoire de la main-d'œuvre de la Fabrique lyonnaise. Surtout dans la deuxième moitié du siècle, les revendications d'un tarif concerté avec les marchands, et ce jusqu'aux cahiers de doléances des États généraux, ont toujours ce même but : la devise qui deviendra célèbre au siècle suivant, « Travailler ou mourir », s'applique déjà littéralement alors, mais la peur est avant tout celle de mourir de faim. Lors de toutes les périodes difficiles, il ne manque pas de témoignages pour dépeindre ces « troupes de pauvres ouvriers réduits à la mendicité..., les allées et les rues de traverse occupées sur le soir par des pauvres honteux qui rougissent d'exposer leur misère au grand jour », ou ces « 30 000 spectres décharnés et livides promenant leur inutilité et leur misère ».

La conclusion s'impose d'elle-même : les ouvriers en soie sont des pauvres parmi les pauvres, au même niveau que ces gens du menu peuple, avec lequel les classe M. Gascon par exemple. Toutes les années de crises servent de révélateurs; elles montrent l'ouvrier en soie tel qu'il est : un mendiant temporaire, sans cesse accablé par des périodes de chômage ou de maladie qui ne lui permettent jamais de gagner honorablement sa vie par le travail.

Les crises sont en effet révélatrices : mais de quoi exactement ? Elles mettent en lumière un fait essentiel : les fabricants (et il s'agit aussi bien des ouvriers que des maîtres) ne peuvent pas épargner sur leurs gains suffisamment pour faire face aux jours difficiles ; c'est un peu la caractéristique de tous les travailleurs manuels, et ce longtemps après la chute de l'Ancien Régime. Toujours dans les présentations de leur budget type en 1780, les ouvriers en soie, en dépit des périodes oratoires citées plus haut, ne se plaignent pas tellement de l'insuffisance du quotidien, mais du manque de sécurité : « Rien pour les délassements simples et honnêtes que l'homme actif et industrieux devrait goûter quelquefois, et dont l'ouvrier a besoin plus que les hommes oisifs, rien pour les maladies, les accidents imprévus, le chômage, les impôts sans cesse accrus, l'éducation des enfants, l'entretien de l'appartement. » Or ces exemples de budget contredisent un peu les déclarations les plus pessimistes. Ces « mendiants » supposent tous les jours gras, et achètent tous les jours 2 livres 1/4 ou 2 livres 1/2 de viande : quel paysan de la France de l'Ancien Régime peut se permettre un plat de viande (même de mauvaise qualité) chaque jour ? Dans les dépenses, à côté du perruquier figure la consommation de tabac ! Les investissements en habillements sont loin aussi de représenter des hardes ou des loques de vil prix achetées chez le fripier : les marchands, quand ils répondent aux ouvriers, ne sont pas en reste pour expliquer que le tableau des dépenses leur paraît incontestablement exagéré, et en tout cas ne pas traduire une réelle pauvreté...

Il y a bien réalité de la misère, mais à quelques époques de conjoncture difficile seulement. Recensant les crises du XVIIIe siècle, après celle de 1709, J. Godart ajoute : « Il nous faut aller jusqu'en 1750 pour trouver une crise vraiment importante. »

A partir de 1750, il semble que les difficultés deviennent plus fréquentes, mais il faut aussi tenir compte du fait que le nombre des métiers a beaucoup augmenté, de même que le nombre des ouvriers : ce sont ces nouveaux métiers qui s'arrêtent dès que le chômage intervient, d'où les dates plus rapprochées : 1756, 1766, 1771, 1784, 1787 enfin. L'organisation des secours charitables se développe dans cette seconde moitié du siècle, parce que les besoins se font plus fréquents. Il semble bien que les ouvriers du début du règne de Louis XV ont pu vivre une vie entière sans être touchés par une crise grave; leurs fils, mais plus encore leurs petits-fils, ont par contre été frappés, chacun plusieurs fois sans doute, en l'espace de vingt-cinq ans, par ces arrêts de travail et le dénuement. Cette succession des crises explique la violence et l'âpreté des revendications ouvrières à partir de 1780 en particulier, en même temps que la faiblesse de leur position dans un marché du travail surchargé et devant une concurrence internationale accrue. L'insécurité du travail crée un climat tendu dans la Fabrique, les transformations des règlements et la revendication de la liberté du travail, la permission de faire travailler filles et femmes sur les métiers avec un salaire moindre que celui accordé aux compagnons, toutes ces causes semblent s'ajouter pour rendre plus précaires la condition et le niveau de vie de la majorité des ouvriers en soie en cette fin du XVIIIe siècle.

Il ne faut pas oublier en effet que la Fabrique connaît des périodes de prospérité, parfois assez longues, entre ces années plus critiques. Il serait possible de citer tout autant de témoignages sur le luxe et l'éclat de la Fabrique lyonnaise. En 1755, quelques années seulement après les très dures années 1750, les marchands se réjouissent du mauvais état de toutes les fabriques étrangères concurrentes, des anglaises comme des hollandaises, ce qui « annonce assez que la manufacture lyonnaise anéantira tôt ou tard les manufactures étrangères ».

Les ouvriers eux-mêmes affirment qu'ils n'ont jamais pu s'enrichir, mais ils expliquent leur survie, malgré le tarif insuffisant, par la lente dissipation des héritages reçus de leurs parents, comme eux ouvriers en soie... Les salaires n'ont pas augmenté depuis trente ans alors que les prix ont doublé, disent-ils : ils vivent encore, mal, mais en mangeant de la viande chaque jour, avec ce pouvoir d'achat réduit de moitié, mais ils ne faisaient pas d'économie auparavant. Il y a pas mal de contradictions dans toutes les affirmations de ces « pauvres » ouvriers en soie.

Pour répondre à la question initiale, à savoir si la masse des ouvriers en soie est vouée à la pauvreté après de longues années d'exercice du métier, il reste nécessaire de revenir aux sources individuelles de toute sorte qui présentent quelques portraits « socio-économiques » de fabricants lyonnais. Il faut alors recourir à des exemples précis, qui illustrent les différentes situations possibles, au risque de donner une valeur typique à ce qui n'est peut-être qu'accident particulier.

Les deux documents proprement statistiques utilisés livrent une première réponse incontestable. Les registres fiscaux, que ce soit les quelques feuillets de capitation datant des règnes de Louis XIV et de Louis XV, que ce soit au contraire les registres de la contribution mobilière de 1791, sont sans équivoque.

Le recensement des ouvriers en soie du quartier Saint-Georges en 1770 (année de crise et de chômage) dénombre 396 ménages d'ouvriers en soie, dont 353 disposant d'au moins un métier. Sur l'ensemble de ces travailleurs de la Fabrique, 69 sont signalés en marge du registre comme pauvres (un même comme « très pauvre »), dont 51 possesseurs de métiers. Le chômage est presque toujours la raison de cette pauvreté qui exempte de l'imposition de la capitation : il est alors fait mention en marge qu'un ou plusieurs métiers ne travaillent pas, et comme la moitié de ces pauvres ne possèdent qu'un seul métier, ils sont absolument sans ressources en cas d'arrêt momentané du travail. La vieillesse est la deuxième cause de la pauvreté le plus souvent rencontrée, souvent liée à une infirmité physique : certains sont malades, chroniques ou permanents, deux ont laissé leur femme seule, ayant trouvé asile à l'hôpital de la Charité par suite de leur grand âge. Quelques autres enfin, bien qu'imposés, sont reconnus avoir des dettes envers les marchands pour lesquels ils fabriquent. Enfin la proportion des pauvres est beaucoup plus grande pour les filles dévideuses, ou pour les quelques compagnons établis en ménage, mais ne possédant pas de métiers. Trois maîtres enfin travaillent comme compagnons chez d'autres ouvriers. D'après ce document, environ un septième des maîtres ouvriers en soie du quartier Saint-Georges (à vrai dire un des plus pauvres de Lyon) serait en dessous de ce seuil d'imposition qui marque la « pauvreté légale », si l'on peut ainsi s'exprimer.

Les contrats de mariage, quelle que soit leur imprécision, confirment partiellement les données des sources fiscales. Le nombre des ouvriers en soie disposant de moins de 100 livres lors de leur mariage, n'ayant donc la possibilité ni d'accéder à la maîtrise, ni d'acquérir un métier, ne cesse de diminuer au cours du siècle pour ne plus représenter à partir de 1750 qu'environ 13 % des nouveaux époux : on retrouve la même proportion d'un septième environ. Sur la masse des ouvriers en soie lyonnais, il y a donc une petite partie de « pauvres », dont les chances d'accéder à un niveau économique moyen restent très faibles.

D'après les contrats de mariage toujours, la plus grande partie des ouvriers en soie lyonnais — les deux tiers — sont compris dans les tranches de fortune médianes, plus de 100 livres, mais moins de 1 000 livres. Il y a là une uniformité de la condition sociale de la majorité des employés de la Fabrique. Toute une série d'annotations dans les contrats de mariage, mais aussi dans les inventaires après décès, ou même les testaments, permet de mieux mesurer cette richesse moyenne et son insécurité permanente. Marie Meunier, ouvrière en soie orpheline, contracte mariage en 1787 avec un fabricant : elle n'a pas encore atteint sa majorité, et elle fait demande d'un curateur qui puisse la représenter pour la signature du contrat de mariage. Elle explique la raison de sa demande, voulant se marier sans retard, ayant « trouvé un parti avantageux ». Ce parti avantageux, et recherché..., représente une fortune de 200 livres pour le nouveau ménage, 100 livres pour chacun des deux époux. Dans cet exemple se décèle la limite extrême d'une certaine position sociale : pour les notables lyonnais qui accordent le curateur demandé par la jeune fille, c'est bien un parti avantageux, pour une jeune ouvrière en soie orpheline, d'épouser un fabricant qui n'a d'autre fortune que l'exercice de son métier. Il y a dans cette somme le seuil de la pauvreté, qui se retrouve souvent dans d'autres actes. Jean-François Vial, maître ouvrier en soie rue de l'Arbre-Sec, dépose son testament en 1732 : il laisse 5 enfants vivants, une fille mariée et 4 fils. Il lègue 50 livres à deux de ses fils, et institue ses héritiers universels les deux autres « qui ont toujours travaillé avec application et sans discontinuation auprès de leur père et à son bénéfice, sans quoi il aurait eu peine à élever sa famille ». Le testateur précise qu'il n'a jamais travaillé à son compte, qu'il ne possède que ses meubles et ses métiers. Dans un codicille déposé quelques mois plus tard, il réduit à 10 sols le legs de 50 livres fait à son fils Alexandre, à cause de « la dépense qu'il a faite pour la réception à la maîtrise du dit art de draps de soie ». Voici un excellent exemple de l'histoire d'une famille : un maître chargé de famille nombreuse réussit à vivre parce que deux de ses fils travaillent sur ses métiers, et qu'il ne les paye pas. A sa mort, deux de ses fils ne posséderont rien d'autre que leur titre de maître (ou 50 livres);

les deux autres ne sont guère plus favorisés, puisqu'ils devront se partager les métiers de leur père, qui avait peine à vivre avec l'ensemble. Il y a là une illustration de la dégradation possible de la situation des familles d'ouvriers en soie : bien rares sont les fils de maîtres qui peuvent commencer leur vie indépendante avec une situation financière meilleure que celle de leurs parents.

Le manque de réserves est le trait le plus caractéristique du budget des ouvriers en soie et suffit à expliquer l'aspect dramatique de leur situation lors de la moindre crise. Tous les inventaires après décès décrivent les mêmes scènes, toujours renouvelées. A peine les scellés sont-ils apposés sur les portes du logement exigu, et déjà arrivent les divers opposants : en premier lieu, le marchand-fabricant qui vient reprendre les soies ou les matières d'or et d'argent confiées au fabricant. Le plus souvent le solde du travail est négatif par suite des avances, et la description des livres de l'ouvrier est toujours la même : les comptes sont soldés, ou c'est l'ouvrier qui est débiteur. Le boulanger, le boucher, le propriétaire de l'appartement, souvent un médecin, un chirurgien ou un apothicaire présentent leur note. Les domestiques et les ouvriers sont tous en retard de leurs gages, et cela parfois pour une longue période, assez souvent supérieure à un an pour les ouvrières à gages ou pour les dévideuses. Et il n'y a jamais d'argent dans la caisse : il faut emprunter pour la vie quotidienne, et vendre une partie des effets pour payer aussi bien les frais de l'enterrement que ceux de l'inventaire... Claude Joly était ouvrier en soie, occupant une chambre au 2e étage de la rue Romarin depuis quarante-trois ans; le loyer est faible (66 livres par an), mais la place doit être rare dans cette chambre occupée par trois métiers de plein... Il revient à la veuve 37 livres 4 sols sur la fabrication de 166 aulnes de taffetas montées sur les métiers, mais la veuve doit 40 livres 15 sols au fabricant, en plus du prix de façon qu'elle a reçu. Aussi, pour subvenir aux premières dépenses, elle porte chez une prêteuse sur gages sa chaîne d'or.

Il est inutile de multiplier les exemples : de tous il ressort le même sentiment de précarité de la vie quotidienne, le même désarroi devant les accidents et les difficultés de l'existence. Cette insécurité gagne jusqu'aux plus aisés des ouvriers en soie.

Dans les registres de mutations immobilières, nombreux sont les ouvriers en soie qui mettent en vente leurs propriétés familiales : portions de maisons à Lyon, lopins de terres ou de vignes à la campagne hérités de leurs parents, propriétés dont ils ne peuvent payer les charges et dont ils finissent par se dessaisir. Si les affaires paraissent florissantes, ces ouvriers sont tentés par l'investissement de leurs bénéfices dans l'acquisition d'une maison à Lyon, qui les ferait accéder à une dignité supérieure et à la bourgeoisie. Bien rares sont ceux qui y parviennent. Étienne Souchard, maître fabricant à Lyon, a ainsi acheté une maison aux recteurs de la Charité : ce n'est qu'à la veille de sa mort qu'il en termine le paiement. Il ne peut plus laisser à chacun de ses trois enfants qu'un legs de 300 livres, et encore leur demande-t-il prudemment de régler sa succession à l'amiable en prohibant tout inventaire, « parce que s'il décède de la maladie dont il est atteint, les frais indispensables pour son soulagement, et la diminution arrivée sur les marchandises, emporteront une partie de sa succession en sorte que les frais d'un inventaire inutile achèveraient de la consommer ».

Et pourtant le tableau ainsi esquissé est un peu pessimiste. A côté d'une minorité misérable, d'une majorité aux ressources médiocres, vivant toujours dans l'inquiétude de quelque événement imprévu, contre lequel le manque de réserves empêche de se prémunir, il existe une troisième partie de la communauté des ouvriers en soie, pour laquelle on ne peut pas parler véritablement de richesse, mais au moins d'aisance. Cette dernière partie n'est sans doute pas très nombreuse : mais de 1750 à 1789 il y a quand même 11 % des contrats de mariage dans lesquels la dot est supérieure à 2 000 livres (pour les seuls maîtres), et ce seuil de 2 000 livres peut être considéré comme le niveau inférieur de cette aisance atteinte par quelques-uns. Si certains ne peuvent conserver ce patrimoine, d'autres ou le maintiennent, ou le font prospérer. Les inventaires après décès en donnent peu d'exemples pour au moins deux raisons : en premier lieu les inventaires concernent plus souvent des successions douteuses que de bons héritages, pour lesquels les arrangements à l'amiable sont préférés; en deuxième lieu beaucoup de ces maîtres ouvriers enrichis par leur travail quittent leur condition d'ouvriers pour accéder à celle de marchands. L'histoire de la Fabrique lyonnaise au XVIIIe siècle a vu se créer à côté de la classe des marchands-fabricants, et ce malgré leur résistance, une catégorie intermédiaire de « maîtres ouvriers-marchands », en réalité des maîtres ouvriers qui travaillent pour leur propre compte sans passer par l'intermédiaire des marchands. Malgré les règlements et les réclamations des marchands (en 1731 et 1744 en particulier), ces maîtres marchands subsistent pendant tout le siècle : les ouvriers tiennent particulièrement à la permanence de cet état, qui justifie à leurs yeux leur assiduité au travail par la perspective d'une promotion sociale qui viendrait couronner leur succès. Aux marchands qui leur prônent les vertus de leur condition ouvrière : « Il faut les remettre dans un état plus heureux et plus tranquille que celui dans lequel les a jetés une idée illusoire de fortune chimérique... même s'il en coûte à leur amour-propre de descendre de condition, il faut le faire pour le bien de la République », les maîtres marchands répondent par un idéal tout différent : « L'ouvrier-marchand, avec un fonds modique, qui est ordinairement le fruit de ses travaux, peut enfin parvenir à cette fortune qui fait son objet, en économisant par ses mains ce petit fonds, et en le faisant profiter tous les jours, par là il se donne de l'émulation. Il donne une honnête éducation à la famille qu'il élève, et il parvient enfin au même état où sont parvenus les auteurs de l'arrêt dont il s'agit. » L'accès au titre de marchand leur permet de contracter des mariages avantageux, et seul l'égoïsme des marchands peut leur interdire cette voie. D'ailleurs, ajoutent-ils, la plupart des marchands d'aujourd'hui ont suivi cette carrière pour parvenir à cet état : « Qu'on les suive depuis leur naissance jusqu'à l'heureuse situation où ils se trouvent, si l'on veut avoir la preuve de cette liberté, de cette émulation et de cette espérance si nécessaires dans leur profession. »

Il faut bien se garder de présenter les ouvriers de la Fabrique lyonnaise sous la forme d'un bloc trop monolithique, uniformément aux prises avec la pauvreté et les difficultés de la vie matérielle de chaque jour.

« Pour assurer et maintenir la prospérité de nos manufactures, il est nécessaire que l'ouvrier ne s'enrichisse jamais, qu'il n'ait précisément que ce qu'il lui faut pour se bien nourrir et pour se bien vêtir », prétendait Étienne Mayet, le directeur des manufactures du roi de Prusse, dans un mémoire consacré aux fabriques de Lyon. Il semble bien que cet idéal, celui des règlements de la communauté qui voudraient imposer à tous une égale médiocrité dans l'asservissement aux marchands, n'ait jamais trouvé son complet développement à Lyon. Beaucoup d'ouvriers restent en dessous de ce minimum vital, par suite des bas salaires; quelques-uns réussissent à s'élever plus haut, à se poser en concurrents des marchands qu'ils ont l'ambition de devenir.

4. — NIVEAU D'INSTRUCTION ET CULTURE

Il n'existe aucun texte, aucun document permettant de connaître le niveau d'instruction précis des ouvriers en soie. Le mémoire des marchands de 1731, toujours systématiquement hostile aux ouvriers, présente sous un jour très défavorable les « ouvriers-marchands » : « sans aucune des lumières nécessaires au commerce, *quelquefois même sans savoir lire ni écrire*, et sans autre intelligence qu'une connaissance bornée de leur travail ». De leur côté, dans leurs exemples de budgets, les ouvriers consacrent toujours un chapitre aux dépenses de l'éducation de leurs enfants, et ils revendiquent le droit à l'instruction de ceux-ci. Il y a là encore une contradiction qu'il est difficile de résoudre. La seule approche possible reste celle des comptages et vérifications de signatures dans les divers actes professionnels ou notariés intéressant les ouvriers en soie. Cette méthode comporte bien des imprécisions : rien ne dit que l'ouvrier, capable de signer son nom, sache vraiment écrire, ou lire. Beaucoup de ces signatures restent assez informes et ne montrent pas une grande habitude de l'écriture de la part de leurs auteurs. Godart signale ces « grosses écritures appliquées et inhabiles » des maîtres ouvriers d'un mémoire de 1780 avec le commentaire : « Nous aurions put avoir la signature de tous les maîtres, mais on set contanté de quelques une bien connu et honnête » (*sic*). Dans l'ensemble pourtant il semble bien que la grande majorité des maîtres ouvriers étaient capables d'écrire lisiblement. Dans une assemblée de maîtres ouvriers à façon de 1789, sur 537 maîtres présents, 492 apposent une signature correcte, et seuls 45 (8,3 %) déclarent ne pas savoir signer.

Il reste que le dénombrement des signatures ne permet pas de savoir comment les ouvriers en soie ont acquis cette connaissance élémentaire. Nous avons noté le fort pourcentage des apprentis signant leur contrat d'apprentissage, surtout parmi les apprentis de naissance lyonnaise (plus de 70 % en 1746 et 1747), alors qu'ils n'ont que 14 ou 15 ans ; cette simple remarque semble indiquer que c'est bien dans leur enfance que ces futurs ouvriers ont appris les rudiments de l'écriture, et sans doute de la lecture. Les apprentis ruraux sont un peu moins favorisés, et il ne faut pas oublier que c'est parmi eux que sont les plus nombreux les échecs ou les renoncements en cours d'apprentissage. Nous avons relevé aussi dans les contrats d'apprentissage les quelques mentions du désir de laisser aux jeunes gens quelques heures par jour ou par semaine pour se « perfectionner » dans la connaissance et la pratique de l'écriture, et même des comptes. Il n'est pas exagéré de dire que cette pratique est presque indispensable au chef d'atelier lyonnais, et ce depuis longtemps déjà. Dès le règlement de 1554, figure la nécessité pour l'ouvrier de tenir un livre de ses façons, où il inscrit et les quantités de matière reçues du marchand, et les salaires payés au compagnon, et le prix de

LE POURCENTAGE DES OUVRIERS EN SOIE CAPABLES DE SIGNER LEUR CONTRAT DE MARIAGE AU XVIIIe SIÈCLE

Périodes	Nombre total	Apports au mariage		
		Moins de 500 l.	500 à 1 000 l.	Plus de 1 000 l.
	%	%	%	%
1728-1730 ..	71,3	66	77,9	83
1749-1751 ..	72,3	64,4	73	90,7
1786-1788 ..	74,1	66,2	76,2	91
TOTAL ..	72,9	65,5	75,4	89,2

façon reçu du maître. Ce livre des façons se rencontre dans tous les inventaires après décès des maîtres ouvriers pendant le XVIIIe siècle. Bien peu ont été conservés, mais tous sont réellement écrits de la main du maître, bien mal sans doute, à peine lisibles, et semés de fautes d'orthographe... L'analphabétisme est un handicap pour l'ouvrier en soie dans la gestion de son atelier : la comparaison entre les livres des maîtres et ceux des marchands en cas de litige sur les prix de façon (c'est la seule pièce valable pour un désaccord de ce genre) rend bien indispensable la tenue de ce livre par l'ouvrier, s'il veut pouvoir s'opposer à certaines prétentions de son marchand.

On a rassemblé dans un premier tableau les statistiques concernant la signature des ouvriers en soie (hommes seulement) dans les contrats de mariage du XVIIIe siècle.

Ces proportions montrent un monde ouvrier très différent de celui que nous avons rencontré avec le menu peuple de Lyon. Il n'y a pas grande différence entre la fortune de ces hommes du menu peuple et celle des ouvriers en soie. Mais la différence est considérable en ce qui concerne l'alphabétisation, au moins élémentaire, ainsi constatée. Alors que le pourcentage de signatures des journaliers, des affaneurs, des voituriers oscille entre 25 et 33 %, dès le début du siècle, ce pourcentage est supérieur à 70 % pour les ouvriers en soie. Plus remarquable encore est la proportion de ceux qui signent malgré leur absence de moyens financiers : les plus pauvres sont à peine moins instruits que les plus aisés; une certaine évolution se remarque cependant au cours du XVIIIe siècle.

Une seconde observation concernant la signature des épouses révèle une situation totalement différente. Alors qu'une large majorité des hommes écrit tant bien que mal, les femmes analphabètes restent les plus nombreuses. Les chiffres des signatures sont même en régression : 43 % des épouses signent en 1728-30, 41 % de 1749 à 1751, et 38 % de 1786 à 1788, à peine plus du tiers. On avait déjà remarqué que les filles d'origine rurale étaient plus nombreuses dans la Fabrique que les hommes. Elles commencent à exercer très jeunes leur métier d'ourdisseuse, de dévideuse ou de tireuse de cordes. Celles qui épousent un compagnon de leur atelier, ou même le fils de leur maître, n'ont à aucun moment pu acquérir un minimum d'instruction. Plus les rurales sont nombreuses, plus le pourcentage des analphabètes s'élève. Il y a là source de difficultés accrues pour les veuves de maîtres, incapables de tenir le livre des façons. Cette seule infériorité suffit à expliquer, et leur remariage rapide quand elles le peuvent, et leur grande misère quand elles essaient seules de faire continuer la marche de l'atelier.

Il faut retenir de ces chiffres quelques observations : d'abord la différence, qui reste très sensible, entre le sort réservé aux garçons et celui accordé aux filles. Ces dernières sont employées plus tôt, et de façon continue, aussi bien dans la boutique que pour l'entretien du ménage et de la maison. Alors qu'une grande majorité des garçons est envoyée à l'école, la moitié des filles seulement en bénéficie. D'autre part, la fortune des parents joue un rôle important dans l'avenir des enfants.

Les parents les plus pauvres acceptent quand même que leurs garçons reçoivent les premiers rudiments de l'instruction, sachant que leur ignorance pourrait leur nuire dans l'exercice de leur profession. Mais ils n'étendent pas aux filles leur sollicitude. Il est important de souligner que la majorité des analphabètes sont des orphelins de père; la mort prématurée du fabricant (même si la veuve se remarie) rend plus dure la condition des enfants : ou bien il leur faut travailler plus tôt, ou bien, recueillis par l'hôpital de la Charité, ils sont placés en pension à la campagne où ils ne peuvent apprendre à écrire, ou bien le parent survivant, ou le beau-père, ou l'oncle qui les a accueillis s'occupent moins régulièrement de leur éducation. Quant aux ouvriers en soie les plus fortunés, ceux dont l'existence quotidienne est assurée par la bonne marche de l'atelier, ils essaient de faire acquérir à tous leurs enfants, sans faire beaucoup de distinction entre les garçons et les filles, un minimum d'instruction. La proportion des filles d'ouvriers sachant signer, dans les contrats dont les apports sont supérieurs à 1 000 livres, est tout à fait extraordinaire dans une société où l'instruction des filles est encore très négligée.

Cet usage répandu, presque général, de l'instruction dans le milieu des ouvriers en soie lyonnais, est un des traits les plus originaux de ce milieu professionnel. Il explique l'importance de la participation des ouvriers aux grands débats qui les opposent aux marchands, le fait que beaucoup d'entre eux soient capables non seulement d'exposer leurs revendications, mais encore de les présenter par écrit. Les livres ne sont pas rares dans les inventaires après décès, et on ne peut que regretter leur imprécision qui ne permet pas de connaître au moins le titre des ouvrages que pouvaient lire les ouvriers en soie lyonnais. On pourrait presque dire, à la limite, que ces fabricants lyonnais éprouvent une certaine amertume en constatant que cette instruction qu'ils possèdent ne leur permet guère d'améliorer leur condition... et leur fortune.

Une comparaison entre le niveau d'alphabétisation des ouvriers en soie et des autres artisans ou ouvriers lyonnais est en effet nettement à l'avantage des premiers.

Dans tous les autres métiers en effet, si les maîtres signent leurs contrats dans leur grande majorité (de 64 % chez les cordonniers à 93 % chez les perruquiers), les compagnons et ouvriers sont beaucoup plus souvent illettrés. Dans les métiers du bâtiment, en 1786-1788, 28 % seulement des maçons, 53 % des charpentiers savent signer. De même à peine la moitié des chapeliers signe. L'instruction semble bien faire des ouvriers en soie une sorte d'élite ouvrière, malgré l'insécurité de leur sort.

CHAPITRE IV

RICHES ET DOMINANTS

Menu peuple, ouvriers en soie, et la plupart des artisans, malgré des nuances, forment la masse des dominés, socialement, économiquement et politiquement. Les sources notariales et fiscales dégagent une catégorie supérieure, définie peut-être autant par la puissance (les marchands-fabricants par exemple) que par la richesse.

La répartition et la composition de cette classe dominante — les éléments constituants de sa fortune — font apparaître à la fois l'unité et la disparité d'un milieu social partagé entre une bourgeoisie commerçante, et une noblesse récente qui n'est pas sans importance à Lyon.

Quelle était la proportion des riches à Lyon en 1789? Il faudrait définir un seuil de la richesse pour répondre à cette première question. La cote d'imposition, nécessaire pour être éligible, peut être le premier critère retenu (la liste correspond à peu près à celle des citoyens assujettis à la Contribution patriotique) : cela donne un ensemble de 4 000 personnes sur un total de 34 600 citoyens lyonnais, soit 11,5 % de l'ensemble de la population (plus en fait, puisque des femmes, filles ou veuves sont soumises aux impôts, et ne font pas partie des éligibles). Cette liste des éligibles comprend trois groupes de nombre à peu près égal : les nobles, les bourgeois, les divers officiers et les membres des professions libérales d'une part, les marchands et négociants ensuite, et enfin les artisans : plus de 1 300 artisans dépassent le seuil minimum pour être éligibles; c'est une preuve qu'une richesse simplement moyenne suffisait pour y être inscrit. En dehors de ces artisans, la liste des éligibles correspond assez nettement à tous les groupes sociaux qui peuvent détenir une part de la richesse lyonnaise.

En fait environ 12 à 15 % des citoyens de Lyon feraient partie de ces catégories les plus favorisées, à peine 10 % de la population si l'on se rappelle qu'un grand nombre de domestiques et d'ouvriers (plus encore d'ouvrières), logés chez leurs employeurs, ne sont pas inscrits sur les registres fiscaux.

Cette première approximation permet de cerner un très important groupe riche, numériquement puissant dans la ville. Il ne faut pas oublier cependant qu'on ne peut assimiler richesse et dénomination sociale : d'une façon générale on est tenté d'inclure dans les riches tous les « bourgeois », mais toutes sortes de nuances sont à établir dans la fortune des membres de ce groupe social : 20 % des bourgeois et 35 % des bourgeoises ont des cotes de capitation plus faibles que la cote moyenne, et ont des revenus très modestes : il n'y a pas nécessairement cohésion pour la répartition des biens à l'intérieur de chaque groupe social.

Deux sondages, à partir de deux sources très différentes, précisent encore plus nettement ce seuil de la richesse. L'enregistrement des actes notariés mentionne 8 021 contrats de mariage de 1780 à 1789. Dans 761 d'entre eux (9,6 %), les apports sont égaux ou supérieurs à 10 000 livres. C'est une proportion nettement supérieure à celle relevée pour les trois années 1786-1788, pour lesquelles le dépouillement systématique des contrats de mariage a été fait dans les minutiers des notaires, mais cela est dû seulement au sous-enregistrement des contrats aux apports les plus faibles. Cette somme de 10 000 livres peut paraître bien faible par rapport aux très grandes fortunes françaises, et même lyonnaises, du XVIIIe siècle; mais, comparée à la valeur moyenne des apports des ouvriers en soie ou même des artisans, elle peut cependant être considérée comme une preuve de fortune dans la ville de Lyon. La répartition sociale de ces 761 contrats de riches est la suivante :

— 61 artisans (maîtres des métiers, ou maîtres marchands) .... 8,0 %

Les artisans ne disparaissent donc pas encore à ce niveau très élevé (ils sont encore 9 au-dessus de 20 000 livres), mais certains d'entre eux ne sont-ils pas de véritables marchands ?

— 266 négociants.......................... 34,9 %
— 158 marchands divers (textiles, épiciers, ou sans spécialité précisée)............ 20,8 %

L'ensemble des professions du négoce est donc largement majoritaire : 55,7 % du total des contrats.

— 32 membres des professions libérales ... 4,2 %
— 142 officiers de justice ou autres professions juridiques et titulaires d'offices ...... 18,7 %
— 38 nobles et 27 officiers militaires ..... 8,5 %
— 29 bourgeois.......................... 3,8 %
— 8 divers (sans indication professionnelle) 1 %

Toujours pour la même période 1780-1789, dans 89 contrats, les apports sont égaux ou supérieurs à 100 000 livres. Les négociants sont alors minoritaires : 22 négociants et 3 marchands (28 %), un chirurgien et un pharmacien représentent encore les professions libérales; les titulaires d'offices et les hommes de loi sont 26, dont 8 avocats (29,2 %), et les nobles, militaires ou civils, sont au nombre de 36 (40 %). Au niveau des grandes fortunes, le négoce cède le pas au monde des officiers et à la noblesse, comme nous l'avions d'ailleurs déjà remarqué avec les contributions mobilières de 1790.

Les contrats de mariage ne fournissent cependant qu'une vue partielle de la répartition de la fortune. Les grandes fortunes sont encore mieux dégagées par l'étude des versements à la contribution patriotique en 1789 et 1790 : sur un total de 3 600 contribuables, nous avons retenu toutes les cotes égales ou supérieures à 1 000 livres, en tout 914 personnes. Il est important de noter que ce groupe (25,4 %) paie à lui seul plus de 75 % du total de la contribution : il représente véritablement la société la plus fortunée de la ville.

Marchands et négociants sont 376 (41,1 %) : sur l'ensemble, 246 sont désignés seulement comme négociants, et une spécialité plus précise est indiquée pour 130 cas : 7 peuvent encore être considérés comme des artisans (trois tireurs d'or et un orfèvre, un apprêteur, un teinturier et un chaudronnier). Il s'agit là de quelques exceptions de chefs d'entreprises artisanales qui sont déjà des négociants importants. Les divers marchands textiles (drapiers, toiliers, merciers et bien sûr les marchands-fabricants) sont les plus nombreux : 66, mais les cotes les plus élevées sont le fait des marchands de soie et banquiers : 18, qui dominent le monde des négociants lyonnais. Une amorce de classification du commerce lyonnais apparaît dans ce premier tableau succinct.

193 contribuables sont simplement des « bourgeois » de Lyon (21,1 %). Les bourgeois trouvent ainsi une place beaucoup plus importante que dans les contrats de mariage (3,8 % seulement), cela confirme la structure sociale de cet état de bourgeois : absents parmi les jeunes au moment du mariage, ils se retrouvent en nombre beaucoup plus élevé dans les familles installées. Ces « rentiers » lyonnais sont des personnes qui ont exercé une autre activité.

182 sont des nobles et 109 des titulaires d'offices (32 %).

Enfin la liste est complétée par les ecclésiastiques (41, soit 4,5 %) et 13 membres des professions libérales (médecins et chirurgiens surtout).

Il serait possible de compléter cette première approche par l'étude de la répartition des propriétés foncières à Lyon. La possession des immeubles, symbole de la bourgeoisie urbaine au XIXe siècle, n'est pas au XVIIIe l'apanage de la bourgeoisie. Celle-ci laisse une part importante du capital immobilier à la noblesse, dont l'essentiel des biens demeure cependant rural. Cette analyse ne fait que renforcer toutefois la coupure de ce milieu dominant lyonnais en deux groupes : les marchands et les nobles, coupure qui est peut-être cependant plus formelle que réelle.

I. — FORTUNE MARCHANDE ET... INFORTUNES

« On distingue les gens du commerce par trois noms qui sont néanmoins synonymes, mais dont l'acception est ordinairement un peu différente : négociant, commerçant, marchand. Le premier est le plus noble; le second l'est presque autant; le troisième est le plus commun et s'applique à tout homme qui vend quelque chose. »

Le vocabulaire lyonnais marque une certaine différence avec le langage parisien. Le mot négociant, employé à Paris dès la fin du XVIIe siècle (première édition du *Parfait Négociant* en 1675), devient usuel à Lyon beaucoup plus tard : les grands marchands du début du XVIIIe siècle sont simplement marchands, ou ils s'intitulent banquiers, l'essentiel de leur négoce étant le commerce de l'argent. Le terme de négociant n'apparaît que rarement et dans des textes officiels, influencés déjà par le langage de la capitale : quand Melchior Philibert, banquier et marchand-bourgeois de Lyon, reçoit ses lettres de noblesse en 1722, les lettres patentes qui lui accordent cette noblesse en février 1722 désignent Philibert comme issu « d'une ancienne famille de négociants de notre ville de Lyon », mais dans tous ses papiers personnels, ce négociant ne s'intitule que banquier et bourgeois ou même marchand et bourgeois. Dans les contrats de mariage de 1728-1730 les expressions sont très variées : nous avons rencontré vingt-cinq fois la désignation « de marchand-bourgeois » qui semble bien être équivalente alors du négociant parisien. Onze fois sont cités des négociants, mais souvent le mot n'est encore employé qu'adjectivement. La proportion est totalement inversée dans les contrats de mariage contractés entre 1749 et 1751. Il n'y a plus qu'un seul « marchand-bourgeois », Gaspard Maupetit, et encore quelquefois des « négociants-bourgeois », Mais de façon générale les grands marchands n'utilisent même plus leur titre de bourgeois, comme s'il allait vraiment de soi que leur qualité de négociant leur donne en même temps celle de bourgeois. Le terme négociant est alors employé soixante fois dans les contrats de mariage, et les pères des jeunes époux, les mêmes qui vingt ou trente ans plus tôt étaient marchands bourgeois, sont cette fois appelés aussi négociants. A la fin du siècle, l'appellation de négociant l'a définitivement emporté : la vieille expression lyonnaise a disparu totalement des contrats de mariage de 1780 à 1789, et, mieux même, les banquiers qui figurent comme tels dans les almanachs ou dans les indicateurs ne sont appelés que négociants dans leurs contrats de mariage.

On a déjà remarqué que la liberté prétendue des métiers et du travail à Lyon ne concernait en réalité que le monde du commerce. Cette liberté est pourtant par bien des côtés assez factice. Les communautés, en dehors de celle de la Fabrique dominée par les marchands-fabricants, comprennent quatre corps de marchands : les drapiers, les merciers, les toiliers et les épiciers. Seuls les véritables négociants et les banquiers ne font pas partie de ces associations de marchands. En 1679 sont créés des syndics du commerce et de la place des Changes de Lyon pour régler certains différends commerciaux entre les négociants « ne composant point de corps particulier ». Une ordonnance du consulat du 3 janvier 1743 établit un bureau des négociants et des marchands qui comprend « les Banquiers, Marchands de soie, Toiliers, Canabassiers, Merciers, Joailliers, Commissionnaires, et généralement tous ceux qui sont marchands en cette ville, et qui n'ont point de Maîtrise ou Jurande » (au moins deux corps, les merciers et les joailliers, sont en fait organisés en communautés).

Cette liberté du commerce n'est pas toujours synonyme de profit et de prospérité. Bien des artisans aisés ont pensé accroître leur fortune en quittant la protection de leur corps de métier, et en accédant au rang des marchands. Les dossiers de faillite du Tribunal de la Conservation de Lyon renferment des témoignages sur bien des désillusions, sur de nombreux échecs qui ont frappé ces marchands médiocres, manquant de capitaux, de connaissances, de talent, et souvent de chance.

Les dossiers de faillites révèlent la situation misérable de beaucoup de ces marchands qui ont entrepris des affaires simplement pour essayer de sauver une situation fort compromise dans l'artisanat. Jean Peillon, de simple maître plieur de soie, devient marchand mercier. Il a peu de ressources, fait peu de bénéfices, et après avoir subi des malheurs divers, il finit par prendre la fuite avec son fils aîné pour échapper à ses créanciers, laissant à Lyon sa femme et quatre autres enfants. L'ensemble de l'actif est très surestimé, et dans le concordat final le marchand failli ne peut promettre le paiement que de 12 % de ses 18 400 livres de dettes. Jean Garnier l'aîné était maître fondeur depuis dix-neuf ans à Lyon. Il investit ses bénéfices dans « des entreprises considérables » de vente de fer, mais, au bout de quelques années, il dépose un bilan désastreux : moins de 25 000 livres d'actif, immeubles compris, et plus de 75 000 livres de dettes; souvent ces nouveaux marchands sans expérience (l'un d'entre eux avoue son inexpérience, et ne sait même pas signer son nom) sont entraînés à contracter des emprunts à des taux usuraires, qui ne font que précipiter leur ruine. Aussi ne sont pas rares ces négociants qui ne possèdent rien au moment où ils déposent leur bilan.

Le XVIIIe siècle lyonnais a vécu des centaines d'échecs semblables.

Est-il possible de déterminer l'importance de ces capitaux, le poids financier des négociants lyonnais? Les documents sont assez nombreux, mais ne sont pas tous directement utilisables pour l'étude des fortunes. Les actes de constitutions de sociétés par exemple pourraient fournir une image continue du négoce lyonnais pendant le XVIIIe siècle. Mais si la plupart des marchands lyonnais forment des sociétés, avec deux ou trois associés le plus souvent, parfois des commanditaires, souvent aussi des parents, les scriptes de société restent très vagues : les comptes de fonds sont rarement indiqués. Il faudrait pouvoir disposer de bilans précis et nombreux : les bilans ne manquent pas dans le fonds de la conservation, ou dans les liasses des notaires, mais il s'agit presque toujours de sociétés ou de commerces en faillites, qui donneraient une vue tronquée du véritable commerce lyonnais. Manquent par contre presque totalement les bilans de liquidation au moment des dissolutions de société, qui seuls pourraient fournir une idée du volume des affaires et des profits ou bénéfices réalisés par les maisons de commerce.

Les contrats de mariage permettent la meilleure connaissance d'ensemble de la composition des fortunes des négociants lyonnais. Pour les quatre années 1786-1789, ont été dépouillés 119 contrats de mariage de négociants, dont 87 contiennent des renseignements assez précis sur la constitution des apports réservés aux jeunes époux. Dans de très nombreux contrats, les dots ou constitutions sont expressément réservées à la formation d'une société, entre le père et le fils, le gendre et le beau-père, des frères et sœurs ensemble... Les comptes de fonds réservés à cet usage sont ainsi très variables : 8 000 livres seulement pour Jean-Marie Demarest qui devient l'associé de son père, au moins 80 000 livres pour Claude-François Falsan qui reste après son mariage l'associé de son père, avec lequel il formait déjà une société. C'est le seul cas dans lequel le futur époux investit des bénéfices réalisés dans son commerce personnel, antérieur à son mariage (30 000 livres de compte de fonds dans la société de négoce de draperies et d'étoffes de soie, et 50 000 livres de bénéfices personnels). Le caractère dominant de ces constitutions dotales est l'importance de l'argent liquide dont l'apport permet aux nouveaux mariés de prolonger ou de lancer leur maison de commerce. Dans les apports de 81 contrats sur 87, sont présents des versements en espèces, plus ou moins importants : la part de l'argent liquide n'est inférieure à 50 % du total des apports que dans 15 % des contrats, égale ou supérieure à 80 % du total dans 55 % des cas. Les espèces versées comptant devant le notaire par les parents forment même la totalité des constitutions dotales dans le quart des contrats de négociants. L'importance considérable du numéraire semble bien le premier caractère de ces fortunes marchandes. Dans 30 % des contrats, l'argent promis par les parents ne sera versé que peu à peu, soit au décès des parents, soit échelonné sur plusieurs paiements des foires, ou sur plusieurs années. Obligations, rentes, promesses ou rentes viagères n'apparaissent que dans 10 % de contrats et ne forment une somme importante que dans 5 contrats sur 87. Les immeubles enfin sont rares : 10 % des constitutions dotales comprennent des cessions d'immeubles (dans 6 % seulement, les immeubles représentent au moins la moitié de la valeur totale des apports). A part quelques rares exceptions, il s'agit de maisons dans la ville d'origine des beaux-parents (Saint-Étienne par exemple), dont la location procure d'assez faibles revenus au nouveau propriétaire (quand la donation ne comporte pas de clauses laissant la jouissance de ces biens immobiliers aux parents légateurs).

Il n'est cependant pas possible de donner une représentation unique de l'ensemble des marchands, des contrastes se faisant sentir non seulement d'un type d'activité à l'autre, mais encore entre les diverses périodes du XVIIIe siècle.

LES FORTUNES MARCHANDES LYONNAISES AU XVIIIe SIÈCLE : DU MARCHAND AU NÉGOCIANT

Type de marchands	1728-1730		1749-1751		1786-1788	
	Nbre	Val.	Nbre	Val.	Nbre	Val.
	%	%	%	%	%	%
Marchands-Fabricants	21	21	22	22	9	6
Textiles	11	11	13	6	11	6
Marchands	50	34	29	15	20	8
Épiciers	5	3	9	3	20	6
Négociants	13	31	27	54	40	74
TOTAL	100	100	100	100	100	100
Nombre total	151		150		287	
Valeur totale	1 497 000 l.		2 466 000 l.		5 275 000 l.	
Valeur moyenne	10 000 l.		16 000 l.		18 300 l.	

Des modifications importantes ont lieu au cours du siècle. Le premier fait est la très forte augmentation du nombre global des contrats intéressant des marchands dans la deuxième moitié du siècle. Alors que les deux premières périodes semblent indiquer une stagnation dans le nombre, jointe à une importante progression du total des apports et de la valeur moyenne de ceux-ci, la troisième coupe triennale indique presque un doublement du nombre des marchands dans la ville : de tous les états de la ville de Lyon, c'est celui qui connaît la progression la plus forte, traduisant une incontestable renaissance du rôle lyonnais dans le commerce français, après un relatif déclin dans la première moitié du siècle. Cependant ce progrès numérique ne se traduit pas uniformément pour tous les types de marchands, et surtout il ne s'accompagne pas d'une progression équivalente des fortunes moyennes : celles-ci n'ont pas doublé entre 1730 et 1786 (+ 83 %) et n'ont connu qu'une faible augmentation entre 1750 et 1786 (+ 14 %). Il y a là un phénomène extrêmement intéressant dans les structures du grand négoce lyonnais : celui-ci n'est plus caractérisé par la présence de quelques très grosses maisons, situées parmi les premières de la France, comme l'étaient quelques-unes des affaires lyonnaises de la fin du règne de Louis XIV ou de la Régence (les Philibert ou les Cusset), ou les grandes maisons suisses et protestantes. Il y a eu un incontestable mouvement de concentration à Paris de ces grands marchands banquiers, dont quelques-uns seulement restent lyonnais. Mais en contrepartie il existe un très grand nombre de maisons de dimensions et de fortune moyennes, vivant souvent, malgré leurs faibles dimensions, d'un trafic non seulement national mais aussi international. Ce sont ces négociants moyens, dont les apports au mariage sont inclus entre 20 et 50 000 livres, qui sont le modèle le plus exact des marchands lyonnais de la deuxième moitié du siècle. Seuls subsistent au-dessus d'eux quelques très grosses fortunes, qui ne sont pas destinées à rester ou lyonnaises, ou purement commerciales. Ce n'est pas un hasard si dans la dernière décennie de l'Ancien Régime les plus grosses dots marchandes ne se rencontrent pas dans les contrats de mariage des négociants, mais dans ceux des officiers ou des nobles qui épousent des filles de marchands. Le deuxième fait notable est une diversification des activités marchandes désignées par le seul mot de négociant. La part relative des marchands-fabricants et des divers marchands textiles (drapiers, toiliers, merciers) ne cesse de décroître de 1730 à 1786 au profit des négociants : en réalité, le mot peut recouvrir aussi bien des commerces spécialisés qu'un négoce plus étendu. Sont appelés négociants aussi bien les frères Courajod, grands marchands-fabricants du quartier Saint-Clair, que Claude-Aimé Vincent, le dernier des grands banquiers lyonnais des dernières années de l'Ancien Régime, que Charles Seriziat, en réalité le plus important des marchands de blé du quai Saint-Vincent, ou François Servier l'aîné, gros marchand tanneur du quai Pierre-Scize.

La spécialisation perd doublement son sens dans la classification des marchands : non seulement tout marchand fortuné se nomme négociant, même si son activité principale reste la draperie ou la soierie, mais encore un marchand-fabricant riche est peu à peu amené à adjoindre à son activité principale toutes les autres branches du négoce. Dans les inventaires après décès, il n'est pas rare de constater qu'un toilier vend des soies et des marchandises d'épiceries, en même temps qu'il se livre au commerce de l'argent et au trafic des changes. Les apports au mariage sont supérieurs à 50 000 livres dans 28 contrats de 1786 à 1789 : 24 concernent des négociants, 2 des drapiers, et 2 de simples marchands, dont l'un reçoit une très grosse somme (160 000 livres) alors qu'il pratique à la fois le commerce des grains et celui de l'épicerie en gros.

Une fortune seulement moyenne, des activités variées dans toutes les branches du commerce, tels sont les premiers caractères des marchands et négociants de Lyon.

Mais il reste une question fondamentale pour l'histoire sociale de la population lyonnaise : quelle est l'origine de ces marchands qui détiennent une part considérable de la richesse et du dynamisme de la ville? Nous avons déjà souligné que l'immigration, si importante pour la constitution de la population lyonnaise au XVIIIe siècle (et déjà dans les siècles précédents), ne concernait pas seulement les milieux populaires et ouvriers, les domestiques et les journaliers, mais aussi le monde des marchands et de la bourgeoisie. Des ascensions sociales extraordinaires ont été retenues comme typiques de cette société d'Ancien Régime qui, malgré ses cadres juridiques sévères et stricts, aurait su distinguer des sujets exceptionnels pour les installer aux premières places de la société. Seule l'étude d'un assez grand nombre de cas individuels permet de comprendre quel était le processus de promotion sociale, s'il existait, dans la société urbaine du XVIIIe siècle.

Une statistique globale porte sur un peu plus de 500 contrats de mariage de négociants ou marchands sur l'ensemble du siècle entre 1728 et 1788.

D'une façon générale, les marchands de Lyon peuvent être répartis en trois groupes selon leur origine sociale :

— ceux qui sont originaires du même milieu social et professionnel, et dont les parents exerçaient déjà une activité commerciale. Non seulement ils constituent l'incontestable majorité, mais encore le choix de leurs épouses dans ce même milieu montre la cohésion de cette catégorie socio-professionnelle;

— ceux qui sont issus d'un milieu professionnel différent, mais d'un cadre social identique : les bourgeois, les professions libérales, les titulaires d'offices de judicature surtout. Il n'y a pas pour eux véritable mutation sociale, mais seulement changement du type d'activité;

— ceux enfin qui sont issus d'un milieu totalement différent, les fils de paysans et d'artisans : c'est leur proportion dans l'ensemble des marchands qui seule peut mesurer l'importance de la promotion sociale dans le monde urbain du XVIIIe siècle.

L'ORIGINE SOCIO-PROFESSIONNELLE DES MARCHANDS LYONNAIS ET DE LEURS ÉPOUSES AU XVIIIe SIÈCLE

Milieu socio-professionnel	Hommes %		Femmes %	
Marchands (total)	54,3		52,6	
dont même spécialité		40		29
autres marchandises		14,3		23,6
Bourgeois	24,3		12,8	
Offices et professions libérales	10,6		13,2	
Nobles	0,2		1,4	
Artisans	8		19,4	
Cultivateurs	2,6		0,6	
TOTAL	100		100	

Si l'histoire lyonnaise a retenu les cas exceptionnels de réussites exemplaires, parfois teintées de légendes plus ou moins fondées, il faut bien reconnaître que le milieu marchand ne se crée pas par une montée sociale régulière d'artisans ou de paysans enrichis : les traditions marchandes ont une importance autrement plus forte; la meilleure chance pour devenir marchand est encore d'être fils de marchand. Il y a, dans la majorité des cas, succession pure et simple et continuation du commerce précédent. L'hérédité des titres de maîtres, que nous avons rencontrée dans la plupart des métiers artisanaux, reste la loi fondamentale du choix du métier : les professions du négoce n'y échappent pas. Issus de familles de marchands, le plus souvent aussi les jeunes marchands lyonnais choisissent leurs épouses dans leur milieu social et professionnel, comme dans la plupart des corps de métiers également. Il n'y a donc pas là une attitude fondamentalement différente entre les artisans et les marchands. Deux autres origines sont importantes. Un marchand lyonnais sur quatre est fils de bourgeois : cela confirme d'abord l'identité entre les deux états. Nous avons déjà remarqué à plusieurs reprises que les bourgeois lyonnais n'étaient que d'anciens marchands retirés des affaires actives. Il est à peu près sûr que ces nombreux fils de bourgeois lyonnais, qui sont négociants ou marchands à leur mariage, sont fils de marchands devenus bourgeois. L'identification formelle est moins évidente pour les bourgeois des petites villes de la région lyonnaise, qui sont également assez nombreux parmi les familles d'origine. Il peut s'agir alors, ou bien d'authentiques rentiers, ou bien de membres de professions juridiques ou libérales dissimulés sous l'appellation de bourgeois. Les seuls notaires de petites villes ou de campagne, les juges-châtelains du Lyonnais et du Forez, les procureurs et procureurs fiscaux, parfois de simples fermiers de grands domaines ou collecteurs d'impôts sont également très nombreux à placer leurs enfants dans le monde du commerce : c'est l'origine de plus de 10 % des hommes, de 13 % des épouses. Il y a là un changement d'orientation et un transfert de capitaux. C'est prouver entre autres que la condition marchande n'est pas trop sous-estimée dans les milieux « bourgeois » : si tant de filles de notaires, de procureurs, mais aussi à Lyon d'authentiques conseillers du roi, détenteurs d'offices de judicature ou de finances assez importants, deviennent les épouses de marchands, c'est qu'il n'y a aucune impression de déchéance sociale à entrer dans une famille marchande. Si l'on reprend la liste des plus riches mariages marchands de 1786-1789 déjà citée (apports supérieurs à 50 000 livres), on remarque la répartition suivante des origines sociales (ou familiales) :

sur 28 contrats, l'état du père est mentionné 24 fois; 13 des jeunes époux sont fils de négociants et 3 fils de marchands, 4 sont fils de bourgeois, 2 de notaires (tous deux de petits bourgs), et 2 d'officiers militaires, dont l'un au moins possédait la noblesse héréditaire. Les parents des épouses comprennent 11 négociants et 2 marchands, 4 bourgeois, 3 conseillers du roi (2 officiers de finances et 1 subdélégué), 1 avocat, 1 licencié en droit, 1 architecte et 1 noble sans autre qualification que celle d'écuyer. Il est intéressant de remarquer que l'éventail socio-professionnel des parents des épouses est plus largement ouvert que celui des parents des maris : il y a là un indice de prestige conservé à Lyon par le commerce et les professions marchandes.

L'origine sociale des simples marchands est plus diversifiée. Les fils de ruraux ou de petits marchands des bourgs de la région restent rares, mais ils ne sont pas totalement absents. Quelques exemples ont été rencontrés parmi les marchands épiciers, bien loin certes du grand négoce. Plus de 10 % des simples marchands ont de telles origines modestes, alors qu'elles restent tout à fait exceptionnelles pour les négociants. Les alliances matrimoniales confirment ce clivage entre les deux catégories marchandes. 30 % des épouses de marchands sont d'origine artisanale ou même rurale (9 % seulement pour les épouses de négociants). L'endogamie professionnelle est considérable dans le monde du grand commerce, elle est beaucoup moins marquée dans le commerce de détail.

Que l'état de marchand représente une promotion sociale par rapport à celui de maître d'un métier, c'est un fait incontestable : c'est à la fois l'assurance de plus de liberté, une chance plus grande de participer plus activement à la vie de la cité, un espoir de fortune. D'une façon générale, devenir marchand c'est entrer de plain-pied dans le groupe des notables, et cela reste le rêve de la plupart des Lyonnais. Mais il ne faut pas croire, sur la foi de schémas traditionnels, sur l'existence maintes fois vérifiée, mais plus encore répétée, de cas individuels de promotions rapides et brillantes, que le processus d'ascension soit très fréquent. Ce qui est mis en évidence par l'examen des statistiques d'ensemble du groupe des marchands, c'est la cohésion sociale de ce groupe, c'est la rareté des ascensions. Nous avons souligné la presque totale absence des ruraux, celle totale des gens (hommes ou filles) du menu peuple : si le maître ouvrier en soie épouse encore souvent sa dévideuse ou une ouvrière de son atelier, une telle union devient exceptionnelle au niveau des marchands. L'importance de l'argent, de la dot nécessaire au négoce, interdit de telles alliances entre gens de condition différente. Quand un des fils Huber, une des grandes familles de négociants suisses de Lyon, veut épouser une fille de Talon, marchand drapier de moindre importance, il se heurte à un refus obstiné des autres membres de sa famille, et il doit enlever la jeune fille pour conclure un mariage clandestin à Paris. Il est alors l'objet de la réprobation générale dans la ville, sans même ce clin d'œil complice que l'on s'attend à trouver dans de pareilles circonstances. Les frères Huber mettront des années avant d'accepter la présence de cette belle-sœur, qui n'est pas tout à fait de leur niveau.

Il faudrait étudier de façon beaucoup plus précise la structure des maisons de commerce lyonnaises, pour comprendre leur vie quotidienne, pour saisir leur ascension ou leurs difficultés, pour expliquer leur enrichissement au cours du XVIIIe siècle.

Quelques exemples ont montré la fragilité des petits commerces. Les grandes maisons essaient, sans toujours y parvenir, de s'organiser pour être moins sensibles aux contrecoups d'une conjoncture souvent difficile.

Les marchands-fabricants associent de la même façon à leurs entreprises les dessinateurs les plus capables. Le nom et l'histoire de Philippe de Lassalle sont bien connus. Des techniques commerciales nouvelles sont essayées, souvent avec succès, preuve d'un dynamisme qui est encore accru par l'incessante arrivée de noms nouveaux, de maisons jeunes qui doivent s'imposer. Il semble bien qu'à la fin de l'Ancien Régime au moins, le marchand lyonnais ne mérite guère le jugement fort sévère qui a été porté sur lui par Grimod de la Reynière : il sait faire preuve d'initiatives et d'audace, sait prendre sa place même en face de Paris qui pendant un moment semblait s'emparer de tout le commerce, même de celui des étoffes de soie. Cette orientation nouvelle, cette largeur de vues, on la retrouve aussi dans la participation de nombreux Lyonnais à des entreprises de type nouveau. Le canal de Givors, l'entreprise des mines du Lyonnais, des mines de cuivre et de plomb d'abord, des mines de charbon de terre ensuite, ne laissent pas les Lyonnais indifférents. Si les premiers sont encore des Lyonnais de fraîche date, comme Blumeinstein père et fils, bientôt les vrais négociants lyonnais sont tentés à leur tour par ces exploitations de type moderne : on commence à trouver dans leurs actifs des actions des mines, des canaux, comme pour les membres des familles Blanchet ou Jars, comme pour l'ancien marchand-fabricant Pernon, devenu un des principaux actionnaires des mines de Chessy et de Sain-Bel...

Toutes ces activités, le volume des ventes et du commerce font que des fortunes considérables continuent à se construire pendant le XVIIIe siècle. Tout au long du siècle on voit se faire et se défaire ces fortunes : ou bien l'ascension fulgurante d'un nouveau venu, ou bien la lente progression sur plusieurs générations, avant d'atteindre les tout premiers rangs dans la ville. Au tout premier rang des négociants figurent les marchands de soie et banquiers, car la lignée des Philibert ne s'éteint pas avec lui. Sans doute les disparitions sont aussi fréquentes que les apparitions, mais comment s'en étonner ? Les processus d'ennoblissement sont restés les mêmes depuis le XVIe siècle, Melchior Philibert et ses enfants ne suivent pas une évolution autre que celle des Panse au XVIe siècle; et quand l'actif d'une maison s'est investi en terres, en immeubles et en offices, puis en seigneuries et en fiefs, il y a toujours d'autres maisons, plus récentes, pour continuer la tradition. Même anoblis, beaucoup continuent à s'intéresser au monde du négoce : combien cachent sous une dénomination sociale différente les commandites qu'ils souscrivent, et la part des revenus commerciaux reste importante dans les revenus de ces familles anoblies, mais dont les origines marchandes sont toutes proches (les Tolozan par exemple...). Deux documents de la fin de notre période suffisent à rappeler toute cette puissance financière des grands négociants. Quand l'intendant et les comtes de Lyon lancent leur souscription pour la Caisse Philanthropique en 1788, ils créent 70 actions de 5 000 livres chacune. Les gros actionnaires sont aussi les grands négociants banquiers : Couderc et Passavant en prennent six, Fulchiron, Scherer, Finguerlin, Gaillard, chacun quatre, soit de 20 à 30 000 livres en une seule fois pour une institution de bienfaisance. Dans les listes des contributions patriotiques de 1789, ce sont les mêmes noms que l'on retrouve en tête des souscripteurs, avec les sommes les plus fortes. Il n'y a dans toute la ville que 19 cotes égales ou supérieures à 10 000 livres : 11 sont le fait des grands négociants. En tête figure le banquier Étienne Delessert avec 36 125 livres, plus

16 125 livres pour Paul-Benjamin Delessert, 25 000 livres pour Claude-Aimé Vincent, autre banquier, 10 000 livres pour chacun des trois membres de la famille Finguerlin, 12 000 livres pour Joseph Fulchiron et Jean-Frédéric Braun, 15 000 livres pour Guillaume-Benoît Couderc : cette énumération comprend les plus grands du commerce lyonnais ; elle suffit à montrer combien les Suisses ont su reconquérir leur place prépondérante dans Lyon, et combien les fortunes restent considérables, malgré les faillites répétées et les temps difficiles. Des familles ressortent de ces listes : marchands, banquiers, négociants, mais aussi bourgeois ou bourgeoises, restent étroitement unis dans une même entreprise familiale. C'est peut-être là, malgré les premiers signes de modernisation évoquée, le caractère principal de ce grand négoce lyonnais, à la fois sa force et sa faiblesse dans une structure encore ancienne. Ce sont toutes ces grandes familles que l'on retrouve dans les listes de la contribution patriotique, les Suisses comme les Finguerlin, les Scherer et les Sollicoffre (7 personnes), ou les Fitler (7 personnes aussi), mais également les familles plus anciennement lyonnaises, les Courajod (7 individus), les Maupetit, les Vionnet, les Orsel, les Roccofort, les Jourdan, qui chacun comprend de cinq à dix familles, qui vivent toutes sur les maisons de commerce qui les associent. Ce n'est pas à ce milieu très étroit, très fermé, que se limite le monde des marchands lyonnais, mais c'est le modèle auquel chacun aspire.

2. — L'APPARENT PARADOXE DE LA RICHESSE LYONNAISE : UNE GRANDE FORTUNE NOBILIAIRE DANS LA CAPITALE DES NÉGOCIANTS

Des négociants nombreux et riches, même si leur fortune est soumise aux aléas de la conjoncture économique, une réputation de ville de commerce considérable, régional, national et international, une organisation municipale qui semble laisser le rôle de direction à ces grands marchands, ont contribué à forger une image immuable de Lyon et de la société lyonnaise. Depuis la fin du Moyen Age, Lyon est la capitale des marchands, et n'est rien d'autre (sinon aussi une capitale religieuse importante, mais c'est là un autre sujet). L'autorité royale prend soin d'avoir à l'égard de Lyon une politique constante : soutien des organismes commerciaux, défense des Foires de Lyon, protection des manufactures, privilèges accordés aux marchands français et étrangers qui fréquentent les foires de Lyon, et parallèlement souci de ne créer dans la seconde ville du Royaume aucune des institutions qui pourraient détourner les Lyonnais du commerce, qui doit rester leur activité première, sinon unique.

Et pourtant la ville des marchands n'a pas su résister à l'attrait de la noblesse. Les autorités royales l'ont privée d'un Parlement, mais elle a obtenu une Cour Souveraine. Sa noblesse est souvent récente, elle « sent » la marchandise le plus souvent, mais elle existe, et sa place dans l'économie de la cité est considérable au XVIIIe siècle.

Les études générales ou particulières sur ces familles nobles de Lyon ont inspiré grand nombre d'historiens ou d'érudits locaux au cours du XIXe siècle et dans la première moitié du XXe siècle : la plupart du temps ce ne sont que des études généalogiques, plus ou moins fidèles, plus ou moins exactes. Toutes ces monographies sont inspirées par un même souci de panégyrique, et le lourd tribut payé à la guillotine lors des exécutions massives qui suivent le siège de Lyon de 1793 donne un esprit commun à la plupart de ces travaux, dans la tradition de l'abbé Guillon de Montléon, témoin précieux, mais partial, de ces années révolutionnaires. C'est dans les ouvrages d'Henri de Jouvencel que se trouve exprimée avec le plus de force cette « doctrine » de la noblesse lyonnaise. L'avant-propos de son étude de l'Assemblée de la Noblesse de la sénéchaussée de Lyon en 1789 est une magnifique défense et illustration de cette noblesse lyonnaise : ces quelques pages forment un extraordinaire document historique, pour la mentalité de certains cercles d'esprit légitimiste au début du XXe siècle, mais aussi pour expliquer une certaine conception de la condition nobiliaire dans la société d'Ancien Régime. « La famille, fondement de la société nobiliaire, avant de songer à servir l'État, s'élevait peu à peu par le labeur et l'intelligence et conquérait d'abord une renommée d'honneur et de probité. Puis, mûrie dans la double tradition du travail et de l'équité, elle produisait un sujet d'élite résumant en lui l'hérédité de sa race, et apte à occuper une place secondaire dans l'État. Encore une ou deux générations, et la famille se détache de la masse par l'un des siens que distingue la confiance de ses concitoyens ou celle du prince. Il est revêtu d'une fonction plus haute, la famille devient noble et est vouée désormais au service de l'État. » Il y a dans cette analyse une conception de l'ascension sociale de l'Ancien Régime : une aristocratie du mérite devient peu à peu, par son activité et par ses alliances, une aristocratie de naissance qui se fond dans les familles les plus anciennes. Jouvencel et les auteurs des généalogies les plus sérieuses reconnaissent que dans le schéma lyonnais, le renouvellement de ces familles nobles est incessant. « Il existait cependant encore en Lyonnais quelques familles féodales en 1789 établissant leur filiation depuis le Moyen Age; mais déjà étaient rares celles remontant aux XVe et XVIe siècles, la plupart ayant une notoriété plus récente et n'étant parvenues aux honneurs que plus nouvellement, ou grâce aux édits de Louis XIV et de Louis XV. » Henri de Jouvencel a recensé en tout 271 familles nobiliaires dans le Lyonnais en 1789, dont la plupart ont un domicile à Lyon, même si leur cadre de vie est plus généralement leur seigneurie ou leur terre, leur château et non leur hôtel urbain. Les vieilles familles qui remontent aux Carolingiens, ou simplement aux Croisades, sont des plus rares. Les généalogistes de l'époque, ou les membres de ces familles, cherchent par tous les moyens à se créer des ancêtres nobles, et les légendes se répètent à l'intérieur des familles pour justifier telle ou telle filiation, pour le moins suspecte. Le marquis du Mont d'Or, élu président de l'Assemblée de la Noblesse en 1789, prétend descendre du paladin Roland (et sa famille a obtenu un acte officiel reconnaissant cette filiation en 1769), les Palerne de sainte Geneviève, les Pianello de la Valette de Charlemagne. Les Jordan n'hésitent pas à faire d'un chevalier croisé surnommé Jordanus aux bords du Jourdain l'ancêtre de leur famille, pourtant notoirement beaucoup plus récente. Il y a là toute une série de légendes, amoureusement perpétuées au cours du XVIIIe siècle. Ainsi les Pianello de la Valette ont-ils fait faire au cours du XVIIIe siècle un magnifique registre de leurs armoiries : si l'auteur reconnaît ne pouvoir s'appuyer que sur « une généalogie manuscrite soutenue de la tradition » à défaut de titres, il n'empêche que les alliances diverses permettent de remonter à la famille de Beaujeu, à celle de Savoie, aux rois d'Italie, pour terminer par Béranger, roi d'Italie, Evrard, duc de Frioul, Louis le Débonnaire et enfin Charlemagne, empereur. De bien belles armoiries peintes illustrent le registre, depuis celles du marchand génois venu en France au XVIe siècle jusqu'à celles du grand empereur carolingien. De telles filiations sont souvent plus que douteuses, et souvent sont plus sincères et plus véridiques celles qui ne remontent pas au-delà de quelque notaire ou juge-châtelain du XVIe siècle, derrière lequel se cache mal l'origine rurale, commune à la plupart de ces nobles de fraîche date.

Malgré les légendes et les traditions orales, cette noblesse lyonnaise a des origines à la fois récentes et modestes. Trois types de charges et d'offices procurent l'anoblissement à Lyon. Les charges municipales d'abord. Si le prévôt des marchands est nécessairement noble, il n'en est pas de même des quatre échevins : chaque année deux échevins sont élus, et à leur sortie de charge ils peuvent opter ou non pour la noblesse. Au cours du XVIIIe siècle, presque tous les échevins sortants réclament le droit de jouir du privilège de la noblesse qui leur est accordé, à condition qu'ils prennent l'engagement de vivre noblement : c'est dans le corps échevinal que se recrute presque toute la noblesse lyonnaise. Acquièrent également la noblesse les magistrats de la Cour souveraine des Monnaies, « dont les grandes manières ne le cédaient en rien à celles si fameuses des membres des Parlements », et les trésoriers de France au Bureau des Finances de Lyon. Mais ce sont le plus souvent dans les rangs des familles échevinales, ou ce qui revient au même dans les familles marchandes les plus riches, que se recrutent ces officiers de Justice et de Finances qui complètent la liste des nobles lyonnais.

La Cour des Monnaies, jointe à la sénéchaussée, comporte un premier président, quatre présidents, deux chevaliers d'honneur, deux conseillers d'honneur et vingt-huit conseillers ordinaires, plus les membres du parquet. Vingt années de fonctions ou le décès dans l'exercice de leur charge confèrent aux magistrats de la Cour des Monnaies la noblesse héréditaire et la qualité d'écuyer. Les mêmes privilèges sont accordés aux conseillers secrétaires du Roi en la Chancellerie, créée en 1704, également près la Cour des Monnaies (5 secrétaires audienciers, 4 secrétaires contrôleurs et 16 secrétaires du Roi). Est également transmissible la noblesse acquise par les officiers du Bureau des Finances, dont le nombre a été considérablement augmenté depuis leur première apparition en Lyonnais en 1520 : un premier président, 4 présidents, un chevalier d'honneur, et 21 « Trésoriers généraux de France, grands-voyers, juges et directeurs du domaine du Roi en la généralité de Lyon ». Toutes les grandes familles lyonnaises se retrouvent dans ces deux grands corps, placés au premier rang dans la société lyonnaise, à la fois par leur place honorifique et leur fortune. Sans doute ces corps connaissent-ils l'évolution normale d'une grande partie des corps d'officiers : les titulaires cherchent à transmettre à leurs enfants les charges dont ils sont possesseurs. Mais cette transmission héréditaire joue surtout pour les charges de présidents : c'est le cas par exemple à la Cour des Monnaies de la famille Pupil de Myons; Barthélémy Jean-Claude Pupil de Myons, reçu conseiller en 1715, lieutenant général en 1722, devient premier président en 1726. Son fils est reçu conseiller en 1750, il devient premier président en survivance en 1759 et premier président en titre le 2 mai 1764 : pendant un demi-siècle le père et le fils considèrent un peu la Cour des Monnaies de Lyon comme leur domaine réservé. Un portrait, gravé par J. Tardieu, montre dans ce premier président l'égal des membres des Parlements, et il est accompagné d'une orgueilleuse devise :

« *Recedente patre*
Aeque luget Themis
Succedente filio
Omen serenitatis divae. »

Mais dans les charges de conseillers, et dans celles de secrétaires du Roi, comme pour les offices de trésoriers de France, de nouvelles familles continuent pendant tout le XVIIIe siècle à accéder à cette noblesse de robe toute récente, qui reste le modèle de la noblesse lyonnaise. Ce n'est qu'à la troisième ou à la quatrième génération que le genre de vie de cette noblesse se transforme : après de nombreuses années passées dans l'exercice des charges, les familles les plus anciennement titrées finissent par abandonner ces charges qui n'ont plus le même attrait pour elles, et les fils sont de plus en plus souvent destinés aux carrières militaires... A partir de cette noblesse de robe relativement récente, se crée une noblesse terrienne, qui ne participe plus aussi directement aux charges de la ville et de la province, et qui prend une orientation différente.

La supériorité de la fortune nobiliaire sur toutes les autres catégories sociales de la ville est mise en valeur par toutes les sources statistiques utilisées. Nous avons déjà vu combien importante était leur propriété immobilière dans la ville de Lyon, presque exclusive dans le quartier où sont concentrés la plupart de leurs hôtels particuliers : celui de Bellecour et d'Ainay, toujours présente dans les autres quartiers de la ville. Ces immeubles urbains ne sont qu'une faible partie de leur patrimoine, en comparaison des domaines de toutes natures possédés dans la province du Lyonnais et dans les régions environnantes. Plus que les bourgeois et les négociants, dont les domaines sont souvent concentrés dans les paroisses de la proche banlieue lyonnaise, les nobles sont en effet de grands propriétaires fonciers. Les contrats de mariage sont un premier témoignage de cette grande richesse des familles de l'aristocratie lyonnaise. Les contrats concernant les nobles sont d'ailleurs souvent décevants et insuffisants : les renseignements statistiques font parfois défaut, les valeurs des charges et offices, celles des immeubles et des propriétés rurales sont rarement indiquées, alors qu'elles constituent une portion souvent importante des dots constituées aux nouveaux époux. Compte tenu de ces réserves, les contrats de mariage soulignent cependant l'écrasante supériorité de la fortune nobiliaire sur toutes les autres formes de richesse de la ville. Pour l'ensemble des sondages effectués dans les minutes de notaires lyonnais, les apports au mariage des familles nobles forment près de la moitié des apports globaux.

Les apports moyens des nobles sont pour l'ensemble du siècle voisins de 100 000 livres : trois fois supérieurs à la moyenne des apports constitués dans les contrats de mariage de négociants. Cette valeur moyenne s'élève régulièrement de 70 000 livres en 1730, à 90 000 livres en 1750, et 125 000 livres de 1786 à 1789 : bien loin de se restreindre, l'écart ne cesse de s'aggraver avec les fortunes des négociants, qui nous étaient déjà apparues comme très supérieures à celles de tous les autres habitants de la ville. Il est nécessaire de préciser cependant que les très grosses fortunes, celles qui dépasseraient 500 000 livres, sont quasiment totalement absentes des minutes de notaires lyonnais : même si ces absences peuvent s'expliquer par une quelconque réticence lyonnaise à étaler sa fortune publiquement, elle doit aussi rendre compte de cette médiocrité de la noblesse lyonnaise en face des grandes familles aristocratiques de la France de l'Ancien Régime.

Ces fortunes de la noblesse lyonnaise ne sont pas toutes

égales; elles peuvent être regroupées en trois ensembles principaux. Il y a encore au XVIIIe siècle quelques familles nobles dont les biens sont faibles ou médiocres. Dans 15 % des contrats, les apports sont inférieurs à 20 000 livres, plus faibles que ceux d'un négociant moyen. Dans beaucoup de ces mariages, les apports faibles sont la conséquence de mésalliances, qui ont entraîné désaccord et rupture avec les parents. Par exemple Antoine Morel, écuyer, fils d'écuyer, ne reçoit pas l'accord de ses parents pour son mariage avec Marie Charvet : il doit adresser à son père des sommations respectueuses pour pouvoir célébrer le mariage, et ni l'un ni l'autre des deux époux ne reçoit de dot de ses parents. Jean-Horace Fillion, écuyer, et fils d'écuyer (ancien négociant), ne possède pour tout bien que 480 livres lors de son mariage en 1786 avec la veuve d'un musicien, René-Louis Mazan, mort presque sans aucun bien : sa veuve tenait une boutique d'articles de modes, dont la valeur constitue l'essentiel de la fortune de ce ménage noble assez démuni. Il peut s'agir aussi d'officiers militaires assez âgés, qui n'ont pas amassé grande fortune dans leurs campagnes militaires, ou de nobles étrangers, italiens surtout, dont les titres ne sont peut-être pas toujours vérifiés avec beaucoup de rigueur, dont certains sont peut-être des aventuriers qui échouent dans leur espoir d'épouser une belle dot.

Il ne faut pas oublier que les nobles ne sont pas plus à l'abri que les négociants de revers de fortune. Les enquêtes pour les preuves de noblesse au début du XVIIIe siècle ont montré l'existence de ces nobles plus ou moins miséreux, qui n'avaient pas même la possibilité de s'appuyer sur des titres de noblesse authentiques et irrévocables, et nous avons déjà cité l'exemple de Léonard Borne, banquier, échevin et anobli, et réduit à la mendicité après la liquidation du système de Law.

La deuxième catégorie, de loin la plus nombreuse (50 % des contrats), rassemble les fortunes moyennes : entre 20 000 et 100 000 livres. Celles de moins de 50 000 livres sont très souvent sous-évaluées, parce qu'une maison à Lyon, ou un office légué par le père ne sont pas compris dans les totaux. Dans ces cas se rencontrent beaucoup d'anciennes familles marchandes, récemment anoblies, et qui distribuent à leurs enfants souvent nombreux une fortune assez considérable acquise dans le commerce et partiellement investie dans les charges.

Enfin un troisième groupe, qui comprend 30 % des contrats, représente la véritable richesse lyonnaise : ce sont les apports supérieurs à 100 000 livres, ou plus encore à 200 000 livres. C'est une limite que n'atteignent pour ainsi dire jamais les fortunes purement marchandes et roturières de la ville, bien que les origines marchandes ne soient pas absentes de ces contrats les plus importants. Toutes les catégories de nobles se retrouvent à ce niveau : aussi bien les officiers militaires que les titulaires de charges civiles, de justice ou de finances, et les nobles titrés qui n'exercent plus aucune fonction. Les liens avec le commerce et les fortunes marchandes sont le plus souvent dissimulés dans les contrats, où les activités commerciales n'apparaissent plus. Quelquefois cependant, ces chevaliers ou écuyers n'hésitent pas à rappeler l'origine de leurs fortunes et préciser dans les contrats que la noblesse continue à tirer ses revenus du négoce, même si les nobles ne sont plus que des commanditaires des maisons de commerce. Significatif est l'exemple du contrat de mariage de Jean-Pierre Delglat en 1749 : son père est négociant et bourgeois de Lyon, il épouse Marie Imbert, fille de négociant. Les deux familles sont aisées, et déjà apparentées à nombre de grandes familles de la noblesse échevinale ou d'office (les Palerne, les Genève, les Desfours sont parents de la famille Imbert, dans laquelle se recruteront deux échevins de Lyon à la génération suivante). Si les apports de la future épouse sont réduits à son simple trousseau, habits, linges et bijoux pour une valeur de 10 000 livres, les biens du futur époux sont précisés dans le détail : il reçoit de son père une maison quai de Retz, évaluée 60 000 livres, une maison avec un domaine et les dépendances à Villeurbanne (15 000 livres), une pension viagère de 3 000 livres par an, une somme de 20 000 livres comptant, un office de mouleur de bois à Lyon (12 000 livres), enfin et surtout l'état et office de trésorier de France au Bureau des Finances de Lyon, que son père vient de lui acheter (évalué 46 000 livres) : en tout 183 000 livres. Sont jointes au contrat de mariage les copies de deux actes constitutifs de sociétés commerciales, établis sous seing privé en la même année 1749 : une société Delglat père et fils et Marnet au capital de 100 000 livres est conclue pour le commerce des dorures, une autre Delglat père et fils et Ferlat, en commandite également, au capital de 44 000 livres, pour le commerce d'épicerie. Les commanditaires perçoivent chacun 5 %

par an d'intérêt sur leur capital, puis 2 000 livres chacun par an dans chaque société, et l'article 6 de la société avec Ferlat porte de façon explicite : « Les sieurs Delglat père et fils ne seront point tenus en qualité de commanditaires à aucune opération du commerce. Il leur sera cependant loisible d'agir, vaquer et veiller aux affaires du comptoir autant que bon leur semblera, et le dit sieur Ferlat sera tenu de leur représenter toutes les lettres, livres et factures. » Lors de la signature du contrat de mariage, la famille Delglat remet la copie de ces actes de société à la famille Imbert : c'est une garantie de sécurité pour la fortune de ce nouveau noble, « chevalier, conseiller du Roi, et trésorier de France... ». Un tel exemple n'est pas isolé : la liaison entre deux mondes de fortune voisine n'est jamais rompue, et si le passage ne se fait jamais que du monde du négoce à celui de la noblesse, il est évident que l'entrée dans la noblesse ne signifie pas rupture avec l'ancien milieu, ni abandon complet des anciennes activités. Quelques années plus tard on ne reconnaîtra plus le fils du négociant en dorures dans M. Delglat de la Tour du Bost, président au Bureau des Finances... c'est le symbole même de l'histoire de la grande majorité de la noblesse lyonnaise.

La composition des fortunes constituées lors des mariages est un autre signe des liens avec les marchands. Pour l'ensemble des contrats, sauf les officiers militaires, l'argent liquide constitue la majorité des apports. La part des immeubles et la valeur des offices reste plus faible : les espèces, versées par les parents négociants, servent souvent à acquitter le prix des offices qui ne sont pas encore totalement payés. La situation n'est différente que pour les plus vieilles familles nobles, en particulier celles qui sont entrées dans l'armée, et dont la fortune a un caractère immobilier beaucoup plus net.

Ce n'est pourtant peut-être pas par l'intermédiaire du négoce proprement dit que l'on atteint le sommet de la hiérarchie des fortunes, ou roturières ou nobles, dans la ville de Lyon au cours du XVIIIe siècle. Chaque fois que surgissent des difficultés entre des héritiers, et que doit avoir lieu le partage d'une succession, on voit l'actif de ces grandes successions fondre peu à peu en non-valeurs, ou entre les mains de créanciers nombreux et exigeants. C'est déjà le cas lors du décès de Jean-François Philibert, trésorier de France en 1725 : il est le fils et l'associé du prestigieux Melchior Philibert, le plus grand nom du commerce lyonnais de la fin du règne de Louis XIV, et toute la ville croit inépuisable la fortune de ce grand banquier. M. de Saint-Fonds et le président Dugas, qui représentent des familles déjà plus anciennes de l'aristocratie lyonnaise, rendent témoignage de cette renommée : « Je ne voudrais pas avoir tous les biens de M. Philibert et souffrir ce qu'il souffrait quand vous écriviez l'article du 23 mars... il me semble que je n'envie pas cette fortune immense. » Or que devient cette fortune immense que certains estiment à plusieurs millions de livres ? Il suffit d'un beau-frère noble et peu fortuné qui demande des comptes pour s'apercevoir que l'actif est bien modeste : on ne tirera pas plus de 300 000 livres de cette « immense » succession. À Lyon même, négociants et banquiers ont trouvé leurs maîtres dans la personne de ceux qui prennent en charge la recette des deniers de l'État ou de la Ville. Les plus grandes fortunes ne sont pas uniquement marchandes, elles sont le fait des financiers et des spéculateurs : ce sont le plus souvent d'anciens négociants, et de nouveaux nobles, par l'achat de quelque charge, que l'on retrouve presque toujours au premier rang. Si l'on cherche à citer les noms qui se retrouvent au cours du XVIIIe à la tête des plus grandes fortunes lyonnaises, en dehors de quelques banquiers qui finissent par émigrer vers Paris, ce sont ces divers fermiers des impôts, ou les receveurs des Finances, que l'on retrouve le plus souvent. Puisque nous avons déjà cité la correspondance Dugas - Saint-Fonds, on peut encore lui emprunter les passages qui concernent Marc Panissod, ancien fermier des octrois de la ville qui, à sa mort, en 1737, lègue tous ses biens à l'hôpital de la Charité. C'est une somme considérable pour l'époque, 730 000 livres, très supérieure à ce que peut léguer le marchand chapelier Étienne Mazard, pourtant l'un des plus riches marchands lyonnais de son temps (136 000 livres). La publicité faite au legs de Panissod et les critiques violentes répandues contre la ferme des octrois donnèrent lieu à de violents libelles contre le défunt :

> « *De l'âme d'un voleur ci-gît le vilain hôte*
> *Qui, dépourvu de toute humanité,*
> *S'est engraissé dans la maltôte ;*
> *Tout fut crime chez lui jusqu'à sa charité.* »

Le président Dugas s'indigne de ces calomnies répandues contre un mort, mais il est intéressant de citer sa défense : « J'admire le caprice du public : M. Douët avait autant de part à la ferme des octrois que M. Panissod. On n'a rien dit à la mort du premier; on n'a point troublé ses mânes par des épitaphes injurieuses; son fils aîné est conseiller au Parlement; il possède la terre de Vichy avec un magnifique château. On ne dit mot, on ne trouve point à dire à tout cela. M. Panissod laisse son bien à une maison destinée au soulagement des pauvres citoyens... on se déchaîne contre sa mémoire. » On sent un peu de jalousie chez ces nobles lyonnais, contre la réussite des fermiers des octrois, qui peuvent déjà avoir acheté une charge de conseiller au Parlement à leurs enfants, ce que ne peut faire un ancien prévôt des marchands de Lyon. Mais on voit aussi que les fermiers de ces octrois lyonnais avaient toute chance de s'enrichir rapidement grâce à cette gestion de leur ferme.

Les plus gros d'entre eux ne restent pas longtemps à Lyon, comme la famille de David Ollivier. Celui-ci est originaire du Poussan en Languedoc, et issu d'une famille protestante. Le fils du bourgeois de Poussan, qui abjure en 1685, devient négociant, puis banquier à Lyon, puis receveur général des Finances, avant de devenir échevin de Lyon en 1735. Ses fils et petits-fils sont banquiers à Paris, receveurs généraux des Finances, receveur général du Clergé de France. La famille, grâce à la générosité des dots, devient l'alliée des plus grands noms de la noblesse française, les Montmorency et les Lamoignon, les Latour-Maubourg et les Talleyrand-Périgord. A Lyon même, Marie Ollivier, fille de l'échevin, épouse Camille d'Albon, prince d'Yvetot, le chef de la plus grande famille noble du lyonnais. Elle reçoit en dot de son père et de son oncle 294 000 livres « comptant en espèces d'or et d'argent », plus 80 000 livres de sa mère et de sa sœur aînée, « voulant lui marquer l'amitié la plus tendre et combien son mariage lui est agréable ». Ce n'est pas chaque jour que la petite-fille d'un modeste bourgeois protestant du Languedoc devient une authentique princesse... Beaucoup d'autres noms pourraient être cités, et ce n'est pas un hasard si l'on trouve parmi eux beaucoup d'hommes directement concernés par le gouvernement de la ville de Lyon. Dans la deuxième moitié du siècle, les Birouste (dont nous avons signalé la retentissante faillite en 1771), dont la famille comprend un échevin et un receveur général des fermes en Bourbonnais, les Valesque (originaires de Poussan comme

Ollivier), échevin et receveur des tailles, les Tolozan, prévôt des marchands après avoir été receveur général de la Ville, les Nicolau de Montribloud, aussi originaires du même bourg du Languedoc, prédécesseur de Tolozan comme trésorier de Lyon, appartiennent tous au même milieu, sont tous apparentés les uns aux autres et possèdent tous de considérables fortunes. Ce sont eux qui constituent les dots les plus élevées à leurs filles, ce sont ces filles dont l'alliance est la plus recherchée, dans la noblesse lyonnaise. Les mésaventures de François-Christophe Nicolau de Montribloud sont assez caractéristiques du niveau de vie de ces nobles lyonnais, dont les ressources essentielles proviennent du recouvrement et du maniement des deniers publics. Pierre Nicolau, banquier à Lyon, est nommé receveur général des deniers communs, dons et octrois de la Ville et Communauté de Lyon, le 25 septembre 1733. Dès 1745 il s'adjoint son fils François-Christophe, qui obtient la survivance de la fonction en 1752 et lui succède seul à sa mort en 1766 : il est alors chevalier, baron de Montribloud, et il reste en place jusqu'en 1775, vivant alternativement à Lyon dans son hôtel du Port du Roi, dans ses terres de Bresse et des Dombes, et à Paris, où ses affaires financières l'appellent de plus en plus souvent. A sa sortie de charge, Nicolau de Montribloud connaît de nombreuses difficultés, et il doit déposer son bilan en 1778 : l'actif fait apparaître une des fortunes les plus considérables jamais amassées à Lyon. Les immeubles, maisons à Lyon, et propriétés en Bresse et Dombes (baronnie de Montribloud, seigneuries de Bussige, Saint-André de Corcy, de Saint-Bernard en Franc-Lyonnais, du Châtelet en Bresse) valent plus d'un million de livres. Aux immeubles s'ajoutent les offices, en particulier ceux de receveurs des tailles du diocèse du Puy, des titres (par exemple 10 actions du canal de Givors, estimées 400 000 livres), des créances diverses et un mobilier extraordinaire, dépassant en luxe et en valeur tout ce que pouvaient renfermer les hôtels lyonnais les plus somptueux. Les collections de tableaux, de sculptures et d'objets d'art, la bibliothèque, le cabinet d'histoire naturelle représentent plusieurs centaines de milliers de livres, et Nicolau cherche à persuader ses créanciers d'accepter une vente à Paris, dont on tirerait un profit plus grand que d'une vente à Lyon, où aucun acheteur ne pourrait se présenter pour acheter l'ensemble à son juste prix. Une telle fortune et un semblable luxe n'empêchent pas un découvert important : le passif est proche de 2 500 000 livres, en dettes diverses. Toutes les grandes familles nobiliaires et négociantes de Lyon ont fait des avances parfois considérables à l'ancien receveur des deniers de la Ville de Lyon : le seul Claude-Aimé Vincent, marchand de soie et banquier, est créancier pour sa part de 367 500 livres, sans parler de ses droits personnels en tant que beau-frère du failli. Tous ces nobles lyonnais, trahis dans leur confiance et dans leurs espérances de profits, font d'ailleurs porter à Nicolau l'entière responsabilité du dérangement de ses affaires, et dans les assemblées de créanciers ils se montrent particulièrement hargneux et durs à l'égard de l'ancien receveur, allant jusqu'à racheter à vil prix certains objets de ses collections d'art pour mieux déprécier l'ensemble des biens. Ceux qui ajoutent à leurs titres une charge de finances, ceux qui participent aux grandes affaires publiques amassent les bénéfices les plus importants, même si leur audace est aussi risque de fragilité ou de faiblesse. Au nom de Nicolau, il pourrait en être ajouté beaucoup d'autres, sans oublier ceux qui essaient avec plus ou moins de bonheur de s'intéresser aux grandes entreprises de travaux publics, comme le comte de Laurencin dans la compagnie Perrache.

De toute autre nature apparaît la fortune, immobilière pour la plupart, de Jean Giraud de Saint-Trys, chevalier baron de Montbellet, chevalier d'honneur en la Chambre des Comptes de Bourgogne, telle qu'il la décrit dans un inventaire joint à son testament solennel déposé à Lyon en 1784. Il comporte une description fort précise et minutieuse de toutes les terres, avec l'évaluation des revenus annuels de chacune, et l'estimation de leur valeur en capital. La terre et baronnie de Montbellet en Mâconnais avec ses trois domaines, ses prés, bois, droits de pêche et de bac sur Saône, rente noble et divers, est estimée 425 000 livres. L'ensemble des autres domaines et terres représente plus de 550 000 livres, en Lyonnais, en Bresse ou en Beaujolais (carte 20). Les huit maisons possédées à Lyon sont estimées ensemble à 700 000 livres, auxquelles il faudrait joindre la valeur des meubles divers (48 000 livres pour le seul hôtel de Saint-Trys, rue de la Charité). Quelques contrats sur l'Hôtel de Ville de Paris, ou sur les notaires de Lyon, la charge de conseiller honoraire ne sont que mineurs par rapport à la considérable valeur des immeubles. Les dettes sont peu importantes, puisque ne grevant la succession que de 8 000 livres par an, alors que les revenus annuels sont estimés à plus de 70 000 livres par an. Un tel exemple est caractéristique de ces fortunes nobiliaires plus anciennes, et dont les revenus proviennent presque entièrement des immeubles, urbains ou ruraux, avec une prédominance de plus en plus marquée de ces derniers.

Il peut paraître dérisoire à la fin de cette étude de rappeler les premiers chiffres qui apparaissent dans les premiers chapitres consacrés au menu peuple : les gages annuels des servantes et des domestiques inférieurs à 54 livres par an, et des revenus annuels de plus de 50 000 livres par an pour un Pianello de la Valette, de 70 000 livres par an pour un Giraud de Saint-Trys. Même si les fortunes lyonnaises restent en deça de celles de Paris, il est difficile de présenter des écarts plus importants, plus significatifs de l'immense disparité des conditions et des niveaux de fortune dans cette ville de négoce, dominée par quelques familles nobles plus ou moins récentes.

TROISIÈME PARTIE

INDIVIDUS ET SOCIÉTÉS

INTRODUCTION

UNE SOCIÉTÉ LYONNAISE OU PLUSIEURS SOCIÉTÉS?

Si la démographie a livré une image globale des habitants de Lyon, l'étude des structures socio-économiques a au contraire conduit à un morcellement de la société en groupes plus ou moins homogènes. Ces groupes, indépendants des ordres juridiques de l'Ancien Régime, puisque leur quasi-totalité appartient au Tiers État, ces catégories, ont parfois une unité professionnelle comme les ouvriers en soie, parfois une unité économique comme les marchands et les négociants; nous avons évité à leur sujet de parler de classe, parce que la richesse ou l'absence de fortune ne peuvent être des éléments suffisants pour déterminer une structure mentale de classe. Cependant, l'étude des origines sociales et géographiques, des niveaux d'instruction, a montré des différences considérables d'un milieu professionnel à l'autre, ou, à l'intérieur d'un même milieu, des variations selon la qualification, selon l'état de chaque individu.

Il n'en reste pas moins vrai que l'étude des niveaux de fortune des divers groupes de la société lyonnaise ne se suffit pas à elle-même. Elle ne devrait être qu'un point de départ pour une vision d'ensemble de cette société, de ce qu'elle a de plus profond, de plus réel : la vie de la société, la ou les mentalités, les rapports des groupes sociaux entre eux, et leur contribution propre à la vie et à l'histoire de l'ensemble du corps social urbain. L'historiographie contemporaine donne une place de plus en plus large à l'étude des mentalités collectives. De multiples obstacles arrêtent le chercheur dans une telle enquête. S'il nous a fallu consacrer plusieurs années pour dépouiller les éléments (et encore dans certains domaines sont-ils très insuffisants et incomplets) statistiques indispensables à la connaissance de la démographie et des niveaux de fortune, il faudrait un temps encore beaucoup plus long pour prendre connaissance de toutes les archives particulières qui peuvent livrer des renseignements épars sur la vie profonde du peuple lyonnais. Les seules archives des communautés de métiers comportent plus de six cents liasses, les archives de la sénéchaussée de Lyon — au civil et au criminel — sont enfermées pour le seul XVIIIe siècle dans plus d'un millier de liasses, la plupart encore en attente de classement. Or ces papiers des corps professionnels, et les archives judiciaires, sont à peu près les seuls témoignages que l'on possède sur les milieux populaires de la ville. Les sondages dans un tel domaine sont à peu près inutiles ou illusoires : il faudrait tout lire, tout compulser. C'est au détour de telle ou telle affaire mineure qu'apparaît une notation caractéristique d'une opinion publique, d'une mentalité collective ou simplement d'une façon de vivre.

Pour prendre deux exemples précis de recherches récentes, on peut montrer combien décevants peuvent rester parfois leurs résultats. M. Trénard a compulsé une bibliographie considérable pour étudier l'histoire du mouvement des idées à Lyon, en rapport avec la société. Or son étude précieuse ne rend compte que des idées de la partie riche ou dirigeante de la société : seules la bourgeoisie marchande ou intellectuelle et l'aristocratie lyonnaises apparaissent, au moins jusqu'à la Révolution, plus que le peuple de Lyon. Maurice Agulhon a fait une étude plus originale encore en voulant pénétrer tous les rouages de la sociabilité méridionale. Mais ses confréries, ses loges maçonniques provençales se recrutent également avant tout dans les milieux bourgeois, à la rigueur dans les métiers artisanaux. La documentation reste mince quand il en arrive aux associations populaires, rurales ou urbaines, et il ne peut citer de nombreux exemples de ces chambrées populaires, dont on distingue les premiers signes, sans pouvoir chiffrer exactement leur importance et leurs effectifs.

Aussi, au début de cette dernière partie, voudrais-je commencer par un constat d'échec, une sorte de répertoire des insuffisances ou des absences, dues, ou bien aux sources (mais il est facile de les accuser), ou plutôt aux déficiences du chercheur. Dans un premier domaine, les responsabilités de l'historien de Lyon sont limitées. Voulant connaître les réalités de l'enseignement dans la ville, les données sociales et culturelles, je me suis heurté à une absence presque totale de renseignements. Deux collèges de Jésuites jusqu'en 1763, continués tant bien que mal jusqu'à la Révolution sous la surveillance de l'administration municipale, des écoles de paroisse, une communauté des maîtres et maîtresses d'école, tout un appareil scolaire imposant, une ville dans laquelle l'instruction au moins élémentaire semble des plus répandues dès le début du siècle, tout cela n'a laissé pour ainsi dire aucun renseignement sur la nature de l'enseignement, sur le nombre et l'origine des enseignés. Cette partie fondamentale de la formation des esprits et des mentalités, individuelles et collectives, ne peut donc encore être abordée que très superficiellement à Lyon.

Dans un second domaine, ma responsabilité est plus directement engagée. La place de la religion, des idées religieuses, plus encore des comportements religieux des Lyonnais peut faire l'objet d'une étude générale, qui n'a pas été tentée. Ici les documents ne manquent pas, archives des paroisses, des chapitres, des communautés religieuses d'hommes et de femmes, des confréries. Elles sont de valeur inégale, mais en très grand nombre. Mais leur connaissance demande à la fois des compétences qui me font défaut et un temps considérable, et c'est là un sujet complet qui nécessiterait une recherche globale qui reste à faire. Même la sociologie du recrutement des établissements ecclésiastiques dans une ville qui comporte plus de deux mille religieux ou religieuses manque encore : elle éclairerait de façon précise les attitudes de tel ou tel groupe social. De telles absences réduisent singulièrement la portée et l'ambition de notre étude.

De même nous n'avons pas procédé au dépouillement systématique des archives judiciaires, leur empruntant seulement quelques exemples individuels, dont on ne peut jamais affirmer qu'ils ont valeur de modèle.

Dans ces conditions, nous pensons qu'il était vain de vouloir écrire une histoire des mentalités lyonnaises au cours du XVIIIe siècle. Des éléments de nos recherches peuvent apporter des réponses précises à certains comportements, sans jamais prétendre à une histoire totale. D'ailleurs des écarts trop importants entre les niveaux de fortune, de vie et de culture rendent illusoire de prétendre atteindre une mentalité lyonnaise : celle des ouvriers en soie peut-elle être la même que celle des fabricants, celle du boutiquier présenter des traits communs avec celle des négociants ? Renonçant en partie aux structures économiques dégagées par l'étude des fortunes des divers milieux urbains, nous rechercherons avant tout dans cette troisième partie à voir vivre, côte à côte, ensemble, ou en opposition les uns avec les autres, les corps qui rassemblaient réellement, dans les structures anciennes, les divers individus qui composent la société lyonnaise. C'est reconnaître à nos recherches des limites : c'est affirmer déjà en préalable que tous les individus de cette société urbaine se reconnaissaient comme membres d'un corps constitué, dans lequel ils acceptaient de se compter. C'est aussi vouloir donner aux structures professionnelles, le corps dont fait partie chaque travailleur par l'exercice même de son métier, une place prépondérante dans l'organisation sociale. C'est évidemment faire un premier choix qui peut sembler contestable. Est-ce que le Lyonnais se sentait d'abord ouvrier en soie, et ensuite seulement Lyonnais, ou mieux encore habitant de son quartier, ou de son faubourg ? Bien des cadres, matériels ou juridiques, ou religieux, pourraient être retenus comme cellule de départ. Le pâté de maisons, le quartier, la paroisse ne sont-ils pas des réalités plus vivantes et plus représentatives que l'appartenance à un métier, à un corps constitué ? Les réponses à ces questions sont difficiles : peut-être certaines surgiront-elles de l'examen des documents qui nous ont été laissés par le XVIIIe siècle. Les canuts du XIXe siècle, dès les grandes révoltes du règne de Louis-Philippe, se sentaient en même temps canuts et croix-roussiens : tout un folklore est né de cette coexistence du métier et de la colline. Est-ce qu'une telle symbiose existe déjà au XVIIIe siècle ? Disons seulement pour le moment que priorité a été donnée aux métiers sur toute autre forme de groupement, parce que les archives nous poussent à leur donner cette primauté. Bien pauvres sont les documents qui concernent la vie des quartiers, même ceux des pennonages qui ont pourtant une existence juridique et légale, et celle des paroisses... Pour celles-ci d'ailleurs, leur différence de taille rend malaisées des comparaisons : comment un habitant de la paroisse Saint-Nizier peut-il se sentir vraiment concerné par la réalité de la vie de sa paroisse, alors qu'il est un individu parmi plusieurs dizaines de milliers ? Au contraire, la vie des métiers a laissé des documents nombreux, que ce soit pour montrer l'adhésion à la communauté ou le refus de s'y intégrer : dans les deux cas, il s'agit d'indications précieuses aussi bien pour la vie individuelle que pour la vie collective.

Il nous a paru impossible de résumer ou de synthétiser l'ensemble du premier chapitre de la troisième partie de notre thèse.

Le cadre de la vie quotidienne, et plus encore les mentalités entrevues à travers des documents individuels et familiaux, ne pouvaient, dans l'état actuel des recherches sur la société lyonnaise, donner lieu à une synthèse satisfaisante. Une double étude quantitative et qualitative du logement, du mobilier, de l'habillement, du décor, mais peut-être aussi de l'alimentation et des loisirs serait indispensable. Les divers éléments que nous avons pu rassembler, le plus souvent isolés, témoignages plus qu'exemples vraiment caractéristiques, donnent toujours l'impression de clivages sociaux extrêmement marqués. A la chambre garnie, ou aux deux-pièces complétés par des soupentes surpeuplées, le plus souvent nus et tristes, occupés par les ouvriers en soie et la majorité des artisans, s'opposent les riches demeures spacieuses, parfois doublées de riantes maisons de campagne, où le luxe cède le pas au confort que recherchent les marchands et les notables lyonnais.

Les quelques documents concernant la vie privée sont peut-être plus révélateurs des mutations que des clivages. On assiste au XVIIIe siècle au renforcement de la famille étroite et mononucléaire, peut-être à une certaine libération de la cellule familiale vis-à-vis des ascendants et du reste de la parenté. Mais là encore, l'opposition est nette entre les familles ouvrières et artisanales, assez soudées, mais souvent isolées dans la grande ville, et les clans bourgeois, encore puissants et cohérents, malgré des failles de plus en plus fréquentes. Les mentalités profondes apparaissent dans quelques documents, bribes de correspondances, ou testaments olographes. Il faudrait une étude systématique, comme Michel Vovelle a pu la mener en Provence, pour présenter des conclusions qui ne soient pas trop superficielles. D'autres recherches, d'autres travaux, dont certains ont commencé, répondront à ce besoin.

CHAPITRE PREMIER

LES CORPS DE « NOTABLES » LYONNAIS : UNE SOCIÉTÉ « POLITIQUE » ÉTROITE ET FERMÉE

Dans le cadre juridique et institutionnel du royaume d'Ancien Régime, la ville tout entière, la communauté de ses habitants ou de ses citoyens, la « commune » de Lyon, si le mot conserve encore sa signification au XVIIIe siècle, constitue un ensemble, un *corps*, qui occupe une place particulière dans l'État.

Le rassemblement des hommes en corps, compagnies ou communautés (les trois mots sont à peu près équivalents — et sont employés comme synonymes les uns des autres dans le *Dictionnaire de Trévoux* par exemple— malgré des nuances de détail) est un fait que tous les historiens des sociétés d'Ancien Régime ont souligné. Les divergences sont cependant nombreuses quant à l'importance réelle de ces corps hors desquels il n'est pas de véritable citoyen. La classification de la société entre des ordres et des classes, le premier rang donné à l'appartenance à un corps juridique, à un état social, ou au contraire à une situation de fortune qui serait responsable des mentalités particulières, reste un des débats les plus souvent repris par les historiens contemporains.

Dans les deux derniers chapitres, nous essaierons de présenter, par l'étude de la composition sociale des différents corps constitués dans la ville de Lyon, de quelle manière chacun, corps constitué, légalement ou non, individu aussi, réagit devant les différentes manifestations de la vie publique, dans laquelle il est plus ou moins intégré.

I. — Le « Corps de Ville » : l'exiguité de sa base sociale

Les représentants officiels de la « commune » de Lyon prétendent au premier rang des communautés de la cité lyonnaise. Depuis très longtemps, au moins depuis Charles VIII en 1495, le terme de *consulat* désigne « le Corps ou la Communauté de la Ville de Lyon ». Au début du XIIIe siècle se constitua le premier Conseil des principaux citoyens chargés de l'administration des affaires de la ville, et les juristes du XVIIIe continuent à affirmer, à la suite des historiens comme le P. Menestrier, que les Lyonnais, « fatigués de la domination de l'archevêque et du Chapitre », formèrent une commune à l'exemple de celle de Paris, et nommèrent cinquante magistrats qu'ils appelèrent conseillers, avant de se mettre sous la garde de Philippe le Bel.

Depuis le rattachement de Lyon au royaume, l'histoire du corps municipal se résume en une lente, mais incessante sujétion au pouvoir royal. L'indépendance des élus de la commune ne pouvait subsister devant la volonté de centralisation du pouvoir royal, et à plusieurs reprises depuis la fin du XVe siècle, des édits, déclarations ou lettres patentes ne cessent de réduire les attributions et la compétence, l'indépendance surtout, du corps de ville de Lyon. Chaque fois, les rois, de Charles VIII à Henri IV, puis Louis XIII et Louis XIV, présentent toujours les nouvelles dispositions comme une confirmation des privilèges, franchises ou immunités de la ville de Lyon, mais chaque nouveau texte porte une atteinte toujours plus profonde à la réalité de ces franchises médiévales. Les autorités municipales ont beau reproduire à tout moment, et, pendant tout le XVIIIe siècle encore, faire imprimer à de multiples reprises toutes sortes de recueils ou de précis de toutes les franchises et immunités de la ville, depuis 1595 la liberté administrative des Lyonnais n'est plus que théorique. L'édit de Chauny, de décembre 1595, non seulement réduit le corps consulaire à un prévôt des marchands assisté de quatre échevins (au lieu des douze échevins précédents), mais encore, malgré des protestations de fidélité aux privilèges traditionnels de la ville, il sous-entend la possibilité pour le roi d'intervenir directement dans le choix des magistrats municipaux, au moins dans celui du prévôt des marchands. En 1603, la réforme fondamentale est accomplie, définitivement : personne ne pourra plus exercer cette fonction essentielle sans l'accord royal, selon le texte de la lettre de cachet de 1603. Une liste de trois noms est envoyée au roi, « afin que nous en choisissions l'un d'iceux, comme il se fait pour notre bonne ville de Paris, à l'instar de laquelle nous avons réglé l'état de notre dite ville de Lyon ». Le reste, c'est-à-dire le privilège de la noblesse accordé aux échevins de Lyon et à leur postérité, n'est que secondaire, tout au moins en ce qui concerne l'administration et la vie politique. Ce privilège de la noblesse, plusieurs fois contesté au cours du XVIIIe siècle, mais finalement toujours confirmé, est cependant d'une importance capitale pour l'histoire de Lyon. C'est la promesse de la noblesse qui explique l'engouement jamais contredit pour les charges échevinales jusqu'à la veille de la Révolution. La réponse de ce recteur de l'Hôtel-Dieu à Joseph II qui s'étonnait que l'on puisse encore convoiter des charges aussi lourdement onéreuses que celle de trésorier des Hôpitaux de Lyon est restée célèbre :

« Mais enfin, demandait l'impérial visiteur de l'Hôtel-Dieu, où est-ce que tout cela conduit un trésorier ?

— Monsieur, lui dit-on, à acquérir la noblesse en devenant échevin. »

Il y a en quelque sorte un décalage entre l'amoindrissement de la liberté politique et le prestige social conservé par les charges municipales lyonnaises.

Toute l'histoire lyonnaise du XVIe au XVIIIe siècle serait le récit de cette longue ascension du pouvoir royal et de ses représentants, face aux pouvoirs locaux, déjà fortement contrastés, et souvent opposés :

un pouvoir ecclésiastique, l'archevêque, qui ne dédaigne pas les interventions dans le domaine temporel, en accord ou non avec le chapitre des chanoines — comtes de Lyon;

un pouvoir militaire, le gouverneur, théoriquement représentant du roi dans le gouvernement des provinces du Lyonnais, Forez et Beaujolais, mais dont l'indépendance et le poids furent grands avec l'hérédité de la place acquise par la famille de Villeroy;

une autorité administrative locale, la municipalité, théoriquement soumise au double contrôle incessant des gouverneurs et des intendants.

Effacement des gouverneurs, renforcement de l'intendant, d'autant plus que plusieurs intendants lyonnais du XVIIIe siècle furent de grandes figures, abaissement de la municipalité.

Ce schéma simple est sûrement vrai dans l'évolution générale de l'État. Il est inutile de rappeler ici les manifestations de ces évolutions. Mais sur le plan local, sur celui de l'action, et non seulement sur celui de l'apparence, sur celui du pouvoir et non sur celui de la seule vanité sociale, le corps de ville reste le véritable représentant de Lyon; il est plus surveillé, il est contrôlé, il doit mendier à Paris des subsides pour renflouer ses caisses, il doit accepter d'humiliants rappels à l'ordre, et se soumettre à des réformes imposées d'en haut. Il reste pourtant l'instigateur d'une « politique » locale, qui subsiste, parfois avec éclat, jusqu'à la fin de l'Ancien Régime.

En 1680, à la suite de violentes altercations entre le consulat lyonnais et les officiers de la sénéchaussée, l'archevêque Camille de Neuville impose au consulat un texte qui fixe de façon durable et complète les prérogatives de chaque corps et les conditions propres à l'installation du corps de ville. Ce « cérémonial public de l'hôtel de ville de Lyon » est une véritable loi municipale, qui reste en vigueur presque sans modification depuis son adoption en 1680 jusqu'à 1790.

Les paragraphes essentiels, en plus de tous les articles qui règlent les ordres de préséance, de tenue et de rang dans toutes les cérémonies publiques (n'était-ce pas cela l'essentiel dans l'esprit du temps, puisque c'est de l'inobservation de ces règles que naissent les incidents ?), expliquent les modalités de l'élection du prévôt des marchands et des échevins de Lyon. Les conditions nécessaires pour être éligible sont la progressive institutionalisation de coutumes anciennes : le mémoire de Lambert d'Herbigny reste vague sur les règles d'admission à la prévôté des marchands ou à l'échevinat. Il se contente de signaler quelques cas particuliers et de noter que les prévôts des marchands sont « le plus souvent des trésoriers de France au Bureau des Finances de Lyon, ou des chefs du Présidial ». En réalité, dès les Lettres Patentes du 19 février 1603, il est exigé que le futur prévôt des marchands soit noble et originaire de Lyon (au cours du XVIIe siècle, on prend l'habitude d'exiger même qu'il soit de père lyonnais).

Quant au choix des échevins, il est le plus souvent fonction de relations personnelles, et s'il faut respecter certaines règles (la nécessaire présence d'un échevin gradué, l'habitude de choisir un échevin côté Fourvière et un autre côté Saint-Nizier), on ne demande aucune compétence particulière, ni même la preuve d'un grand intérêt porté aux affaires de la ville. La seule condition nécessaire pour être nommé échevin est l'appartenance à la bourgeoisie de Lyon, ou au moins dix ans de résidence dans la ville. Là encore la coutume, décrite par Lambert d'Herbigny, a créé certaines règles, en particulier un véritable « cursus honorum » qui permet d'accéder enfin aux fonctions échevinales. Les divers degrés de cette carrière des honneurs sont d'abord le service des hôpitaux, comme recteur pendant au moins deux ans, puis, pour les plus riches, comme trésorier de l'un ou l'autre des deux grands hôpitaux lyonnais. Il faut ensuite entrer au tribunal de la Conservation, et ce n'est qu'après que l'on devrait avoir le droit de briguer une place dans le corps de ville. Lambert d'Herbigny se plaignait des abus et des passe-droits en faveur de personnes qui privent les hôpitaux de leur compétence ou leur fortune en « cherchant à s'introduire dans les honneurs avant de les avoir mérités » et qui, plus encore, « dégoûtent ceux qui sont dans le service, ou qui sont près d'y entrer ».

En dehors des liens familiaux, il n'y a en fait qu'une seule véritable exigence pour l'accès au corps de ville (au moins comme échevin) : c'est la fortune, quitte d'ailleurs à la dépenser au service de la ville. Nous avons déjà cité le mémoire très sévère à l'égard du consulat lyonnais émanant des bureaux de l'Intendance en 1745; l'auteur dénonce l'esprit de révolte et d'indépendance si dangereux dans une grande ville : « Ce désordre, dit-il, vient au fond de l'administration, du peu de capacité et de valeur de ceux qui gouvernent, impossible à acquérir par ce que leur fonction est au-dessus de leur état, et au peu de respect pour eux de la part du peuple. » Et c'est une dénonciation en règle des tares du régime municipal lyonnais :

« Il faut convenir qu'un Prévôt des Marchands quel qu'il soit n'est pas parti capable pour contenir les habitants. Sorti du milieu de la bourgeoisie et du négoce, il ne peut être respecté du peuple. On trouve partout de ses cousins et de ses neveux et enfin une parenté étendue qui a des relations au moyen de quoi chacun se croit en droit d'avoir accès auprès de lui, et a peine à respecter un personnage qu'il a vu à ses côtés, et qu'il sait y devoir revenir au bout de quelque temps, occupé toute sa vie ou du Palais, ou de ses affaires particulières, ou de ses plaisirs. N'étant jamais sorti de l'enceinte de ses murs, il ne peut avoir la moindre idée d'administration; l'officier qui peut avoir à faire à lui et lui propose quelque point à décider rit de son embarras et méprise son commandement, et chacun de son côté est maître et fait impunément ce qu'il veut. »

En 1744, au cœur de l'émeute, une lettre (des marchands-fabricants ?) dénonce au contrôleur général l'incompétence et la faiblesse du prévôt des marchands (« on égorgerait tous les citoyens sans qu'il y mît aucun ordre, je le répète, il a perdu la tête et est plus mort que vif, aussi bien que Monsieur l'Intendant... »). En 1748 l'intendant Pallu lui-même émet un jugement des plus sévères sur le prévôt des marchands qui, d'après lui, ignore tout de ce qui se fait dans la ville (« il l'ignore pleinement et l'ignorera toujours... »).

Ces attaques répétées et le refus du consulat d'accepter des réformes proposées à maintes reprises conduisent le gouvernement à imposer une réforme fort importante en 1764. La composition et le mode de désignation des membres du corps de ville sont en théorie profondément modifiés. La composition du corps de ville est transformée. La commune de Lyon est représentée par un corps nommé : l'assemblée générale des notables, qui ne se réunit que pour les affaires les plus importantes, laissant le soin des autres à deux corps intermédiaires pris dans son sein, le corps de ville et le consulat. « Le consulat est dans le corps de ville; le corps de ville est dans l'assemblée des notables. L'assemblée des notables représente la ville. » Il reste en tête du consulat un prévôt des marchands et quatre échevins auxquels sont adjoints douze conseillers pour former le corps de ville. Enfin prennent place dans l'assemblée des notables, outre le lieutenant général et le procureur du Roi en la sénéchaussée, dix-sept « notables habitants des différents corps importants de la ville ». Les élections sont à quatre degrés : les corps de la ville s'assemblent et nomment leurs députés dans les premiers jours de décembre; ces députés, auxquels se joignent les membres du corps de ville, élisent alors les dix-sept notables qui formeront avec eux la grande assemblée. Celle-ci désigne les prévôt des marchands et échevin, et le lendemain, les conseillers de ville. Les notables sont élus pour un an, mais sont constamment rééligibles, les échevins pour deux ans, le prévôt des marchands pour deux ans en principe, mais il peut être continué deux fois (en fait six ans), les conseillers de ville pour six ans. Quatre au moins des conseillers de ville sont d'anciens échevins, et il est recommandé aux électeurs d'avoir égard aux services rendus dans les hôpitaux ou à la Conservation. Quant aux notables, âgés de 25 ans, résidant à Lyon depuis dix ans au moins, ils sont choisis selon une répartition très précise : un dans le chapitre des chanoines comtes, un dans l'ordre ecclésiastique, un dans la noblesse, un trésorier de France, un dans le siège de l'élection, un dans l'ordre des avocats, un dans la communauté des notaires, un dans celle des procureurs, « cinq parmi ceux qui exercent le commerce et quatre dans les communautés d'arts et métiers ». L'assemblée des notables est en quelque sorte l'antichambre du consulat. Dans la pratique, et pour éviter des différends entre les autres corps représentés, l'assemblée des notables est convoquée très irrégulièrement, et en fait, comme avant, le prévôt des marchands et les échevins gouvernent. La réforme n'eut donc pas de conséquences extrêmement importantes pour la vie politique lyonnaise. Elle délimite nettement un ensemble de notables, qui seuls peuvent accéder aux fonctions municipales; la vie politique lyonnaise se trouve enfermée dans ce milieu restreint : quelques centaines de personnes sont directement concernées par cette vie politique. Le reste de la ville, l'ensemble des citoyens, sont rejetés ainsi totalement de la vie active de la cité.

L'étude généalogique des familles échevinales permet de mieux situer ce milieu social des notables lyonnais, dans lesquels sont choisis les prévôts des marchands et échevins de Lyon. Exactement le même milieu social se retrouve parmi les recteurs et trésoriers des hôpitaux, puisque le plus souvent les échevins sont choisis parmi les anciens détenteurs de ces charges.

Si la base sociale de recrutement de ces échevins est particulièrement étroite, le consulat lyonnais n'est pas désigné dans quelques familles, toujours les mêmes, au cours du siècle. Il est extrêmement rare que l'on soit échevin plusieurs fois dans sa vie (du moins au XVIIIe siècle, le cas était beaucoup plus fréquent au XVIe) : le seul cas dans le siècle est celui de Jacques Bourg, échevin en 1713, et auquel un deuxième mandat fut confié en 1721. Mais si la richesse ou l'influence de certaines familles se traduit par la nomination de plusieurs échevins, la transmission héréditaire de l'échevinat n'existe pour ainsi dire plus au XVIIIe siècle. Jusqu'au règne de Louis XIV, nombreux encore sont les échevins dont les pères, voire les grands-pères ont exercé la même fonction; progressivement, au cours du XVIIIe siècle, cette habitude disparaît : les échevins acceptent presque tous la noblesse qui est la récompense de la charge, et à la génération suivante les enfants des échevins ont acquis des charges de magistrature, ou mènent une vie noble, et l'échevinage n'exerce plus le même attrait. Le résultat de l'accession au consulat de deux familles nouvelles chaque année fait que le milieu se développe peu à peu : lors de l'assemblée de la noblesse de la sénéchaussée de Lyon en 1789, on retrouve l'exercice de ces charges échevinales à l'origine de la grande majorité des familles nobles.

Les professions marchandes fournissent le contingent le plus élevé d'échevins lyonnais. Les grands négociants sont attirés par les honneurs consulaires et nobiliaires. Il est difficile, par suite des modifications de la terminologie au cours du siècle, de distinguer les types de commerce pratiqués par les échevins : il semble qu'au début du XVIIIe siècle la proportion des banquiers soit plus forte (avec les marchands de soie), alors que dans la deuxième partie ce sont les simples négociants qui l'emportent. Mais comment classer un Steinman, négociant et banquier à la fois ? Plus de trente négociants, une vingtaine de banquiers, une vingtaine de marchands-fabricants, une dizaine de marchands drapiers occupent pendant le XVIIIe siècle des charges consulaires.

Cependant, si les échevins de condition marchande forment le groupe le plus nombreux, ils sont accompagnés par un nombre important d'hommes de loi et de titulaires d'offices : au moins un échevin sur quatre est un gradué, mais cette proportion du quart est nettement dépassée (38,5 %). Les avocats sont les plus nombreux dans ce groupe (32 avocats aux cours de Lyon), mais les conseillers ou officiers de la sénéchaussée sont presque autant représentés. Le Bureau des Finances ne joue plus le même rôle au XVIIIe siècle que dans les périodes antérieures. Les conflits de préséance ayant opposé les trésoriers de France au consulat avant le règlement de 1679, renouvelés à plusieurs reprises au XVIIIe siècle, ont conduit ces derniers à ne plus participer aux manifestations organisées par le consulat, et le plus souvent à ne plus briguer de postes d'échevins (il n'y eut que 6 trésoriers de France au consulat pendant le XVIIIe siècle : l'office de trésorier de France donnait aussi la noblesse et rendait donc inutile le passage par les charges municipales). Enfin, parmi les corps représentés dans l'assemblée des notables après 1764, deux au moins sont tenus presque totalement à l'écart de l'échevinat : les notaires et les procureurs. Ces hommes de loi, peu considérés (surtout les procureurs) dans la haute société lyonnaise, ne possèdent peut-être pas non plus, sauf rares exceptions, la fortune nécessaire pour convoiter une place dans le consulat. Les deux seuls notaires nommés échevins sont deux cas particuliers : Pierre Perrichon, avocat et notaire, était aussi, ce qui est plus important, secrétaire de la Ville et Communauté de Lyon, et protégé du duc de Villeroy : c'est à son poste de secrétaire qu'il doit sa nomination en 1700. A l'autre extrémité du siècle, Louis-Joseph Baroud, notaire à Lyon, échevin en 1785, avait fait fortune plus comme banquier que comme homme de loi (en négociant en particulier les titres de rente émis pendant le règne de Louis XVI), et son étude de notaire n'est que le paravent de son activité bancaire. Remarquons enfin que, s'il n'y a que deux notaires et pas un seul procureur dans la liste des échevins, on note cependant parmi eux onze fils de notaires et cinq fils de procureurs, ce qui confirme à la fois la présence de ces deux corps dans les notables et la possibilité de promotion sociale pour ces hommes de loi.

En dehors des marchands et des juristes, il n'y a presque plus rien : un médecin et un fils de médecin (effacement marqué des membres des professions libérales et intellectuelles), quelques fils de bourgeois, sans que l'on sache ce que recouvre exactement le terme. Les milieux artisanaux sont évidemment totalement exclus : on ne pourrait guère citer qu'un tireur d'or et le fils d'un orfèvre (Chancey) dont la fortune s'apparente à celle des plus grands marchands, et encore cet orfèvre est entré dans la juridiction de la Monnaie en acquérant un office d'essayeur général en l'Hôtel des Monnaies. Il y aurait enfin quelques très rares cas de promotion très rapide, comme celle de Pierre Jouvencel, échevin en 1737, né à Chambéry en 1666, fils d'un maître de poste de Chambéry. Si l'on ajoute Blaise Denis, échevin en 1733 après avoir fait une considérable fortune dans le commerce des étoffes de soie, qui serait le fils d'un maître écrivain des Monts du Lyonnais, et Marc-Antoine Chappe, échevin en 1742 dont le grand-père et le père tenaient le *Logis du Lion d'or* à Dijon, on a cité les seuls cas particuliers de consuls lyonnais d'origine vraiment modeste.

Fermé et replié sur lui-même, renouvelé seulement par cooptation dans un milieu social extrêmement étroit, cette première conclusion n'est quand même qu'une vérité partielle. Ce corps échevinal par sa nature même doit aussi être un milieu neuf, composé en grande partie par des hommes nouveaux. Aussi bien les revers de fortune (les Borne, Chancey, et bien d'autres...) que l'anoblissement à la sortie de charge, rendent obligatoire cette apparition d'hommes nouveaux. C'est même tout le symbole de la société lyonnaise : dans l'ensemble, le corps social dans lequel se recrutent les échevins tend à se fermer, mais l'essor du commerce lyonnais fait apparaître sans cesse des hommes entièrement nouveaux, non seulement inconnus à la génération précédente, mais souvent aussi d'installation lyonnaise des plus récentes.

Sur les 182 échevins du XVIIIe siècle, au moins 52 sont nés hors de Lyon (28,5 %) : si le Lyonnais fournit de très loin le plus important contingent (en particulier les villes de Saint-Chamond et de Saint-Étienne), il faut aussi remarquer l'importance de l'apport méridional, languedocien en particulier (9 cas). Les relations avec l'Italie ont bien ralenti depuis le XVIe siècle, mais il y a encore des échevins de naissance italienne, naturalisés peu de temps avant leur accession au consulat.

2. — LES ÉLITES DIVISÉES

a) *Les rivalités politiques : Consulat et Cours souveraines.*

Si les prévôt des marchands et échevins de Lyon peuvent administrer leur ville sans trop redouter les interventions de l'archevêque et des comtes de Lyon, ils se heurtent beaucoup plus souvent aux prétentions des officiers des cours lyonnaises. On a vu déjà les précautions du pouvoir royal pour empêcher la création à Lyon de compagnies supérieures, dont on redoute qu'elles ne soient un obstacle aux progrès du commerce. Par rapport aux autres capitales de province, la ville de Lyon fait quand même bien pauvre figure pendant tout l'Ancien Régime : les trois compagnies qui peuvent prétendre à un certain rang sont loin d'égaler les orgueilleux parlements des villes voisines de Dijon ou de Grenoble, sans parler de celui de Paris. Trois corps privilégiés existent à Lyon : la Cour des Monnaies, à laquelle est rattachée la sénéchaussée et présidial, le Bureau des Finances de la généralité de Lyon et l'élection de Lyon. Ces trois juridictions comportent un personnel important, et elles cherchent à prendre le rang le plus élevé possible dans la ville. La Cour des Monnaies surtout, érigée en Cour souveraine, aspire à jouer le rôle d'un petit Parlement lyonnais. Le Consulat cherche par tous les moyens à entraver cette influence des compagnies lyonnaises pour garder la première place dans la ville. Une fois encore, les questions de cérémonial et de préséance permettent de saisir ces rivalités et la volonté de chacun. Dans les almanachs de la ville, dont l'impression est confiée à l'imprimeur « de Monseigneur le duc de Villeroy, du Gouvernement et de la Ville », il est toujours fait en sorte que le Consulat et même les milices bourgeoises, que le prévôt des marchands commande, soient inscrits avant les différentes juridictions. Lors de la création du Conseil supérieur en 1771, ce fut une cause de grave conflit entre la Ville et les magistrats. En janvier 1773, le Conseil supérieur, par la personne de son procureur général Pulligneu, fait saisir l'édition de l'almanach de Lyon : l'éditeur, qui avait prévu des difficultés en donnant au Conseil supérieur la place accordée auparavant à la Cour des Monnaies, avait essayé de prévoir le choc dans un avertissement : « Ceux qui auraient des titres ou des prétentions sur des préséances sont priés de n'en faire aucun reproche à l'éditeur qui, de son état, ne peut décider des prétentions ni régler les rangs de qui que ce soit. » C'est avouer clairement que l'éditeur obéissait aux ordres du seul Consulat, et c'est bien contre le consulat qu'est prise cette ordonnance de saisie.

Toutes les occasions sont bonnes pour manifester les désaccords et les prétentions. Depuis le XVIIe siècle, de multiples incidents marquent les rencontres publiques des représentants de la ville et des compagnies d'officiers. Les processions, les fêtes publiques, les réceptions sont autant de causes de discordes ou de manifestations de mauvaise humeur. Les incidents sont parfois sérieux, comme celui de la procession de Saint-Roch du 26 avril

1680, souvent rappelé. Le Consulat n'avait pas invité les conseillers du présidial, vexé du peu de zèle manifesté lors des précédentes cérémonies : or le prévôt des marchands a la surprise de trouver toute la compagnie de la sénéchaussée et présidial de Lyon rassemblée sur le parvis de la cathédrale Saint-Jean. Au moment du départ de la procession, le prévôt des marchands Thomas de Moulceau est bousculé par un conseiller, frappé d'un coup de hallebarde par un autre, qui veut prendre place devant le commandant de la ville. On juge de la stupeur du public, les représentants du clergé abandonnant la procession pour se réfugier dans l'église Saint-Georges, les membres du Consulat en tenue de cérémonie aux couleurs et aux armes de la ville dans la plus grande confusion, la compagnie des arquebusiers rétablissant l'ordre tant bien que mal, tandis que la procession est annulée.

Les conseillers de la Cour des Monnaies, érigés en cour souveraine, reposent le problème au moment de leur création. Ils ne peuvent plus accepter la position subalterne qu'ont été obligés de supporter les conseillers de la sénéchaussée. En aucun cas, quand il agit en tant que représentant de l'ensemble du corps de ville, le prévôt des marchands n'accepte de céder le premier rang aux officiers des différentes cours. Une espèce de modus vivendi fut mis en place, mettant sur le même rang dans les cérémonies publiques le Consulat, les conseillers de la Cour des Monnaies et les trésoriers de France, mais les occasions ne manquent pas de remettre en cause ce compromis. La défense des privilèges de chacun est souvent source de conflits.

Les querelles de préséance sont de la plus grande conséquence pour la vie politique de la cité. Craignant sans cesse la concurrence de ces corps privilégiés, le Consulat préfère les exclure du corps de ville, commettant ainsi une grave faute politique. L'opposition des trésoriers de France ou des conseillers de la sénéchaussée aurait été singulièrement amoindrie s'ils étaient restés dans le sein du consulat : exclus de celui-ci, ils sont plus libres d'exposer publiquement leurs critiques ou leurs observations. La deuxième moitié du XVIIIe siècle allait voir s'exacerber ces oppositions qui, tout en conservant des prétextes de préséance, sont de plus en plus la manifestation d'une volonté de participer aux affaires publiques, voire de contrôler la gestion municipale. Dès 1738, les trésoriers de France dénonçaient les bénéfices scandaleux réalisés par les fermiers des octrois (la fortune de un million de livres laissée par Panissod, « né sans biens »). Progressivement le contrôle de l'administration financière est exigé, et comme pour les Parlements, on comprend la popularité que peuvent acquérir ces officiers quand ils dénoncent des scandales comme les baux des octrois.

La création successive de l'assemblée des notables, puis du Conseil supérieur, fournit deux nouvelles occasions aux officiers d'exprimer leurs prétentions. Deux membres de la Cour des Monnaies et sénéchaussée sont membres de droit de l'assemblée des notables créée en 1764. Dès 1758, la Cour des Monnaies a demandé le droit de regard sur les finances municipales. Le pouvoir royal a tendance à prendre le parti du Consulat. Le problème n'est pas tranché en 1764, lors de l'installation de l'assemblée des notables. Le premier président de la Cour des Monnaies, qui fait office de lieutenant général en la sénéchaussée, Barthélémy-Léonard Pupil de Myons, désigné comme représentant de sa compagnie, affirme aussitôt ses droits à la présidence de l'assemblée des notables. Le Consulat s'indigne : si les juges de la sénéchaussée ont été « appelés à l'administration publique, c'est à raison de leurs qualités et de leurs vertus, c'est en un mot comme citoyens recommandables ». Les Lettres Patentes de 1764 se sont d'ailleurs bien gardées de donner ce pouvoir aux officiers de la sénéchaussée, et en 1770 la question n'est pas encore réglée. L'esprit procédurier de Pupil de Myons, qui cherche à prendre partout le premier rang (y compris à la tête du Bureau de l'Hôtel-Dieu), finit par lasser même les conseillers de la sénéchaussée, et la discorde règne à l'intérieur de la compagnie, au grand soulagement du Consulat.

A l'exemple du Parlement de Paris et des parlements de province, la modeste Cour de la sénéchaussée lyonnaise parle comme représentant de l'opinion publique, qu'elle affirme représenter aussi valablement que des prévôts des marchands et échevins qui ne sont élus par personne. Cette opposition divise les corps de notables lyonnais en fractions rivales, en clans ennemis : la vie politique de Lyon dans les dernières décennies de l'Ancien Régime est profondément marquée par ces luttes.

En 1787, lors de la dernière manifestation de force du pouvoir royal avant la convocation des États généraux, la sénéchaussée de Lyon mêle sa voix aux remontrances de l'ensemble des parlements. Ce sont de véritables remontrances que la sénéchaussée de Lyon finit par adresser au Garde des Sceaux, insistant sur l'effet désastreux qu'aurait l'impôt du timbre sur l'économie de la province, en même temps qu'elle exprime son admiration et son attachement aux conseillers du Parlement en exil : « Nous aurions voulu aller aux pieds de la Cour pour y recevoir quelques consolations, en admirant de plus près des Magistrats courageux. »

La réunion de l'Assemblée provinciale de la généralité de Lyon, puis la création du Grand Bailliage, allaient donner deux dernières occasions avant la convocation des États généraux de manifester ces divisions internes des corps de notables lyonnais.

« Jamais administration municipale n'a été en proie à plus de factions et de troubles que celle de la ville de Lyon. Tel est peut-être l'inconvénient inévitable dans une ville de commerce où, les citoyens ne voyant rien au-delà des honneurs de l'Échevinage, l'émulation dégénère en rivalité, et les préférences forment autant de haines particulières. » En réalité, il n'y eut que quelques oppositions personnelles contre les réformes proposées par Loménie de Brienne : Barou du Soleil, le procureur du Roi à la sénéchaussée, fut exilé et même un moment incarcéré, deux autres conseillers et le lieutenant de police Rey protestèrent officiellement aussi. En fait tout cela se solda par quelques manifestations lors de la réception à Lyon de Montsabert et d'Epremesnil, acclamés au spectacle et dans les cercles. Quant à l'Assemblée provinciale de la généralité de Lyon, elle montre surtout combien vifs restent les particularismes, les rivalités des corps et des hommes. C'est une suite de querelles entre l'archevêque et l'intendant, entre l'Assemblée provinciale et le Consulat (celui-ci a tellement peur de la présence à Lyon de toute instance supérieure qu'il demanda que l'on choisisse une autre ville que Lyon comme siège de l'Assemblée). Ces diverses mesquineries administratives dont est victime l'Assemblée provinciale de la part du Consulat (celui-ci refuse de lui fournir un local et met toutes sortes d'obstacles à son installation dans la salle du concert) sont très caractéristiques de cet esprit des notables lyonnais, jaloux de leurs pouvoirs, mais surtout toujours attentifs à limiter ceux des corps voisins ou rivaux.

b) *Les clivages culturels : Académies et loges maçonniques.*

Le Consulat est le premier corps urbain, même si la Cour des Monnaies ou le Bureau des Finances lui contestent sa suprématie. Dans l'ombre de l'une ou l'autre de ces institutions, subsistent, végètent souvent, renaissent parfois encore au XVIIIe siècle de nombreux autres « corps » qui contribuent à la formation d'une sociabilité lyonnaise.

Le plus souvent cependant, ces anciens corps sont des survivances — Milice bourgeoise, compagnie de l'Arc ou de l'Arquebuse, n'ont plus guère de signification militaire; les habitants de Lyon ne manifestent pas un grand empressement pour garder leurs postes, faire les rondes du guet. Cependant les officiers de la garde bourgeoise, son colonel et les capitaines des quartiers font partie de ce groupe des notables qui continue à diriger la ville. Même dans ces compagnies, plus encore dans d'autres groupes, d'origine et de signification différentes, comme les confréries religieuses — comme pour les autres aspects de la vie spirituelle et religieuse, nous ne pouvons en parler en quelques lignes — les clivages sociaux apparaissent : milieux artisanaux et bourgeoisie marchande, bourgeoisie et aristocratie se côtoient parfois, s'opposent souvent.

Ces différences apparaissent encore plus nettement au niveau des sociétés de culture.

L'histoire des Académies lyonnaises a été abordée de nombreuses fois, mais les travaux de Daniel Roche sur les Académies de province au XVIIIe siècle ont donné une orientation nouvelle à ces études, en essayant de replacer avec le plus d'exactitude possible ces sociétés savantes dans l'ensemble urbain dont elles émanent. En 1700 prend naissance la première Académie des Sciences et des Belles-Lettres de Lyon, réunion restreinte de quelques lettrés qui prétendent renouer les traditions de la culture classique et de la Renaissance. Le noyau des fondateurs comprend sept membres, reflet, encore modeste, d'une certaine image des élites lyonnaises. Trois corps dominent cette première réunion : le collège des Jésuites, dont deux pères figurent parmi les fondateurs, et qui s'associeront bientôt d'autres membres, parmi les plus érudits, comme le P. Dominique de Colonia et le P. Jean Brun; l'influence du collège des Jésuites est encore plus nette si l'on ajoute que presque tous ces académiciens de la première époque ont étudié dans le collège de la Trinité et continuent à y envoyer leurs fils. Cette présence des Jésuites montre leur importance à Lyon pendant le règne de Louis XIV, au moins pour la formation et l'encadrement des élites. Le tribunal de la sénéchaussée et siège présidial de Lyon est représenté par trois conseillers, et l'un d'entre eux, Laurent Dugas, sera l'un des présidents de la Cour des Monnaies qui s'installa à Lyon peu de temps après l'Académie. Le Consulat est enfin le troisième corps parmi lequel sont recrutés les fondateurs. Le célèbre médecin Camille Falconnet est fils d'un échevin, l'avocat Aubert (le huitième des sept fondateurs) est échevin en 1699, alors même que le père de Laurent Dugas est prévôt des marchands (et son fils le sera à son tour). L'avocat Brossette enfin, qui fut sans doute l'instigateur de ce premier rassemblement, est déjà fort lié en 1700 avec les milieux consulaires : il sera plus tard échevin lui-même avant de devenir bibliothécaire de la ville de Lyon. Il faut tout de suite remarquer que si le milieu échevinal est en fait lui aussi à l'origine de cette Académie lyonnaise, il ne s'agit que d'une partie des membres du corps consulaire : les gradués, les avocats, et pas les anciens négociants : on retrouvera cette opposition dans toute l'histoire de l'Académie lyonnaise; elle semble fondamentale. Dans cette réunion d'hommes à talents, d'érudits, d'écrivains, de lettrés ou de professeurs intéressés par les spéculations scientifiques et intellectuelles, les marchands de Lyon n'ont pas leur place; leurs préoccupations ou leur niveau culturel ne sont pas les mêmes...

Ces diverses origines expliquent d'ailleurs les premiers soutiens : celui des Villeroy d'abord, puis peu de temps après celui de l'intendant Trudaine, qui demande aussitôt après son arrivée à Lyon son admission dans la société. La politique gouvernementale s'affirmera toujours favorable à ces associations culturelles, à condition d'y être associée par l'intermédiaire de ses agents à Lyon, qui possèdent ainsi un droit de regard sur leurs activités. Pendant tout le siècle l'attitude des pouvoirs sera la même à l'égard de l'Académie. Les prévôts des marchands seront aussi le plus souvent membres de l'Académie, au moins comme associés, marquant ainsi les bons rapports de la société avec le corps de ville. Mais les débuts furent cependant difficiles, malgré le succès de cette première Académie qui reçoit 35 nouveaux membres de 1700 à 1724, année où elle obtient ses premiers statuts officiels accordés par lettres patentes royales. Les difficultés naissent de la concurrence faite par une compagnie rivale, le Concert, qui, dès 1713, se transforme pour devenir Académie des Beaux-Arts. Les Lettres Patentes de 1724 essaient de réunir en une seule les deux sociétés, mais celles-ci continuent à vivre en fait totalement séparées, et elles demandent des statuts distincts, sujet de nombreuses querelles entre elles, chacune s'opposant à l'octroi de lettres patentes à sa rivale. Il fallut attendre la deuxième moitié du siècle, quand les fondateurs des deux assemblées eurent tous disparu, pour que, sous la pression de certains membres communs aux deux, comme l'abbé Lacroix, ou plus encore de l'intendant La Michodière, les dissensions soient aplanies et pour que l'union soit faite, par les lettres patentes accordées en 1758 à l'Académie « des sciences, belles-lettres et arts de Lyon ».

Il est très délicat de faire une analyse sociale précise des membres des Académies lyonnaises, la noblesse lyonnaise restant presque toujours de souche très récente, et les charges anoblissantes ne coïncidant pas régulièrement avec l'entrée dans les sociétés culturelles. L'avocat Brossette par exemple, fils d'un marchand bourgeois, avocat à la Cour des Monnaies, possède une noblesse personnelle liée à son appartenance au corps des avocats. La possession de la seigneurie de Varennes renforce encore son appartenance au groupe social des nobles, mais il ne sera vraiment anobli que par sa

CLASSIFICATION SOCIALE DES ACADÉMICIENS LYONNAIS

Qualité ou titres	Académie des Sciences 1700-1758	Académie des Beaux-Arts 1736-1758	Académie réunie 1758-1790	Total 1700-1790
Nobles	41	13	19	73
dont titulaires d'offices	29	7	11	
Clergé	21	13	21	55
Bourgeois	12	27	38	77
dont professions médicales	4	15	12	
et professions marchandes	—	2	5	

fonction échevinale en 1730, soit trente ans après son entrée à l'Académie. Dans son cas, la fonction d'avocat est responsable de la suite de sa carrière, et c'est bien évidemment ce caractère professionnel qu'il faut retenir pour une classification, même si très souvent les avocats de Lyon finissent par obtenir la noblesse héréditaire, en plus de leur noblesse personnelle. Il faut donc toujours tenir compte de cette dualité pour la classification des bourgeois lyonnais, très proches de la noblesse par certaines de leurs fonctions. La liste des membres des trois sociétés de 1700 à 1790 permet de déceler d'importantes différences, en même temps qu'une évolution marquée entre le début du siècle et la deuxième moitié.

Sur l'ensemble des 205 académiciens ainsi répertoriés, les nobles constituent 35,6 % de l'ensemble, les ecclésiastiques 26,8 % et les bourgeois 37,5 %. Les titulaires d'offices de justice et de finances (mais surtout les premiers) forment les deux tiers des nobles entrant dans les académies, et leur proportion est particulièrement forte dans la première société, l'Académie des Sciences et Belles-Lettres où, seuls, ils constituent 40 % de l'effectif total, alors qu'ils ne sont que 13 et 14 % dans les deux autres. N'oublions pas cependant que beaucoup de ces nobles de robe sont souvent liés par leurs ascendants à la fois aux familles consulaires et aux familles marchandes dont le plus souvent ils sont directement issus. Cependant leur place prépondérante dans la première académie dépasse assez nettement leur importance sociale dans la ville politique. Les plus grandes familles de la noblesse lyonnaise, souvent liées au milieu consulaire, les Claret de la Tourette, les Ponsaimpierre, les Dugas, les Regnauld de Parcieu, restent fidèles aux sociétés académiques lyonnaises. Il y a un assez net effacement dans la dernière moitié du siècle, dans l'Académie des Sciences, Belles-Lettres et Arts. Ces grands noms lyonnais deviennent moins nombreux. Il arrive encore que des enfants de ces grandes lignées, ayant définitivement adopté le genre de vie noble, soient encore académiciens, mais ce devient des exceptions. Après 1750, on ne peut plus guère noter que deux exemples : François Dugas de Quinsonas, chevalier, officier au régiment de la Reine, le neuvième enfant de Laurent Dugas, est fils et frère de prévôt des marchands : une classification dans la noblesse militaire n'a alors guère de sens; Charles-Pierre Claret, comte de la Tourette, enseigne des vaisseaux du Roi lors de son entrée à l'Académie en 1761 (où siège déjà un de ses frères), promis à une belle carrière sous le règne de Louis XVI, est lui aussi fils d'un prévôt des marchands lyonnais.

La place du clergé reste à peu près constante pendant le siècle. Les Jésuites du Grand Collège forment près de la moitié des membres du clergé dans les deux premières académies, mais une première opposition se dessine à travers leurs dates de réception. Les Jésuites et les officiers de la sénéchaussée et de la Cour des Monnaies coexistent sans problème dans l'Académie des Sciences jusqu'en 1730 environ, mais après cette date cette société ne reçoit plus qu'un seul père jésuite. Au contraire, dans la Société royale des Beaux-Arts, les Jésuites restent nombreux après 1740 : trois professeurs, le bibliothécaire, le directeur du Conservatoire sont admis alors dans cette compagnie, dans laquelle les officiers de la Cour des Monnaies tiennent une place bien plus restreinte. Dans les deux académies réunies, les Jésuites conservent leur place jusqu'à leur départ de Lyon; Claude-François-Xavier Millot, à vrai dire grand vicaire de l'archevêque de Lyon en même temps que professeur au collège, est reçu en 1760, et Antoine Mongez, devenu chevalier et historiographe de l'Église de Lyon, est encore reçu en 1763. Après le départ des Jésuites, les Oratoriens les remplacent, de même que deux professeurs du collège Notre-Dame : les liens avec le monde de l'enseignement se font donc ainsi encore presque exclusivement par l'intermédiaire des congrégations qui dirigent les collèges lyonnais. En dehors des enseignants, le choix des autres ecclésiastiques est plus hétéroclite. Les chanoines des chapitres de Lyon forment l'effectif le plus important, mais à une exception près fort importante : les chanoines comtes de Lyon, étrangers au milieu académique lyonnais. Les autres chapitres, celui d'Ainay et celui de Saint-Just en particulier, comptent plusieurs académiciens, souvent choisis parmi les plus hauts dignitaires, comme l'abbé Lacroix, grand obéancier de Saint-Just, mais en même temps vicaire général de l'évêché. Souvent les réputations scientifiques sont à l'origine des admissions, comme celle du grand agronome l'abbé Rozier. Quant aux religieux des ordres de la ville et au clergé séculier des paroisses, ils restent à peu près totalement absents, le XVIIIe siècle ne comportant que deux exemples de curés académiciens : le curé de La Guillotière, Philippe Villemot, au début du siècle, et un vicaire de Sainte-Croix, Étienne Dugaiby, reçu en 1736, connu pour ses recherches mathématiques.

La bourgeoisie à talents forme la troisième partie de ces académiciens lyonnais, et son importance ne cesse de croître au cours du siècle pour devenir prépondérante dans l'Académie réunie. L'ensemble de la « bourgeoisie » ne représente que 16 % des membres de l'Académie des Sciences et Belles-Lettres, mais environ la moitié de l'effectif des Académies des Beaux-Arts et réunie. L'ouverture aux talents se manifeste par l'entrée de plus en plus nombreuse d'artistes (les peintres Nonotte ou de Boissieu) ou de représentants des arts les plus nobles : les architectes, les médecins, les chirurgiens. Apparaissent même les premiers professeurs laïcs, comme Charles Admiral, professeur à l'école royale de dessin et de géométrie pratique, ou Simon Barbier, professeur de mathématiques et ingénieur. La présence de ces professeurs, plus ou moins ingénieurs et techniciens comme les architectes, proches en tout cas des arts et métiers par leurs préoccupations (sinon par leur fortune, qui dans l'ensemble est nettement au-dessus de la moyenne), rend encore plus sensible l'absence presque totale du monde du négoce. Sur les quelque 110 échevins négociants de Lyon au XVIIIe siècle, un seul accède à l'Académie, Jean-François Genève, le seul membre aussi de la Chambre de Commerce que l'on trouve dans les académies lyonnaises. Il y a là plus qu'une simple réserve : un divorce entre l'Académie et l'activité commerciale dominante. Aussi, malgré l'apparente variété des conditions et des professions des académiciens lyonnais, ce n'est pas non plus au sein de ces sociétés savantes que peut se faire une large union des élites bourgeoises, aristocratiques et fortunées. Malgré leur volonté d'insertion dans la vie lyonnaise, dont témoignent à la fois l'intérêt des intendants et des prévôts des marchands, et le choix des sujets de concours et de prix proposés, dont beaucoup sont directement liés au commerce ou au sort des ouvriers de la Fabrique lyonnaise, on peut dire que l'Académie des Sciences, Lettres et Arts ne répond pas vraiment à ce besoin d'unité des classes riches de la ville. Elle reste une compagnie trop limitée par le nombre, malgré les académiciens associés, trop uniquement intellectuelle par les préoccupations. Même si dans la deuxième moitié du siècle elle ouvre largement ses portes aux élites nouvelles et à des hommes profondément marqués par les idées des lumières, elle ne peut cependant représenter véritablement la société lyonnaise dans sa partie la plus dynamique.

Brissot, qui ne connaissait guère les institutions lyonnaises, rapporte dans ses *Mémoires* ses conversations avec Pierre Poivre, dans la propriété de ce dernier au bord de la Saône, et il ajoute : « L'esprit de commerce est si prononcé dans cette ville que M. Poivre, recommandé par le ministre, par le roi même, pour être prévôt des marchands, ne put être nommé parce qu'il n'était pas négociant; et c'est cet homme qui est adoré aux Indes, qui devrait être béni en France pour la transplantation des arbres à épices dont les fruits l'enrichissent. » L'Académie de Lyon reçut Poivre, mais la réception de cet ancien intendant de la Réunion est assez symbolique de ce divorce entre la vie réelle et les sociétés savantes. L'Académie de la fin du siècle, tout entière pénétrée de l'esprit des lumières, en rapport avec tous les « philosophes » de renom, comme l'abbé Raynal qui propose plusieurs prix au concours de la société lyonnaise, est en fait assez hostile au milieu négociant. On retrouve dans ses rangs un chanoine comte de Lyon, le comte de Montmorillon, un ecclésiastique, l'abbé Jacquet, qui passe pour le conseil des ouvriers lors de leur lutte contre les marchands-fabricants, les Tolozan, partisans résolus du libre-échange dans une ville où la Chambre de Commerce défend les idées protectionnistes jusqu'à la Révolution... Les médecins, les artistes, les fonctionnaires, un Roland de la Platière inspecteur général des manufactures, les entrepreneurs des essais de rénovation urbaine comme le comte de Laurencin, directeur de la compagnie des travaux Perrache, tous membres de l'Académie des Sciences, Belles-Lettres et Arts, sont en quelque sorte en marge de la société réelle, tout au moins à l'écart de ce qui fait la puissance économique de la métropole lyonnaise. Dans ce divorce entre les élites intellectuelles et la bourgeoisie marchande, il y a un trait maintes fois souligné de la personnalité lyonnaise.

Sans doute d'autres formes plus individuelles de vie intellectuelle existent dans la ville. Il faudrait pouvoir étudier de façon plus précise le rôle des réunions dans les cafés de la place des Terreaux, où se lisent les gazettes, où l'on se réunit non seulement pour jouer, mais aussi pour réciter des poèmes, discuter les informations, comme d'ailleurs les réunions privées dans les salons. Est-ce que la bourgeoisie marchande accorde une grande place à ces assemblées mondaines, est-ce que les idées nouvelles sont discutées ainsi dans des couches plus larges de la société lyonnaise? La correspondance Le Texier déjà citée fournit un élément de réponse. Ce jeune homme, pendant ses neuf premiers mois de séjour à Lyon, a eu deux fois du monde à souper chez lui, les deux fois avec un accompagnement de musique : rendez-vous « de la meilleure compagnie », mais dont « la mauvaise compagnie en hommes et en femmes est exclue avec tous les soins possibles ». Cet exemple, une fois encore, montre le souci de séparer la société en plusieurs catégories dont les rapports sont difficiles, parfois hostiles : un fils d'échevin inclus dans la mauvaise compagnie, c'est limiter à bien peu de personnes la bonne société lyonnaise.

Pourtant une possibilité de rapprochement et de vie commune a été offerte aux Lyonnais dans la seconde moitié du XVIIIe siècle. On a maintes fois déjà insisté sur le rôle des loges maçonniques lyonnaises, faisant de Lyon une véritable capitale de la Franc-Maçonnerie à la fin de l'Ancien Régime. On a insisté sur les courants de mysticisme qui se manifestent dans ces loges lyonnaises, sur l'influence des visiteurs illustres et de leurs idées, de Cagliostro à Mesmer, qui recrutent de nombreux adeptes dans les dignitaires de la maçonnerie lyonnaise, à commencer par les deux frères Willermoz. M. Trénard a consacré un chapitre fort documenté aux courants spirituels qui marquent ces loges lyonnaises, et a essayé de préciser les grands traits de leur vie et de leur évolution. Mais il n'avait encore pu avoir accès au fonds maçonnique de la Bibliothèque Nationale, qui permet une connaissance d'ensemble beaucoup plus précise du recrutement des loges lyonnaises. Il y eut dans la seconde moitié du siècle, en deux étapes, entre 1760 et 1770 d'abord, puis après 1780, une véritable floraison de loges à Lyon, la plupart installées dans les maisons des faubourgs, sur les pentes de Fourvière, de La Croix-Rousse ou aux Brotteaux, où Morand en fait une sorte de centre de ses projets d'aménagement du quartier nouveau. Les loges lyonnaises sont d'ailleurs longtemps divisées, entre celles affiliées au Grand-Orient de France et celles de rite écossais (le Directoire écossais d'Auvergne est animé par Jean-Baptiste Willermoz, fondateur de la loge lyonnaise de « La Bienfaisance »), mais l'action des principaux dignitaires, souvent affiliés à plusieurs loges, de tendances opposées, favorise un rapprochement après 1780, au moment du grand essor. Les effectifs de seize loges lyonnaises entre 1760 et 1789 livrent les noms de plus de 1 100 affiliés. Les loges n'ont pas toutes la même importance, certaines restent assez limitées (celle de « Saint-Jean de Jérusalem », par exemple, n'a que 13 membres en 1781, 21 en 1782), alors que d'autres sont beaucoup plus ouvertes : cinq au moins des loges lyonnaises connues atteignent des effectifs voisins de cent :

— 104 membres pour la loge « La Bienfaisance » dont les effectifs passent de 38 en 1776 à 89 en 1787;
— 127 membres pour la loge « Parfaite Harmonie » qui ne comprend que 16 affiliés en 1781, 54 en 1783, pour se renouveler presque totalement avant 1788 (48 membres);
— 130 membres pour les « Deux Loges réunies » (« Parfaite Amitié » et « Vrais Amis ») qui comptent déjà 73 personnes en 1773;
— 131 membres pour la loge « Sincère Union » qui connaît une progression très rapide (de 15 en 1778 à 82 en 1788);
— 161 enfin pour la loge de « La Sagesse » qui passe de 29 membres en 1776 à 94 en 1787.

La différence entre le recrutement maçonnique et les milieux académiques est considérable. Cette fois les négociants lyonnais entrent en masse dans les loges lyonnaises et constituent l'élément majoritaire.

CLASSEMENT SOCIO-PROFESSIONNEL DES FRANCS-MAÇONS LYONNAIS (1760-1789)

		Nombre	%
Nobles :			
Noblesse titrée et militaires	91		
Titulaires d'offices	19		
Total des nobles		113	10,5
Ecclésiastiques		43	4
Bourgeoisie :			
Négociants	572		
Divers marchands	84		
Total des marchands		656	61,3
Administration	65		
Judicature	87		
Médecine	35		
Art et enseignement	49		
Bourgeois	23		
Total des Professions libérales		259	24,2
TOTAL		1 071	100

Pour la première fois tous les corps de notables lyonnais se trouvent réunis et les loges maçonniques semblent réaliser cette fusion de l'élite lyonnaise, divisée dans les autres corps politiques ou culturels. Il est cependant nécessaire d'apporter quelques correctifs importants à ce tableau d'ensemble. Sans doute les différents milieux lyonnais pénètrent dans les loges maçonniques, mais les variations restent très importantes d'une loge à l'autre. On peut parler d'une véritable spécialisation sociale de certaines loges. Les nobles constituent par exemple environ 40 % des effectifs des loges de « La Bienfaisance » et de la « Parfaite Union », mais ils n'ont pas un seul représentant dans les loges du « Parfait Silence » ou de la « Candeur ». Si l'on rencontre d'assez nombreux ecclésiastiques (en proportion toutefois beaucoup plus faible que dans les sociétés savantes), ils ne sont pas du tout les représentants des mêmes institutions religieuses. Alors que les comtes de Lyon ont dédaigné le milieu académique, on trouve sept d'entre eux dans les loges maçonniques, tous dans la loge de « La Bienfaisance », dans laquelle les nobles sont aussi en plus forte proportion : si les négociants ne sont pas absents de cette loge, ils n'y sont pas la majorité (un quart seulement) : le caractère aristocratique est ainsi nettement marqué, différenciant nettement cette loge des autres.

Les nobles sont surtout des militaires : les représentants de beaucoup de vieilles familles lyonnaises, anoblies par les charges consulaires au XVIIe siècle, se retrouvent ainsi dans les loges maçonniques par l'intermédiaire de jeunes officiers, qui s'intègrent ainsi dans la société des notables qu'ils n'ont plus guère occasion de côtoyer autrement (leurs parents vivant le plus souvent dans leurs domaines, et eux à leur régiment).

Si les membres des professions libérales sont très nombreux, le recrutement est plus large que dans les sociétés académiques. Une bonne moitié des avocats, des procureurs et des notaires lyonnais adhèrent aux loges maçonniques : seuls les premiers pouvaient accéder aux sociétés culturelles traditionnelles. Une fois encore beaucoup de jeunes sont attirés : des étudiants en droit s'inscrivent alors qu'ils ont à peine 20 ans (âge limite de 21 ans dans certaines loges, mais pas toujours respecté). Les dessinateurs de la Fabrique côtoient cette fois les architectes, dont certains ne sont que de riches entrepreneurs, les maîtres écrivains et les maîtres de pension sont présents à côté des ingénieurs et des artistes.

Quant aux très nombreux marchands et négociants, il est aussi nécessaire d'établir des distinctions à l'intérieur de ce groupe, moins homogène que ne le laisse croire le terme employé dans les listes des loges. En réalité, les règles d'admission, assez sévères les premiers temps, finissent par s'assouplir. Les enquêtes sur les mœurs et les ressources des postulants ne se font plus, ou du moins sans beaucoup d'attention. Les loges attirent tout particulièrement les jeunes négociants, peut-être plus encore les commis, les jeunes associés arrivés depuis peu à Lyon. « Des 27 membres inscrits dans le tableau de la loge de la « Parfaite Réunion », il y en a au moins 15 qui prennent la qualité de négociants et qui ne sont que des commis subalternes à petits appointements, presque tous de la première jeunesse », écrit un dignitaire de la Grande Loge Provinciale en 1783. Il y a depuis longtemps, de la part des associés les plus stricts, des protestations contre le laisser-aller regrettable de certaines loges lyonnaises. Dès 1764-1765, des protestations très vives sont adressées au Grand-Orient de France pour dénoncer des admissions scandaleuses et l'oubli des règles fondamentales : « La franc-maçonnerie lyonnaise est ici dans un dépérissement extraordinaire depuis quelque temps. Je puis même vous dire qu'elle tombe dans l'enfance. Il n'y a presque plus de respect pour nos mystères, ni pour nos règlements, ce qui m'a fait décider de ne plus fréquenter les loges qui ne sont qu'un amusement et les banquets des bacchanales. » On se serait laissé tromper au point de donner des lettres de constitution à d'anciens domestiques, et en 1765 une sévère mise au point est écrite par la Loge mère de Lyon : « La Grande Loge de France ne doit pas ignorer que tout homme d'un *état vil*, *attaché à un métier*, ne peut entrer dans nos loges que comme frère servant, tout au plus comme frère à talents. » Après ces rappels à l'ordre, une certaine restriction se fait sentir dans les admissions. Mais en 1783 Jacques de Petichet, vénérable des « Deux Loges réunies », rappelle une fois encore que les loges ne doivent pas recevoir n'importe qui. Les neuf loges alors existantes à Lyon sont, dit-il, plus que suffisantes, et il n'est pas bon d'ouvrir trop largement à de nouveaux membres : « Le choix des bons sujets devient fort difficile, et si d'un côté on obtient la quantité, de l'autre on est privé de la qualité qui nous est infiniment essentielle. » Des discordes internes, des querelles de personnes, des accusations parfois fort précises contre certains vénérables troublent l'harmonie des loges lyonnaises, et il se forme dans certaines des clans rivaux, comme à l'intérieur de la loge « Saint-Jean de Jérusalem », dans laquelle le greffier en chef de la sénéchaussée, Billiemaz, accuse les « triumvirs » dont le nommé Baron, greffier en chef des juridictions ecclésiastiques, de transformer la loge en une salle de jeux et de plaisir, dans laquelle on ferait pénétrer des femmes, même les jours de convocation.

Tous les négociants lyonnais ne sont pas francs-maçons en 1789, et on chercherait en vain dans les listes des affiliés les noms des grands banquiers d'origine protestante, comme les Couderc et les Finguerlin, pas plus que les plus grands financiers comme Nicolau ou Régny, le successeur de Tolozan comme receveur des deniers de la ville. La sociabilité et le désir de se rencontrer entre amis du même milieu ou du même âge joue peut-être autant de rôle dans les demandes d'admission que l'initiation aux mystères ou aux rites des loges. Aussi, malgré la composition sociale de l'ensemble des loges lyonnaises, n'est-il pas vraiment sûr que les loges permettent un brassage de population, une rencontre d'hommes d'activité et de milieu divers. On a peut-être plutôt tendance à se retrouver entre personnes d'un même milieu social et professionnel. Deux loges comme la « Candeur » et le « Parfait Silence » sont caractéristiques de loges uniquement marchandes, et composées surtout de jeunes marchands et négociants, souvent de position sociale encore incertaine, célibataires pour la plupart, et de fortune bien souvent modeste. Dans la loge « Parfait Silence », le tiers des membres a moins de 30 ans; cette proportion est encore plus élevée dans la loge « Candeur » : 28 membres de moins de 30 ans sur 44. Les négociants constituent presque la totalité des adhérents : à la loge « Candeur », 57 négociants sur 62 membres domiciliés à Lyon; à la loge « Parfait Silence », 46 négociants, 13 marchands et 5 commis ou dessinateurs sur 79 membres (en 1783). Si l'on vérifie sur les listes alphabétiques des notables lyonnais (Indicateur de 1788, ou Liste des citoyens éligibles de 1789), on ne retrouve pas tous ces « jeunes négociants » des loges maçonniques. Quelques-uns sont indiqués seulement comme marchands, signe d'une condition plus modeste, d'autres ont disparu de Lyon ou n'ont pas encore atteint la place de chef d'une maison de commerce, quelques-uns seulement sont de véritables négociants lyonnais.

Une loge comme la loge « Parfaite Réunion » offre une image sociale totalement différente : il y a certes encore des négociants nombreux, bien que ne formant plus que le tiers de l'effectif total, mais ces négociants ont pignon sur rue : ce sont des juges-conservateurs, ou des officiers de la garde bourgeoise. Presque aussi nombreux sont les divers agents de l'administration : receveurs des finances ou des tailles, de Lyon ou de la région, avocats, mais surtout des titulaires d'offices : trésoriers de France, comme Bruyset de Manevieux ou Servan de Poleymieux, conseillers à la sénéchaussée, comme deux membres de la famille Millanois. Le rang dans la cité, et sans aucun doute la fortune, ne sont pas indifférents pour expliquer le recrutement de telle ou telle loge. Ce n'est bien sûr pas une raison pour minimiser le rôle des loges maçonniques dans la vie intellectuelle de Lyon, mais il ne faut peut-être pas non plus l'exagérer. L'existence de certaines loges au recrutement très uniforme peut même faire apparaître ces loges comme de simples lieux de réunion, remplaçant les cercles, voire les communautés professionnelles. C'est le cas par exemple de la loge « La Bienveillance », entièrement dominée par les hommes de loi (13 procureurs, 3 notaires, et 6 autres hommes de loi sur 27 adhérents en 1782), ou plus encore de la loge « Saint-Jean du Patriotisme », qui est une assemblée des officiers de la garde bourgeoise des pennonages (39 officiers de la milice, dont 31 négociants, 4 bourgeois et 4 hommes de loi, sur 47 membres).

Cette participation massive des officiers bourgeois de Lyon a permis de répandre au XIXe siècle l'idée du complot maçonnique qui aurait été à l'origine de la Révolution à Lyon (comme ailleurs)... Il faudrait citer entièrement les pages écrites par Steyert à la fin du XIXe sur cette appartenance des officiers de Lyon à la franc-maçonnerie : « Presque tout le bureau militaire (de la garde) appartenait à la franc-maçonnerie; les deux seuls colonels qui furent élus avant la Révolution étaient maçons, et le premier fut en même temps le premier vénérable de la loge du Patriotisme. Dès ce moment les pennonages dominent dans Lyon; ils dirigent les mouvements de l'opinion; ils gouvernent, et quand vient la Convocation des États généraux, les élections sont faites d'avance. Tout est prêt : les vieilles institutions françaises encore debout sont déjà mortes; le Consulat n'est qu'un fantôme. » Faut-il vraiment faire des députés du tiers de la ville de Lyon (trois d'entre eux sont effectivement des membres importants de la maçonnerie lyonnaise) les représentants des loges maçonniques ? Il serait plus justifié de penser que la majorité des notables de la ville a été touchée par ce mouvement qui, à Lyon comme dans la Provence étudiée par Maurice Agulhon, prend la place des confréries moribondes dans la seconde moitié du XVIIIe siècle.

Deux autres précisions sont nécessaires. Malgré les admissions de jeunes, les loges maçonniques se limitent presque exclusivement aux catégories de notables, ne faisant quelques exceptions que pour les hommes à talent (artistes et enseignants). Cependant l'influence maçonnique se fait sentir dans les couches populaires, en particulier par l'intermédiaire des frères servants qui, recrutés parmi les maîtres fabricants et les artisans, font connaître une partie des idées évoquées dans les réunions des loges. Dès le début de la Révolution, les milieux les plus conservateurs de Lyon, et en particulier les marchands-fabricants qui craignent une révolution sociale, dénoncent le rôle des idées maçonniques. Dans un pamphlet publié sous forme d'un dialogue entre un marchand-fabricant et un ouvrier en soie, sous le titre les *Électeurs ignorants*, le marchand dit à propos d'un des commissaires élus par les électeurs ouvriers, un fabricant de la montée de la Chana : « Ah! Ah! je le connais : c'est un gentil garçon; il est servant dans une loge de Maçons, où plusieurs de mes amis sont, et il fait leurs commissions très vite. » Quelle qu'ait été l'influence politique des francs-maçons lyonnais, cette simple boutade suffit à en limiter l'importance dans le sens d'une ouverture vers des réformes sociales.

Il serait enfin inexact de vouloir limiter au milieu purement lyonnais ces assemblées de notables. Ces assemblées sont aussi, et peut-être plus encore, ouverture sur le monde extérieur. Nous avons vu l'Académie recevoir un Poivre ou un Crozet qui peuvent rapporter aux membres de leur société les descriptions des pays qu'ils ont traversés. Comme les académies reçoivent de nombreux associés, beaucoup de personnes de passage sont reçues dans les loges lyonnaises, et parmi elles beaucoup de négociants de la vallée du Rhône et de la Saône, même du midi aquitain. Les grands courants commerciaux de la ville se retrouvent dans la composition des assemblées maçonniques. En dehors des négociants, les loges lyonnaises s'associent de nombreux Parisiens (au même titre que l'Académie — la primauté de Paris est fort nette dans l'un et l'autre cas) : hauts fonctionnaires protecteurs, nobles qui fréquentent la cour. Les liens avec les pays étrangers sont enfin particulièrement importants. Beaucoup de ces Lyonnais ont parcouru l'Europe, comme le médecin Gilibert, et leurs liaisons avec l'Europe de l'est expliquent la présence de nombreux nobles polonais, ou russes, dans les loges de Lyon. Il y a là à la fois signe d'une ouverture de la société lyonnaise, et peut-être aussi en partie perte de son originalité, devant la réception non seulement des hommes, mais aussi des idées venues de la capitale ou de l'étranger.

La conclusion de ce chapitre débouche sur une certaine ambiguïté. Cet ensemble, qu'il est normal de désigner par le terme général de notables, finit par se confondre avec la ville elle-même tout entière. Le Consulat naturellement parle toujours, en tant que corps de ville, au nom de tous les citoyens, mais l'étude plus précise de la composition sociale de tous ces corps, de toutes ces associations de notables aux fonctions et aux finalités différentes, finit par rassembler toujours les mêmes hommes. Dans cette deuxième ville du royaume, les corps de notables sont étriqués, leur influence réelle presque infime, serait-on tenté de dire. Leurs activités constituent une espèce de façade, importante pour les notables eux-mêmes, pour le peuple de la ville aussi quand des réjouissances populaires accompagnent telle ou telle fête ou cérémonie, mais toujours très artificielle. La permanence des notables pendant le siècle ne suffit pas à dissimuler leur absence de pouvoir réel et souligne plutôt les contrastes et les oppositions. Et il est possible de dire que le rôle de la ville de Lyon dans l'histoire nationale de l'ensemble de ce XVIIIe siècle est pratiquement nul. Même l'engouement pour les loges maçonniques ne fait que traduire ce mécontentement des élites, ou au moins leurs aspirations à autre chose, à sortir du cadre trop étriqué des luttes et rivalités de clans qui se disputent sans cesse le premier rang dans la ville.

Mais ce vide politique n'est pas la vie entière de Lyon : en réalité, les vrais problèmes, les questions profondes ne sont-elles pas ailleurs ? En d'autres termes, cette toute petite minorité de citoyens « actifs », favorisée par les institutions de l'Ancien Régime, peut-elle sans difficulté maintenir sa prééminence absolue sur l'ensemble de la population, sur la masse considérable de ces citoyens « passifs », artisans et ouvriers, qui n'apparaissent jamais au niveau des élites ? Le but de notre dernier chapitre est d'examiner si, en face des corps de notables, existe une sociabilité populaire, et quels sont les rapports entre les deux forces qui seraient ainsi mises en présence.

CHAPITRE II

DU CORPS DE MÉTIER A LA LUTTE DE CLASSES

Oui : le titre de notre dernier chapitre est polémique. Jusqu'ici il n'a pas été question de classes sociales, mais de catégories, de groupes, opposés par l'activité, par le genre de travail, par la plus ou moins grande dépendance, et bien sûr par la fortune. Même l'ensemble des notables présente trop de dissemblances et de divergences d'états et d'intérêts pour constituer vraiment une seule « classe riche, possédante et dominante » en face d'une classe dépendante, qui n'est pas apparue plus unie. P. Goubert a distingué deux visions de la société urbaine d'Ancien Régime : d'une part la société telle que la voyaient les contemporains, d'autre part celle qui ressort de l'étude actuelle des sources multiples de l'histoire sociale. La première vision privilégie la notion de corps, la seconde met en relief celle de classe.

Il faut essayer de voir dans la société réelle de Lyon si ces deux concepts ne correspondent pas à deux aspects étroitement mêlés, même s'ils sont parfois opposés. N'est-ce pas justement les insuffisances ou les échecs de la première forme d'organisation, le corps, qui conduisent progressivement une partie des membres de ces corps à en sortir, pour trouver d'autres formes d'association, nettement orientées vers la lutte contre les défenseurs de l'ordre traditionnel ? La recherche de ce processus de désintégration nous semble l'aspect fondamental de l'histoire sociale lyonnaise du XVIIIe siècle.

I. — Les communautés artisanales : puissance des traditions et renforcement des oligarchies

Un mémoire de la communauté des boulangers daté de 1756 résume la situation juridique des corps de métiers lyonnais : « Il y a des communautés considérables : les manufactures, 4 communautés jurées, et 68 autres communautés, dont 17 seulement ont des statuts homologués au Parlement, et 51 non, avec seulement des règlements légalisés par la police lyonnaise des arts et métiers, police exercée par le consulat. »

Ces différences de formes juridiques entre les communautés artisanales lyonnaises ont favorisé pendant tout le XVIIIe siècle les procès entre métiers voisins : toujours d'après le même mémoire des maîtres boulangers, les 17 communautés bénéficiant de lettres patentes « exercent sur les autres une espèce d'empire » que favorisent les juges ordinaires, et surtout le Parlement qui ne reconnaît que les « jurandes » dont il a enregistré les règlements. Le pouvoir royal et les intendants ont à plusieurs reprises cherché à uniformiser les statuts, mais surtout à mettre fin aux querelles entre métiers voisins, dont les résultats les plus nets sont des procès coûteux, des dettes considérables et la ruine de la plupart des communautés lyonnaises.

La vie interne des différents corps permet de comprendre la puissance, à l'intérieur de chacun d'entre eux, des forces d'union et des risques d'éclatement.

La confrérie ancienne, dans chaque métier, est le symbole de l'unité. Alors que les divers règlements multiplient les restrictions, les clivages, les entraves à la liberté du travail par toutes sortes de conditions d'accès à la maîtrise, la confrérie reste en principe le bien commun. Les documents sur ces confréries professionnelles sont peu nombreux, mais leur permanence est attestée par les textes de tous les nouveaux statuts et règlements adoptés dans tous les métiers au cours du XVIIIe siècle. Même les professions les plus humbles possèdent leur confrérie et la protègent contre les attaques des pouvoirs municipaux ou royaux; elles obtiennent du clergé des permissions pour utiliser une chapelle, ou la restaurer s'il y a eu une période de désaffection : c'est le cas par exemple de la confrérie des jardiniers. La confrérie est organisée dans tous les métiers à peu près de la même manière : elle a une chapelle, soit dans une église paroissiale, soit dans un établissement régulier (Cordeliers de Saint-Bonaventure), entretenue par la confrérie qui se charge des frais de cire et possède les ornements. Pendant toute l'année, la chapelle est le lieu des services dominicaux, et l'on y célèbre aussi les messes pour les confrères défunts. Une grande messe a lieu le jour de la fête du saint, sous la protection duquel est placée la confrérie. Pour les charpentiers, la chapelle de Saint-Joseph, leur patron, est dans l'église Saint-Nizier. Le jour et fête de Saint-Joseph, une grande messe est célébrée à onze heures du matin, avec distribution de pain bénit. Le lendemain de la Saint-Joseph est donnée une messe solennelle, à huit heures du matin, à la mémoire des maîtres défunts pendant l'année. Mais dès le niveau de la confrérie se manifeste l'esprit autoritaire des organisations de métiers. La chapelle est ouverte à tous, mais la participation à la confrérie devient vite une obligation. Ne pas assister aux messes solennelles est une faute : chez les charpentiers, toute absence est punie d'une amende de 5 sols. Pour couvrir les frais de fonctionnement de la chapelle, des droits sont perçus, modestes, mais réclamés avec insistance. Le droit de chapelle (ou de confrérie) se paye le jour de la fête, à la porte de l'église, ou dans la chapelle même. Ces droits, variables selon le titre des membres de la communauté, sont exigés aussi avec fermeté, et leur non-paiement rend passible d'amende beaucoup plus lourde. Chaque année, des responsables, ou courriers, sont élus par la communauté pour veiller au bon fonctionnement de la confrérie, recevoir les droits, percevoir les amendes...

La permanence des confréries religieuses dans les corps de métiers est une preuve de la survivance des coutumes et des traditions dans les milieux artisanaux. Mais cette persistance cache aussi une évolution. Dans tous les textes retrouvés concernant les confréries, deux points communs se répètent : dans les statuts, il est indiqué que tous payent le droit de chapelle : les maîtres, les fils de maîtres, les compagnons et même les apprentis. Dans la plupart des métiers, l'enregistrement des apprentis et des compagnons est accompagné du versement d'une somme plus ou moins importante (de 6 à 24 livres) au profit de la chapelle de la communauté. Mais les responsables de la confrérie ne sont jamais que les maîtres. Il n'est même pas question de service pour les compagnons défunts, mais bien pour les seuls maîtres (ou veuves de maîtres). Les courriers sont toujours choisis parmi les maîtres... Comme pour toutes les autres institutions corporatives, il y a mainmise totale des maîtres sur l'ensemble du métier. Cette domination est particulièrement nette pour le choix des courriers : dans la plupart des métiers, il est décidé que ne pourront être maîtres gardes que les maîtres qui auraient exercé pendant deux ans au moins la charge de courrier de la chapelle : c'est à la fois reconnaître qu'il n'y a peut-être pas une grande émulation pour remplir cette fonction à la fois honorifique et onéreuse, mais aussi manifester la volonté de créer dans les communautés des espèces de notables qui, seuls, pourront détenir les postes de direction; c'est établir une hiérarchie et limiter dans chaque métier le personnel dirigeant à une petite minorité de maîtres qui seraient les seuls responsables des affaires (et des deniers communs). La conséquence la plus grave de cette situation est d'abord la division des corps de métiers : les ouvriers, compagnons et apprentis, ne paient plus les droits de chapelle auxquels ils sont astreints par les règlements, ils ne se sentent pas concernés par une confrérie qui ne s'intéresse qu'aux seuls maîtres, et ils auront tendance à constituer des associations particulières, différentes de celles des maîtres. Il y a là un germe de désagrégation des communautés : pour accéder à la maîtrise, les compagnons doivent présenter les reçus annuels des droits de chapelle payés pendant leur temps de compagnonnage, leur refus de payer leur ferme en quelque sorte l'accès à la maîtrise, les rend donc encore plus étrangers, voire hostiles à la communauté.

Cette évolution des confréries est le reflet de l'histoire générale des professions artisanales pendant le XVIIIe siècle. La mentalité de ces corporations lyonnaises est comparable à celle de l'ensemble des communautés françaises du XVIIIe siècle : conservatisme, malthusianisme, hostilité aux forains, aux étrangers, difficultés d'accès sans cesse accrues pour les apprentis et les compagnons, facilités accordées en contrepartie aux fils de maîtres. Il est nécessaire de voir plus précisément comment s'appliquent ces idées à l'intérieur des corps de métiers, de savoir qui est responsable de cette politique.

Les élections aux postes de maîtres gardes sont révélatrices de cette orientation. Dans à peu près tous les métiers de la ville, le rôle des échevins de Lyon est fondamental : le prévôt des marchands (ou l'échevin chargé particulièrement des relations avec les corps de métiers) nomme les maîtres gardes sur la liste des maîtres (ou matricule) transmise par les communautés. Des élections ont lieu pour présenter au choix des consuls une liste de trois noms pour chaque poste à pourvoir. Il faudrait pouvoir connaître chaque année la liste exacte des maîtres de chaque métier rassemblés pour ces élections. De plus en plus, l'assistance se réduit à une minorité des maîtres de la communauté, qui parle cependant toujours comme étant la « meilleure partie » du corps. Cette notion de « major pars » est fondamentale pour saisir l'esprit des corps de métiers : et il semble bien que cette proportion des présents, qui veulent véritablement participer à la direction des affaires communes, soit de plus en plus restreinte. La communauté des maîtres chandeliers offre le premier exemple de ce rétrécissement des groupes dirigeants. L'article 4 des statuts et règlements de 1704 précise que tous les ans une assemblée générale de la communauté aura lieu en décembre, pour entendre les comptes rendus de gestion des maîtres gardes et courriers en exercice. L'assemblée doit désigner douze maîtres gardes, six nouveaux et six anciens, pour présider à cette reddition de comptes, mais un additif précise que le quorum de dix présents sera suffisant pour délibérer sur les affaires de la communauté : quarante-cinq maîtres chandeliers sont assemblés lorsqu'ils adoptent ces statuts, réduisant déjà à moins du quart d'entre eux (qui ne sont que la moitié environ de l'ensemble des maîtres de la communauté) le soin de gérer effectivement les affaires de leur corps. Il y a véritablement démission de la part des maîtres des métiers, qui remettent à quelques-uns d'entre eux le soin exclusif de définir les conditions d'exercice de la profession. S'il y avait généralement une sorte de « cursus honorum » modeste qui devait permettre l'accès progressif aux fonctions de courrier, puis de maître garde (ce qui devait se traduire toujours par la nomination comme maître garde des maîtres les plus anciens inscrits sur le rôle et matricule et n'en ayant pas encore assumé les charges), cette habitude se perd peu à peu. Les assemblées des métiers se réduisent de plus en plus aux seuls maîtres gardes anciens, qui parlent au nom de leur communauté, et nomment aux fonctions principales ceux qui ont les mêmes opinions qu'eux. Les réformes adoptées, et par le Consulat, et par l'État, favorisent encore cette prise en main des corps de métiers par une minorité de maîtres, appuyés par le consulat. Après les réformes de 1764 et de 1767, la majorité des maîtres est véritablement exclue des assemblées délibératives : celles-ci sont réduites à un certain nombre de « vocaux », parmi lesquels les anciens maîtres gardes détiennent toujours la majorité des suffrages.

Les élections sont donc l'occasion de toutes sortes de conflits et de revendications.

Les boulangers dénoncent des pratiques devenues habituelles dans leur corporation : « Cette assemblée ainsi composée s'est crue autorisée dans le choix des maîtres gardes d'intervertir toute espèce de règle. Au lieu de choisir les maîtres gardes à nommer suivant l'ordre de leur matricule pour que chaque maître puisse se flatter d'arriver à son tour et rang aux charges, le choix ne tombe plus que sur ceux qui ont la faiblesse de cabaler, de manière que l'on ne cesse de faire des passe-droits, qui deviennent des sujets continuels de mortification et de division entre les différents maîtres. Les plus jeunes qui sont les plus ardents à solliciter sont ceux qui obtiennent la préférence, et ils la payent toujours par des repas et autres dépenses de cette nature qui fixent les suffrages. » Les maîtres boulangers expliquent comment, la veille des élections, les jeunes candidats aux charges invitent chez un traiteur les syndics en exercice et les anciens maîtres gardes, et achètent ainsi leurs suffrages. Les anciens unanimes emportent la décision, sans que les autres vocaux puissent intervenir. De telles habitudes sont la preuve d'une évolution très profonde des mentalités artisanales. Le vieil idéal de l'égalité de tous dans le métier disparaît peu à peu. Il existe bien encore des voix pour demander le retour aux traditions et aux anciens règlements, mais personne ne les écoute plus. Ce sont les plus jeunes (des hommes de 35 à 40 ans) qui dirigent, et parmi eux de plus en plus les maîtres les plus aisés : la cooptation s'installe dans les communautés entre une minorité puissante, unie, riche, qui domine peu à peu une majorité, ou bien écartée des décisions, ou désunie, ou simplement plus pauvre. Lorsque Turgot supprima les communautés de métiers, il put espérer le succès parce que ces communautés étaient divisées. Cependant, les éléments les plus jeunes et les plus dynamiques sont en même temps les plus intéressés à conserver les formes anciennes des corps de métiers. Ils cherchent à les faire renaître, dès 1777. Jusqu'à la Révolution, les mêmes conflits se perpétuent dans les nouveaux corps de métiers, opposant la minorité riche et agissante à la masse indifférente, qui se sent de moins en moins concernée par la marche des affaires de l'ensemble de la communauté. Il fallut allonger à plusieurs reprises les délais pour que les anciens maîtres se fassent réinscrire dans les nouveaux corps. Les plaintes continuent à être aussi vives. En 1781, les maîtres charpentiers agrégés à leur communauté se plaignent jusqu'au contrôleur général des Finances d'être « opprimés par les maîtres gardes ». Ceux-ci, pour payer les dettes, ont dressé un rôle sans convoquer aucune assemblée, sans aucune reddition de comptes, multipliant les fraudes et les irrégularités. Ils exigent de tous le paiement de leur contribution, « s'attaquant comme toujours aux plus pauvres », même à ceux qui reçoivent l'aumône dans leur paroisse. Le Consulat soutient les maîtres gardes et enjoint à tous de payer, et la majorité de la communauté demande à l'intendant et au contrôleur général de prendre leur défense contre ces abus.

Dans leur grande majorité, les artisans lyonnais à la fin de l'Ancien Régime (les maîtres bien sûr) restent des conservateurs, professionnellement et socialement. Les règlements, dans cette ville réputée de métier libre, sont réclamés encore à la veille de la Révolution, à peu près comme ils l'étaient déjà pendant le règne de Louis XIV, et pour les mêmes motifs. Écoutons les charpentiers en 1785 : « Les suppliants, qui n'ont d'autre propriété que leur travail et leur industrie, ont *l'intérêt le plus pressant* d'obtenir une sage constitution qui leur *assure irrévocablement leurs droits et privilèges*, qui mette un frein aux prévarications qui se commettent à leur détriment, et que l'impunité multiplie au point qu'elles portent l'atteinte la plus cruelle à l'existence de leur communauté, en causant des ravages irréparables aux intérêts particuliers. »

Les métiers de l'alimentation sont les plus acharnés dans la défense de ces règlements protectionnistes. Leur opposition aux marchands forains dure pendant tout le siècle, et le régime de liberté institué par Turgot ne les désarme pas. Alors que dans leurs mémoires les boulangers forains vantent les mérites de « l'immortel Turgot », leurs confrères de Lyon demandent le retour à des règlements plus stricts. Les nouveaux statuts de

1773 étaient sages, garantissaient à la fois l'ordre et la qualité du pain pour la plus grande satisfaction du public, mais « depuis que les anciennes communautés ont été détruites, tout est resté dans le plus grand désordre... » Les officiers municipaux et le lieutenant général de police cherchent, par des amendes et des menaces, à enrayer les méfaits de l'invasion soudaine dans la ville de trop nombreux forains incapables, et « l'on ne connut d'autres ressources pour leur empêcher d'être nuisibles que de les soumettre à des règlements dont l'exécution serait confiée aux maîtres gardes de la communauté ». Tous les aspects des anciens règlements sont présentés sous un jour favorable, et on demande de bien veiller à rétablir la subordination des compagnons et apprentis envers les maîtres, veiller aussi à ce que les élections des maîtres gardes soient sérieusement contrôlées : « L'on voit souvent que des maîtres nouvellement reçus, qui connaissent à peine le régime de la communauté, sont choisis par des cabales qui se forment au moment des élections. Il serait prudent qu'aucun maître ne puisse être élu député avant d'avoir exercé la profession au moins pendant huit ans, et que les maîtres gardes ne pourraient être choisis que parmi ceux qui auraient été admis à la maîtrise au moins depuis dix années entières. » Ni l'intendant Terray, ni le contrôleur général ne cédèrent aux pressantes demandes des maîtres boulangers, si attachés aux formes traditionnelles de leur métier.

L'action interne des maîtres gardes contre les contrevenants aux règlements est très importante. Il est malheureusement impossible, étant donné les lacunes des sources, de dresser une courbe des procès-verbaux de toutes sortes : mais à certaines époques, lorsque les maîtres gardes sont particulièrement conservateurs, il y a recrudescence des visites domiciliaires et des contraventions constatées. Plus que des questions de qualité du travail, ou de respect des lois de l'embauche, ce sont les droits des maîtres au monopole de l'exercice du métier qui sont jalousement préservés. Certaines années, les syndics organisent de véritables chasses à ceux qu'ils appellent les chambrelans, ces compagnons sans maîtrise qui travaillent à domicile et souvent vendent les objets de leur fabrication au même titre que les maîtres. Dans ces procès-verbaux contre les chambrelans s'exprime le plus complètement la mentalité des milieux artisanaux lyonnais.

Le scénario est toujours le même. Les maîtres gardes arrivent, escortés de plusieurs huissiers ou exempts, parfois même de soldats du guet, et demandent au suspect d'exhiber les titres qui l'autorisent à travailler pour son propre compte. Une saisie générale des outils de travail et des objets confectionnés suit le plus souvent le procès-verbal, du moins quand « force reste à la loi ». En effet, les maîtres gardes sont le plus souvent mal accueillis. L'arrivée des huissiers, repérés dès leur entrée dans la rue ou dans l'immeuble, est cause de trouble, de désordre. Dès les premiers cris poussés par le coupable, ou mieux par sa femme, dès les premières insultes et menaces (parfois réciproques), des attroupements se forment dans la rue, dans l'escalier, sur le palier même, et il est bien rare que ces personnes assemblées prennent parti pour les maîtres gardes. La solidarité compagnonnique en particulier joue à plein. Les maîtres gardes ne peuvent pénétrer chez Magnin, qui leur fut dénoncé comme tailleur chambrelan. Ils reviennent trois jours plus tard, pensant le surprendre, mais plusieurs compagnons charpentiers « accourus » à son appel mettent en fuite les syndics du métier qui vont chercher le renfort d'un sous-officier de la garde et huit soldats. On trouve dans les comptes rendus le plus beau répertoire d'injures employées dans les milieux ouvriers lyonnais, mais ce sont toujours les qualificatifs de « voleurs » et de « coquins » qui reviennent pour désigner les maîtres gardes. Il y a d'ailleurs à prendre et à laisser dans les dépositions des maîtres gardes et des huissiers. En 1762, ceux-ci veulent procéder à une saisie au domicile d'un certain Reymond, maître ouvrier en soie, dont la femme travaille clandestinement comme tailleuse. Les deux époux en furie se seraient jetés sur eux en criant au voleur, les auraient couverts « d'injures atroces », avant de lancer de violents coups de pied dans les jambes du maître garde et des coups de poing dans l'estomac de l'huissier. Plainte fut déposée auprès du lieutenant de police de Lyon, avec certificats médicaux à l'appui. Mais à l'audience les dépositions des témoins sont beaucoup plus nuancées. Un compagnon sculpteur a entendu le maître garde menacer Reymond de « lui faire manger ses quatre métiers ». La fille du cabaretier du coin, âgée de 12 ans, et bien sûr tout de suite accourue aux premières loges, a vu le maître garde et l'huissier saisir Reymond aux cheveux et le frapper de coups de canne. Un tireur de cordes a entendu l'huissier dire :

« Ce bougre-là, j'ai failli de l'enfiler. » Des onze témoins assignés, il n'y en a que deux, un marchand de bois et un maître vinaigrier, pour justifier les maîtres gardes. C'est presque toujours l'attitude de la révolte qui l'emporte lors de ces visites. Une seule fois, un des contrevenants accepte sans trop protester la contravention : « J'aime ma communauté, je n'irai jamais au détriment de ses droits », déclare un compagnon cordonnier, qui affirme payer régulièrement sa confrérie, mais en face de cette réponse isolée, le plus souvent il y a contestation des droits mêmes des maîtres gardes. Ils empêchent l'ouvrier de gagner son pain, ils ne songent qu'à voler le pauvre. Si on avait de l'argent, on achèterait bien les lettres de maîtrise, mais comme l'on n'en a pas, on a bien le droit de travailler pour vivre... « Il dit qu'il sait bien qu'il est dans son tort, mais qu'il fait ce qu'il peut et travaille pour gagner sa vie. » Vers 1775-1776, on commence à répondre ouvertement aux maîtres gardes que l'intendant et le lieutenant général de police sont favorables aux travailleurs indépendants, et à déclarer aux maîtres gardes qu'on se moque bien (le mot est souvent beaucoup plus cru) de leurs contraventions. Le désir, souvent manifesté auparavant, de vouloir acquérir la maîtrise, n'est plus jamais exprimé, et l'hostilité est de plus en plus violente : Georges Passeron, cordonnier chambrelan, « récidivait au contraire ses fureurs en disant qu'il se foutait d'être puni, que quand même il serait pendu, il serait content au moins d'en tuer un ».

La minorité des maîtres renforce son autorité et refuse les atteintes portées contre les règlements, mais en même temps un nombre de plus en plus grand d'hommes vivent en dehors des communautés, dont ils refusent de reconnaître les règles et l'autorité.

2. — Les moyens d'action des employés contre leurs employeurs : les organisations compagnonniques

Si la communauté est le théâtre de luttes d'influence entre clans rivaux qui s'en disputent la direction, elle a cependant affirmé sa cohésion au moins sur un point : les maîtres gardes, la minorité des vocaux et la majorité des autres maîtres se retrouvent d'accord quand il s'agit de multiplier les précautions pour s'assurer de la fidélité et de la subordination complète des ouvriers, pour interdire à ceux-ci toute forme d'association, qui représente un danger pour les maîtres.

Depuis longtemps l'histoire sociale de Lyon est marquée par ces tentatives d'organisation des milieux ouvriers, et dès le XVIe siècle, la grande rebeyne des ouvriers imprimeurs montre la force potentielle des groupements de compagnons. Aussi les statuts des corporations comprennent-ils toute une série d'articles pour entraver ces associations, punir les compagnons coupables et permettre la surveillance de leurs faits et gestes. Plus que par l'obligation d'appartenir à la confrérie, les compagnons sont muselés par la pratique des billets d'acquits nécessaires pour quitter un maître et se faire embaucher chez un autre. Toutes les communautés, aussi bien celles de l'artisanat traditionnel que celles des manufactures, ont adopté de telles pratiques. Aucun compagnon ne peut quitter son maître sans un long préavis, que l'on essaye d'allonger encore au cours du XVIIIe siècle. Si un travail est commencé, il est interdit au compagnon de quitter sa place avant son achèvement. La pratique des avances sur les salaires rend le compagnon encore plus dépendant : le plus souvent endetté envers son employeur, il ne peut le quitter avant complet remboursement, et est donc entièrement lié au sort de son maître, n'ayant en général pas la possibilité de faire ce remboursement.

Pour mieux dominer encore leur main-d'œuvre, la plupart des communautés lyonnaises adopte l'institution des embaucheurs. Un maître, désigné par les maîtres gardes (souvent le concierge du bureau de la communauté), est responsable de tout placement des ouvriers. Tout compagnon qui a quitté son emploi, de son gré ou pour toute autre raison, ou tout ouvrier nouvellement arrivé dans la ville, doit passer par l'intermédiaire de cet embaucheur. Celui-ci possède un tableau matricule de l'ensemble des boutiques de la ville, il connaît les besoins en main-d'œuvre de chacun et dirige, contre une rétribution de quelques sous, les compagnons vers tel ou tel atelier. Chaque maître doit être en mesure de présenter à chaque visite des maîtres gardes le billet d'embauche de ses compagnons, et il est passible d'amende s'il a engagé un ouvrier sans passer par l'intermédiaire de ce bureau d'embauche. C'est un moyen efficace de surveillance des compagnons isolés. La généralisation de cette institution est d'ailleurs aussi expliquée par l'attitude des ouvriers eux-mêmes : ceux-ci, pour éviter de passer par l'intermédiaire du bureau de la communauté, essaient depuis longtemps d'avoir leur propre bureau de placement qui leur laisserait plus de liberté et serait pour eux un moyen de pression sur les maîtres.

En 1686, les règlements et statuts des boulangers défendent le recours à tout embaucheur : « Tous compagnons venant en cette ville pourront aller de boutique en boutique, sans aucun embaucheur ou entremetteur vénal, et sera permis à celui des maîtres qui en aura besoin de les prendre chez soi et leur bailler de l'ouvrage au prix que le maître conviendra avec le compagnon, sans qu'aucun autre compagnon le puisse troubler ni quereller, à peine de trente livres d'amende. » Mais la communauté des boulangers adopte bientôt le système des embaucheurs officiels, rétribués par les ouvriers. Une ordonnance consulaire du 2 avril 1743 en rend la pratique obligatoire, et elle est confirmée à plusieurs reprises, en particulier dans les assemblées de la communauté. Dès le début du XVIIIe siècle, les cordonniers ont adopté ce système et le définissent dans leurs règlements : il est défendu aux maîtres d'employer un compagnon si celui-ci ne présente pas un acquit de son précédent employeur, et les ouvriers ne peuvent prétendre trouver un travail sans passer par l'intermédiaire de « l'embaucheur de l'art nommé par les maîtres gardes ».

Cette pratique, qui soumet les compagnons à de pénibles contraintes, est l'objet de violentes récriminations de leur part. Ils y voient une atteinte à leur liberté individuelle; de plus ils prétendent avoir souvent à se plaindre des procédés employés par les embaucheurs de la communauté. En 1776, les garçons boulangers de la ville de Lyon vont jusqu'à présenter leurs doléances au Consulat lyonnais, dont ils espèrent la protection : ils sont accablés de toutes sortes de maux, mais celui qui dépasse tous les autres est « toujours la manière d'agir trop audacieuse, intéressée, traître, malicieuse et vindicative de leur embaucheur, qui leur fait payer à chacun d'eux 30 sols pour les placer, et sur-le-champ, ou à laisser leurs hardes en gages ». L'embaucheur, pour avoir plus souvent des placements à faire, les envoie toujours dans les boutiques qui conviennent le moins à leurs capacités, adressant « les plus faibles et les moins savants de leur profession dans les plus fortes boutiques » et réciproquement. De cette façon les maîtres ne sont jamais satisfaits de leurs ouvriers, le public est mécontent de la qualité du pain, et les maîtres boulangers ne tardent pas à renvoyer les ouvriers, qui doivent de nouveau passer par l'entremise de l'embaucheur et lui payer à nouveau ses 30 sous : « Les maîtres boulangers, sans ordonnance du consulat ni de la police, ont, de leur autorité, et de concert avec leur embaucheur, fait cette nouvelle loi aux garçons boulangers... pour les gêner, les peiner, assujettir et faire supporter leurs mauvaises humeurs, ainsi que pour leur donner la nourriture et le prix des mois à leur volonté. » Aussi les garçons boulangers demandent-ils instamment au Consulat de Lyon de mettre fin à cette subordination inacceptable, à la tyrannie de cet embaucheur qui, avec la complicité des maîtres, accumule les mauvais traitements à leur égard.

A travers ces disputes commencent à se dessiner les grands traits de l'opposition entre les maîtres et les compagnons. Les lois de la communauté ne sont plus respectées par les ouvriers qui cherchent à créer de nouvelles institutions qui leur assurent une certaine indépendance à l'égard de la domination des maîtres. En 1776 les maîtres gardes cordonniers procèdent à une visite dans la boutique d'un nommé Berger, maître cordonnier rue Royale, dans laquelle ils trouvent au travail six compagnons et une fille. Les maîtres gardes, accompagnés d'un huissier, demandent les billets d'acquit des compagnons et les certificats donnés par l'embaucheur. Les compagnons non seulement refusent de répondre, mais encore se moquent ouvertement des syndics du métier. Les plaisanteries fusent dans l'atelier, et les maîtres cherchent vainement à rétablir leur autorité et leur dignité ainsi offensées. Un compagnon, qui refuse de se nommer, leur répond : « Cela ne fait rien, je n'ai point d'acquit, je n'ai pas été embauché, je me suis embauché moi-même, il y a fort longtemps. » L'huissier note le ton railleur employé et les conciliabules tenus par les autres ouvriers qui, à mi-voix, manifestent leur dédain pour les menaces que l'on fait contre eux : « Nous sommes autant que vous, nous avons droit de nous placer où bon nous semble; un embaucheur, si vous en voulez un, payez-le, ce ne sera pas nous. » Une dernière intervention des maîtres gardes leur attire cette réplique, prononcée d'un ton audacieux et menaçant, comme quoi « ils se moquaient de nous, que nous eussions à nous en aller, que nous les incommodions ». Cette ironie des compagnons est la marque de leur puissance, et leur assurance est redoutée par la majorité des maîtres.

Pour se garantir des conditions d'emploi meilleures et plus indépendantes, bon nombre de compagnons lyonnais finissent par adhérer à des mouvements compagnonniques, dont les formes peuvent être assez variables. Dès le XVIIe siècle, les plaintes des autorités artisanales, appuyées par le pouvoir consulaire, sont nombreuses contre les associations compagnonniques. Il est difficile de connaître exactement le nombre de groupements existant à Lyon : beaucoup de dénonciations et de plaintes des maîtres ne comportent aucune preuve à l'appui de leurs dires. Dans l'ensemble du XVIIIe siècle, les procès qui mettent en scène des ouvriers convaincus d'appartenir à des organisations plus ou moins clandestines de compagnons sont assez rares. M. Coornaert, résumant les diverses affaires connues de rébellion ou d'action des compagnonnages à Lyon, dresse un tableau somme toute très limité.

Dans plusieurs métiers on a la preuve, par des procès et des enquêtes de la sénéchaussée de Lyon, de l'appartenance des ouvriers lyonnais aux organisations compagnonniques du Tour de France. Les divers métiers du bâtiment sont les plus touchés : maçons, charpentiers et menuisiers sont des ouvriers mobiles, cherchant le travail dans les villes où se réalisent de grands travaux, et instables, du moins tant qu'ils sont jeunes et célibataires; de même les ouvriers du fer, les serruriers, les travailleurs du cuir (les bourreliers également), les imprimeurs. Un procès contre les compagnons bourreliers du devoir révèle les principales cérémonies d'initiation et l'organisation des compagnons. Une auberge de La Guillotière leur sert de lieu de réunion : la mère Quinsin, à l'enseigne de Saint-Louis. C'est là qu'ont lieu les réceptions des nouveaux arrivants; ils sont recommandés par les mères des autres villes de France, où ils ont travaillé, et s'ils quittent Lyon ils sont porteurs de billets pour les autres auberges. Languedoc l'amoureux, Rouergue la douceur, Dauphiné l'obstiné, Bressan la jeunesse..., plusieurs autres encore, participent à plusieurs réceptions d'autres « jolis compagnons bourreliers du devoir » pendant l'année 1764. Ils promettent le secret, jurent de ne jamais fréquenter « aucun gavot ni renégat de tout le Tour de France » et reçoivent une lettre qui leur sert de laisser-passer pour leurs déplacements en France. C'est la forme traditionnelle des compagnonnages français, que l'on trouve assez souvent. Les autorités municipales, mais surtout la sénéchaussée qui obtient l'instruction de ces affaires d'attroupements interdits ou de réunions clandestines, pourchassent ces associations, cherchent à les démanteler en essayant de faire dénoncer les complices ou les meneurs. En 1764 encore, année pendant laquelle les enquêtes furent menées avec une particulière vigilance, plusieurs ouvriers menuisiers et serruriers du devoir furent bannis de la ville : on voit à cette occasion les rapports s'établir entre compagnons d'une même organisation, mais de métiers différents. L'enterrement d'un compagnon menuisier du devoir, un lundi, à l'église Saint-Nizier, provoque une réunion. La cérémonie est suivie par plus de 90 compagnons, menuisiers et serruriers, qui s'invitent ensuite dans leurs auberges respectives, où ils mangent et boivent ensemble. Quelque désordre se produisant dans l'après-midi, la compagnie du guet cherche à arrêter quelques ouvriers qui se libèrent grâce à l'intervention de leurs camarades qui lapident la garde... La sentence de la sénéchaussée rappelle une fois encore l'interdiction de tout rassemblement, du devoir ou autres, « sous aucun prétexte pour raison d'enterrement de leurs confrères ou autres; et défense est réitérée aux compagnons de paraître attroupés dans les places et rues de cette ville ».

Une autre longue enquête concernant les ouvriers serruriers, gavots ceux-ci, prouve que la police lyonnaise est parfaitement renseignée sur les faits et gestes des compagnons et sur leur organisation. Plusieurs compagnons serruriers arrêtés sont convaincus d'avoir rempli les fonctions de capitaine ou de rouleur des compagnons gavots. On sait qu'ils se réunissent dans l'église des Récollets, alors que les dévorants sont accueillis par les Trinitaires, « comme s'ils étaient des corps autorisés », s'indigne un maître convoqué comme témoin. Les dépositions des accusés et de quelques maîtres mettent en lumière le rôle primordial des « rouleurs », les placeurs des compagnons nouvellement arrivés à Lyon. Tous les maîtres déposent qu'ils sont entièrement privés de la liberté de choisir leurs ouvriers. Tel bon ouvrier, dont ils se plaisent à vanter les qualités et la fidélité, leur est en quelque sorte arraché de force. On leur place en échange de mauvais ouvriers. S'ils s'avisent à embaucher un ouvrier étranger, ou ne faisant pas partie de l'association dominante, ils voient partir toute leur main-d'œuvre, et s'ils veulent continuer à travailler, ils sont bien obligés de passer par les conditions imposées par les chefs des ouvriers. Joseph Corsin, maître serrurier, témoigne ainsi de la façon dont le capitaine et le rouleur des serruriers gavots sont venus chez lui débaucher deux bons ouvriers dont il était fort satisfait. L'un des compagnons revient chez le même maître un mois après, se plaint des dirigeants du mouvement compagnonnique qui lui ont extorqué un louis pour boire et manger, et il est réembauché, en même temps qu'un compagnon allemand. Tous les autres ouvriers de Corsin abandonnent aussitôt son atelier, et une troupe de compagnons avec à leur tête le capitaine et le rouleur vient envahir la boutique : ils exigent le compte des ouvriers qui viennent de partir, insultent le maître et sa femme, et quelques coups sont échangés. Le serrurier porte plainte, non pour l'atteinte à la liberté du travail, mais pour les injures proférées contre lui, et il rapporte les propos tenus par les accusés; disant « qu'ils étaient les maîtres des compagnons, et qu'ils se foutaient de lui témoin, et de tous ceux qui trouveraient à redire ».

De telles pratiques montrent bien la signification des mouvements compagnonniques : associations de secours mutuels au départ, ils sont devenus des organisations de lutte contre les patrons; les rapports de force risquent de changer, et seule la division des mouvements compagnonniques, entre chapelles rivales, permet aux maîtres de conserver la direction des métiers. Malgré la police, en dépit des condamnations et des interdictions maintes fois réitérées, ces coalitions ou associations d'ouvriers deviennent de plus en plus nombreuses, et il est le plus souvent difficile aux maîtres d'empêcher leur action. L'institution paraît aux ouvriers tellement naturelle et logique que les garçons boulangers n'hésitent pas à adresser une requête au Consulat demandant officiellement l'autorisation de s'organiser selon le modèle des autres compagnonnages de la ville : « Ils demandent la permission et faculté d'avoir, comme les autres ouvriers et compagnons de la plupart des Arts et Métiers de Lyon, une auberge propice dite Mère des garçons boulangers pour leur être également à eux tous un refuge, un asile, une ressource et un garant assuré contre tant de maux et de malheurs dont ils sont susceptibles et réduits à essuyer. » Ils décrivent leur association sous les couleurs les plus séduisantes : entre eux régneront unanimement et constamment la plus pure intelligence, l'amitié, la charité, le zèle et l'humanité. Ils sont remplis de bonnes intentions, ne chercheront aucunement à nuire à leurs maîtres « auxquels ils resteront toujours soumis, attachés et fidèles... », mais leurs revendications sont bien exactement celles de toutes les autres formes d'associations ouvrières : l'auberge de la mère sert de lieu d'accueil pour les compagnons forains, l'organisation se charge du placement des garçons boulangers qui ont eu tant à se plaindre de leur embaucheur, et ils pourront porter des secours à leurs confrères dans le besoin. Il n'est pas jusqu'aux avantages familiaux qui sont mis en avant : l'auberge servira de boîte aux lettres à leur famille pour leur faire donner des nouvelles. Est-il besoin d'ajouter que le Consulat ne considéra pas d'un œil favorable cette requête, mais qu'il y a tout lieu de croire qu'il ne put, malgré son interdiction, empêcher la constitution de cette nouvelle association ?

J. Godart insiste sur la puissance de ces mouvements compagnonniques lyonnais à la fin de l'Ancien Régime. En 1789, une réception des compagnons maréchaux par les taillandiers provoqua quelques disputes et bagarres entre devoirs opposés, et le 25 octobre 1789 se tint dans l'auberge des compagnons passants charpentiers bons drilles, chez la mère Roux, au Mouton couronné de Vaise, une grande assemblée générale de tous les corps appartenant au Devoir dans la ville de Lyon : quinze corps de métiers prennent part à cette réunion, la première de ce genre signalée à Lyon. Elle témoigne en tout cas de la vitalité de ces institutions qui ont réussi à survivre et à s'imposer, malgré l'opposition des communautés de métiers tenues par les maîtres et soutenues par le consulat.

Ces compagnonnages traditionnels ne concernent dans l'ensemble que les métiers artisanaux proprement dits. Dans la grande réunion des compagnons du devoir de 1789 ne figure aucun représentant des grandes activités manufacturières lyonnaises. Mais leur absence ne signifie pas que les ouvriers de ces manufactures n'essaient pas eux aussi de s'organiser pour échapper à la toute-puissance des marchands. Les délibérations des maîtres marchands de toutes les industries lyonnaises (autres que la soierie) sont pleines de ces plaintes contre l'insubordination des ouvriers associés.

Les maîtres teinturiers dénoncent en une violente diatribe les agissements de leurs compagnons : leur insolence, leur insubordination outrée et impunie; les maîtres sont dédaignés, insultés, menacés. Depuis 1744, les soulèvements, cabales et assemblées seraient fréquents dans leur activité et sont toujours impunis. En 1770, les compagnons teinturiers adressent un véritable ultimatum au consulat : les marchands ne doivent pas employer d'ouvriers qui ne sont pas compagnons, ils doivent congédier tous les forains; s'ils donnent congé à un compagnon, ils doivent lui accorder un préavis d'au moins quinze jours, des chefs entretiennent la fermentation et lèvent des impositions : « Ils continuent leurs assemblées, leurs cabales, méditent de quitter le travail. » La dimension des ateliers et les règlements des manufactures, le statut des personnels favorisent ces associations ouvrières qui sont étrangères aux compagnonnages du Tour de France. Dans la plus importante de ces manufactures, celle des chapeliers, ces mouvements sont puissants, organisés et redoutables pour les patrons lyonnais. La forme de petite industrie, avec ses gros ateliers dans lesquels travaillent plusieurs dizaines d'ouvriers qui n'ont aucune possibilité de sortir de leur condition ouvrière, favorise ces actions qui sont à l'avant-garde du « mouvement ouvrier lyonnais » du XVIIIe siècle. Comme pour les compagnonnages artisanaux, les premières associations connues sont de véritables sociétés de secours mutuels, connues sous le nom de « Bourses » des ouvriers chapeliers. Les papiers de la succession d'un compagnon chapelier permettent de connaître les statuts d'une de ces associations, datant des années 1740. Ce qui caractérise ces statuts, c'est leur rigueur et l'importance des secours distribués aux confrères. Les conditions d'admission sont sévères : il faut avoir moins de 50 ans, n'être atteint d'aucune maladie incurable ou de maladies vénériennes, justifier de bonnes mœurs, être attaché à la religion catholique. Les cotisations sont beaucoup plus élevées que dans les confréries des métiers : un droit d'entrée de 4 livres 4 sols et un versement de 4 sols tous les quinze jours; le non-paiement des cotisations entraîne l'exclusion immédiate des confrères. Mais l'aide apportée est non moins importante : pour tout arrêt de travail dû à une maladie d'une durée de moins de quatre mois, chaque compagnon chapelier associé à la Bourse reçoit 4 livres par semaine. Si la maladie dure plus de quatre mois, le malade recevra encore un secours, plus modeste, de 4 livres par mois tant qu'il sera hors d'état de travailler, et même s'il est reçu dans un hôpital de la ville (la somme est dans ce cas légèrement diminuée). La confrérie, qui siège à l'église des Cordeliers, se charge enfin de l'enterrement de tous les confrères, et même, s'ils le désirent, de leurs femmes. Chaque membre doit payer sa contribution pour les funérailles, auxquelles assistent les courriers et trésoriers, avec les flambeaux et le drap mortuaire de l'association qui prend à sa charge tous les frais et fait célébrer 25 messes basses pour le repos de l'âme de chaque défunt.

De telles sociétés, dans leurs buts, ne contiennent rien qui soit dirigé contre leurs employeurs, mais dans la mesure où elles favorisent des contacts et des assemblées entre ouvriers d'ateliers différents, elles sont étroitement surveillées et périodiquement dénoncées aux autorités par les marchands chapeliers qui redoutent une action professionnelle plus combative. Après les grèves de 1744, les fabricants chapeliers profitent de la répression pour supprimer toutes ces bourses des ouvriers chapeliers, dénonçant leur esprit revendicatif et leurs actions de lutte ouvrière. Les marchands, dans leurs mémoires au Consulat, essaient de se donner le beau rôle pour mieux attaquer les coalitions des ouvriers. Ils expliquent que contre un droit de confrérie de 15 sous par an, les ouvriers bénéficiaient de l'offrande d'une radisse le jour de la fête de l'Assomption de la Vierge, d'un cierge pour la grande procession du jour de Sainte-Clair, et une boîte recevait les aumônes qui étaient distribuées aux ouvriers dans le besoin : « Ils ont mieux aimé renoncer à ce soulagement que se soumettre au droit de 15 sous. Ils refusèrent il y a quelques années de le payer. » Ce droit de confrérie, qui existait dans toutes les corporations, convenait-il donc aux ouvriers chapeliers de s'y soustraire? Les marchands de la communauté obtiennent du Consulat le droit de prélever directement le droit de confrérie sur le salaire des ouvriers, mais ceux-ci, « par une indocilité des plus marquées, ont osé interpeller appel de votre jugement », écrivent les marchands au corps consulaire. Les marchands, dans le même mémoire, dénoncent la création de confréries d'ouvriers exclusivement, dans l'église des R.R. P.P. Augustins de La Croix-Rousse : « A la faveur de cette confrérie, ils ont fait des assemblées, ils y ont établi une bourse commune dont la destination annonce l'esprit de révolte. » Pour les marchands, les fonds de la Bourse sont employés « à soulager les compagnons que leur caprice fait quitter le travail », aux dépenses engagées pour faire quitter la ville aux ouvriers étrangers sourds à leurs menaces et mauvais traitements. « L'objet de leur assemblée n'est pas moins condamnable. Ils y décident du sort des marchands-fabricants. Ils privent despotiquement ceux qu'il leur plaît des ouvriers. » Pour les marchands, le voile de la religion n'est qu'un prétexte qui recouvre la cabale et la sédition; les assemblées de cette prétendue confrérie sont toujours suivies par des désertions d'ouvriers, qui abandonnent tous ensemble tel ou tel atelier. Les compagnons monopolisent l'embauche des ouvriers, et les marchands doivent se soumettre entièrement à leur volonté et aux conditions qu'ils imposent. Ces deux textes, les statuts de la confrérie des Cordeliers et le mémoire des marchands dénonçant les activités séditieuses de leurs compagnons, dissimulées sous le couvert de confréries religieuses, montrent toute la profondeur du fossé qui sépare les deux classes de cette communauté : pendant toute la deuxième moitié du XVIIIe siècle, une lutte ouverte est engagée entre les marchands-fabricants chapeliers et une partie de leurs ouvriers.

La structure de la Grande Fabrique d'étoffes de soie — répartition en petits ateliers familiaux, dans laquelle les maîtres-ouvriers sont pendant tout le siècle plus nombreux que les compagnons-ouvriers en soie, — explique les différences entre la chapellerie et l'industrie de la soie. Cependant l'histoire de la Grande Fabrique peut être comparée à celle des autres communautés artisanales. Les ouvriers en soie se détachent progressivement d'une confrérie qui leur semble au service exclusif des marchands ou des maîtres-marchands. De 1731 à 1744 la Fabrique lyonnaise est dominée par un conflit aux répercussions considérables entre les marchands-fabricants et les maîtres-ouvriers, qui cherchent à faire reconnaître un statut intermédiaire de maître-marchand, véritable artisan indépendant qui pourrait vendre lui-même ses étoffes fabriquées. Leur échec en 1737-1744, leurs déconvenues incessantes entre 1744 et 1786 ont rejeté peu à peu les maîtres-ouvriers vers les compagnons. L'impossibilité d'accéder à l'état du marchand, une dépendance économique sans cesse accrue, ont favorisé la conscience d'une opposition radicale entre les deux catégories essentielles de la Fabrique.

3. — LE RECOURS A LA GRÈVE ET A LA LUTTE VIOLENTE : COMBATS D'HIER OU DE DEMAIN ?

Dans les communautés artisanales comme dans les manufactures textiles, le XVIIIe siècle est une longue période de tension : dans tous les métiers, le clivage entre maîtres et compagnons, entre dominants et dominés, entre marchands-fabricants et ouvriers devient plus net, plus radical. Toutes les modifications successives des règlements tendent à accentuer les divisions entre deux classes, à interdire à la classe inférieure des travailleurs manuels l'accès à la classe supérieure des marchands. Plus les théories libérales ont de force dans le pays, plus s'affirme la souveraineté des lois économiques de l'offre et de la demande, lois qui, plus que les règlements eux-mêmes, poussent à l'asservissement des ouvriers à ceux qui leur donnent le travail et leur versent un salaire.

Mais les résistances à cette évolution sont vives : les ouvriers cherchent à se regrouper en de multiples associations, dont certaines restent locales, dont la plupart s'intègrent dans des organisations plus vastes, sur le plan national. On s'achemine de plus en plus nettement vers une épreuve de force entre les deux puissances ainsi affrontées. Dans la mesure où la classe marchande repousse toujours avec la même vigueur les revendications présentées par la main-d'œuvre de ses ateliers, la lutte violente paraît être la seule issue possible.

En réalité, les rapports de force sont plus complexes. Si l'on s'en tient seulement aux effectifs de ces classes opposées, la supériorité numérique des ouvriers s'affirme écrasante : l'ensemble des marchands, des négociants, des fabricants ne constitue pas un groupe de plus de 1 500 personnes; et encore avons-nous vu qu'ils ne sont pas assurés de l'appui unanime de tous les autres corps de notables lyonnais. Les ambitions politiques et sociales, aussi bien d'une partie des corps ecclésiastiques que de la majorité des compagnies d'officiers, font qu'elles peuvent espérer augmenter leur rôle et leur influence en soutenant, au moins en apparence, les revendications des ouvriers contre les marchands. En face de ce groupe marchand, qui détient la richesse et la direction politique de la ville (mais nous avons vu que ce pouvoir politique est bien faible), les effectifs ouvriers paraissent considérables : sans parler d'un grand nombre de journaliers et de manœuvres, mal organisés, il y a dans la ville de Lyon plus de 40 000 ouvriers répartis dans la multitude des ateliers et boutiques de la ville. Ce serait une puissance considérable si l'unité était possible entre eux. Mais la première cause de faiblesse des masses ouvrières réside dans leur division. L'artisanat a conservé l'essentiel de ses structures. Sans doute les maîtres des métiers savent-ils que depuis longtemps ils ont été exclus de toute participation à la vie politique : le rôle des maîtres gardes, convoqués pour l'élection des échevins, ne consiste plus qu'en une présence symbolique, qui justifie les prétentions du Consulat à parler au nom de l'ensemble des corps de la ville. Mais la possession du titre de maître donne une certaine honorabilité aux artisans lyonnais : ils ne se sentent pas solidaires d'une classe ouvrière dont ils redoutent les coalitions et les soulèvements. L'accession à la maîtrise reste encore, pour la majorité des artisans, l'espoir d'acquérir une fortune médiocre, de parvenir à ce rang social que l'on pourrait appeler, comme au XIXe siècle, la petite ou la moyenne bourgeoisie. Ne nous y trompons pas : en dehors de quelques artisanats de luxe, les orfèvres par exemple, presque aucun des maîtres des boutiques lyonnaises n'est vraiment considéré dans la ville comme un bourgeois. Il n'en a ni la richesse, ni les signes extérieurs de fortune (propriété d'un immeuble urbain ou d'un domaine à la campagne), ni surtout le mode de vie : il n'est encore qu'un homme « mécanique » et il ne lui est pas possible de sortir de sa condition. Malgré ces réserves, malgré les attaques contre les communautés, l'attraction de la maîtrise reste forte : elle explique le conservatisme social, non seulement de la grande masse des maîtres des métiers, mais aussi de la partie la plus aisée et la plus cultivée des compagnons. Aussi la lutte contre le pouvoir absolu des marchands perd ainsi une grande partie de ses troupes potentielles : ce n'est que dans les activités manufacturières, dans lequelles la possibilité de promotion est restreinte, que l'on cherche à obtenir des conditions de travail et de vie meilleures par la lutte directe. Autrement dit, tant que les structures de la plus grande des fabriques lyonnaises, celle de soie, restent essentiellement artisanales dans leur forme (sinon dans leur esprit et dans leur réalité économique), il n'y a pas de véritable masse ouvrière lyonnaise : les chapeliers sont encore trop isolés, les ouvriers du bâtiment trop dispersés. Les métiers réputés dangereux, comme les bouchers ou les cordonniers (leur mauvaise réputation vient de l'usage par les ouvriers ou garçons de ces professions d'instruments tranchants, qui pourraient être redoutables dans une bataille), ne sont ni assez nombreux, ni assez puissants pour créer un climat de revendications permanent dans la ville. Aussi paradoxalement est-il possible d'affirmer que Lyon est une ville calme dans l'ensemble du XVIIIe siècle. Même s'il existe une crainte permanente de mouvements séditieux et de colères populaires, cette peur n'est véritablement exprimée que dans les années qui suivent ces « émotions », et non pendant l'ensemble du siècle.

Si l'on essaye de citer les principales alertes que connurent les autorités lyonnaises au cours du XVIIIe siècle, on ne peut retenir que quelques rares manifestations. Il est intéressant de les situer sur un graphique de l'évolution des prix du blé pendant la même période. Deux formes principales de mouvements se sont répétées : des « émotions » qui concernent avant tout la masse populaire, inorganisée, et qui sont dues à une cause accidentelle, d'une part; les protestations conscientes et ordonnées des ouvriers en soie, d'autre part.

Le premier groupe comprend trois faits principaux : l'émeute dite des bouchers en 1714, la courte mais violente « émeute du Collège de Médecine » en 1768, et bien sûr les brutales manifestations de 1789 contre les barrières des octrois. Dans les trois cas il s'agit bien d'émotions populaires, plus ou moins spontanées : elles se situent toujours en période de crise conjoncturelle et de prix élevés. La misère et le mécontentement sont sûrement à l'origine de ces mouvements. Les objectifs sont deux fois sur trois des bureaux de perception des impositions (droit de pied fourché sur le bétail en 1714, octrois en 1789), considérées comme responsables de la vie chère. Trois manifestations aussi sont le fait des ouvriers en soie : en 1717, en 1744 et en 1786. Dans les deux dernières, il y a preuve de concertation de la part des ouvriers, dans les jours ou dans les semaines précédant le déclenchement de la lutte. Il y a manifestement action délibérée et volontaire, avec des buts précis, professionnels avant tout. Ces actions ouvrières se placent toutes les trois en périodes de prix relativement bas, en fin même de période de baisse des prix. Mieux même, c'est en période de conjoncture économique d'ensemble favorable. En 1786, non seulement les prix du blé sont en baisse nette (le prix moyen de l'année n'avait été qu'une seule fois aussi bas depuis 1765, alors que la tendance générale de la période est à la hausse), mais encore les commandes de la Fabrique sont importantes, tous les ateliers et tous les métiers sont au travail, et on pourrait presque parler de prospérité lyonnaise à ce moment. En replaçant dans l'ensemble de l'évolution conjoncturelle ces agitations populaires ou ouvrières, on aboutit bien à deux types de crises très contrastés. Les ouvriers en soie ne se révoltent pas dans les périodes de grande difficulté économique : aucun mouvement n'a marqué le dur hiver de 1709, rien n'est signalé pour les autres années de brutale hausse des prix, ni en 1749-1750, ni en 1770. Quand le chômage touche une partie des ouvriers, quand la hausse du prix des denrées de première nécessité déséquilibre, plus encore qu'à l'ordinaire, le budget de l'ouvrier en soie, il n'a ni la volonté, ni la possibilité de faire entendre ses plaintes ou de manifester son mécontentement. Les mouvements concertés ne peuvent se produire que dans les rares périodes de travail assuré et de relative prospérité qui assurent aux familles des ouvriers en soie au moins la subsistance régulière.

Ces premiers caractères de l'action des ouvriers en soie renforcent encore la division en deux classes de la masse populaire urbaine et révèlent l'existence d'une classe ouvrière (même si par beaucoup d'aspects il serait préférable de parler de classe artisanale) déjà relativement consciente, et dont l'action n'est pas déclenchée au hasard. Il faut enfin, pour être complet, signaler le cas particulier de la grève des compagnons chapeliers en 1770. Cette cessation de travail correspond à une période de hausse des prix, mais elle reste un mouvement totalement isolé, qui ne concerne que la main-d'œuvre d'une seule manufacture. Elle souligne le caractère original de la chapellerie. Il est en effet important de remarquer que les chapeliers suivirent toujours les actions entreprises par les ouvriers en soie, aussi bien en 1744 qu'en 1786, dans lesquelles ils finissent par jouer un rôle déterminant, mais l'inverse n'est pas vrai : la grève des chapeliers de 1770 n'entraîne aucun désordre dans les autres corps de métiers lyonnais.

La plupart de ces affaires ont déjà été de nombreuses fois décrites, et nous ne ferons que rappeler les événements principaux en essayant de dégager leur signification d'ensemble.

Les émotions spontanées, celle de 1714 et celle de 1768, présentent des ressemblances. Une foule se rassemble sans motifs bien particuliers, mais il suffit de rumeurs qui circulent, ou de la rencontre d'un commis de l'octroi détesté, pour que des cris soient poussés; une bousculade s'ensuit, puis apparaissent les bâtons et l'on lance les premiers projectiles, cailloux ramassés dans la rue, en direction de la maison où a trouvé refuge le commis poursuivi. L'idée du pillage et du saccage s'empare vite de la foule rassemblée, et les autorités ont beau jeu de dénoncer ensuite l'action de la canaille, journaliers, affaneurs et domestiques, toujours à l'affût de telles occasions pour commettre quelques larcins et donner libre cours à leur violence naturelle. Il peut bien arriver que des mots d'ordre circulent, que des meneurs soient à l'origine de l'affaire : le Consulat cherche toujours à minimiser les conséquences de l'émeute. Le cas est particulièrement net en 1714. Le Consulat comme d'habitude n'a pas d'autres troupes sous la main que la garde bourgeoise : or les soldats des quartiers sont avant tout les maîtres des métiers. Comment leur demander d'intervenir si les auteurs de la rébellion sont ces mêmes artisans? Dans les rapports de police, dans les interrogatoires d'inculpés, on dénonce avant tout « la lie du peuple » : on cherche à désolidariser de l'ensemble de la canaille les ouvriers qui se seraient laissés entraîner. Ce n'est bien sûr qu'une vue partielle de la réalité. Pour montrer son autorité et sa vigilance, le prévôt des marchands a toujours tendance à grossir les effectifs des émeutiers : en 1714, ils auraient été plus de 20 000 massés autour de la place des Terreaux, pour prendre d'assaut la recette du tabac, dans laquelle sont logés une partie des receveurs du droit de pied fourché. Il est difficile d'imaginer une telle troupe de 20 000 « coquins, gens sans aveux et journaliers errants », dans une ville où on ne les rencontre guère en temps normal. Comme par hasard, la plupart des inculpés se trouvent être des artisans, compagnons le plus souvent, maîtres quelquefois. Le Consulat, et même l'intendant ou les juridictions spéciales, ont tendance à faire preuve d'une grande clémence à l'égard de ces artisans. Dans un premier temps on cherche à démontrer l'existence d'un complot; dans un deuxième temps on réduit l'affaire aux proportions d'un incident mineur, oubliant le pillage, les coups échangés, parfois même les coups de feu et les blessés ou les morts. En 1714, certaines dépositions de témoins sont sans équivoque. Antoine Guirement, employé à la brigade des octrois, dépose qu'il se trouvait le jour de l'émeute place des Carmes (toute proche de la place des Terreaux), et qu'il fut reconnu par un fils de boucher qui se précipite sur lui et, « en grinçant des dents », lui dit : « Vous êtes tous des bougres de voleurs, des foutus coquins, mais nous vous assommerons. » Et le témoin fut effectivement roué de coups, jeté à terre, on lui frappa la tête contre le pavé, il fut poursuivi jusqu'au pied de l'autel de l'église des Carmes par ses agresseurs. L'intervention d'un religieux et de « femmes revendeuses » le sauva d'une mort certaine... Or quelles sont les conclusions du procureur du Roi : il dénonce la « plus vile populace » entraînée par les bouchers, menace les chefs et les meneurs des sanctions les plus sévères... et condamne à neuf ans de bannissement le maître garde boucher accusé d'être le meneur. L'on est en droit de s'étonner, quand on sait que la justice royale condamne à la pendaison le moindre voleur surpris en flagrant délit.

En 1768, le collège des Oratoriens est littéralement assiégé par la foule, puis envahi et saccagé, en particulier les locaux prêtés au collège de Médecine. On parla cette fois beaucoup plus de complot, et tout spécialement d'intrigues ourdies par les ci-devant Jésuites qui soulèveraient la population de Lyon contre leurs successeurs. Les fables qui circulent dans la ville entretiennent une certaine hostilité et une grande frayeur au voisinage du collège : on accuse dans le peuple les Oratoriens d'héberger un prince manchot, « et tous les soirs on arrête autour du collège des enfants, auxquels on coupe un bras pour l'essayer au prétendu prince »! C'est par de telles fables que se forge la mentalité populaire. Mais l'on dépassa bientôt les simples bousculades et bagarres entre les garnements du quartier et les pensionnaires du collège, et il y eut une véritable sédition. Les autorités accusent une fois encore « l'imbécile crédulité de quelques femmes et de la lie du peuple ». Or l'on possède une liste complète des blessés soignés à l'Hôtel-Dieu après la bataille : parmi les 25 blessés, figurent : 9 ouvriers en soie et 13 artisans, dont la plupart sont sans doute des compagnons ou des garçons (perruquier, tailleur, cordonnier, menuisier, fabricant en bas de soie...). La lie du peuple ne serait guère représentée que par un affaneur et un marchand revendeur d'oiseaux. Le même phénomène se répète en 1789. Les ouvriers lyonnais, les ouvriers en soie comme les chapeliers, les compagnons et les garçons des boutiques artisanales sont toujours prêts à se joindre au moindre mouvement violent déclenché dans la ville en dehors d'eux. Mais il n'y a aucune volonté de revendication dans ces affaires, simplement la preuve d'une violence contenue et peut-être aussi la simple agressivité de la jeunesse...

Les réactions des autorités sont autrement plus brutales lorsque les mouvements sont décidés à l'avance et rassemblent des troupes que l'on ne peut pas, même en se fermant les yeux, classer dans une incolore canaille anonyme... Le Consulat, l'intendant, la sénéchaussée savent bien que les émotions populaires se calment aussi vite qu'elles sont apparues. Leur crainte est autrement plus vive quand ce sont des ouvriers organisés et décidés qui lancent un mouvement de grève et cherchent à paralyser de façon durable la vie économique de la cité. Il ne s'agit plus alors d'émotions, mais de séditions, et toutes proportions gardées, pour les notables lyonnais, attaquer les droits du roi et la recette des impôts est bien moins grave que s'en prendre au système social et à l'ordre social établi dans les fabriques...

Les grandes lignes de l'affaire de 1744 sont simples. Depuis la mise en application du règlement de 1737, les marchands ont multiplié les démarches auprès du contrôleur général des Finances pour que soit mis au point un nouveau statut de la Fabrique. Une commission, composée de maîtres gardes marchands et ouvriers, est reçue à Paris au début de 1744, et les nouveaux statuts paraissent le 19 juin 1744. Publié à Lyon début juillet, et diffusé à 1 500 exemplaires, cet édit semble bien accueilli, et l'intendant Pallu peut écrire le 1er août que non seulement tout est calme, mais encore que les maîtres ouvriers paraissent satisfaits : il annonce même son intention de faire imprimer à Lyon de nouveaux exemplaires de l'édit royal, tant les ouvriers sont empressés à en prendre connaissance.

Ce n'était là qu'un calme masquant la colère des ouvriers en soie. Depuis plusieurs semaines, sans que les autorités de la ville en soient informées, des réunions ont lieu dans les cabarets et auberges des faubourgs, entre les maîtres ouvriers et peut-être quelques compagnons. Ils mettent au point une forme de résistance. Le dimanche 2 août, les derniers préparatifs sont faits, et l'action commence le lundi 3 août au matin : le premier groupe ne comporte encore guère plus d'une centaine d'ouvriers qui se rassemblent dans une auberge du quartier de la Quarantaine. Ils préconisent une grève générale des ateliers et commencent, dès ce jour, à parcourir les fabriques, incitant les maîtres et les compagnons à quitter leur travail. Ils se mettent aussitôt en rapport avec des avocats et des procureurs pour rédiger leurs doléances au corps municipal, par lesquelles ils demandent essentiellement le retour aux règlements de 1737. Le pouvoir municipal pris au dépourvu réagit mollement lors de cette première journée, et il est visiblement surpris et débordé par l'extension du mouvement le lendemain. Il n'y a encore qu'une assemblée de grévistes, mais déjà plus nombreuse. Malgré une affiche du prévôt des marchands interdisant assemblées et attroupements, les grévistes se retrouvent plus de 1 000 le 5 août, et ils s'organisent plus sérieusement. Des amendes sont prévues pour tous les maîtres et compagnons qui continueraient à travailler, des groupes parcourent les divers quartiers de la ville, appelant à la grève, et peu à peu tous les ateliers se ferment. Le Consulat cherche, bien tardivement, à rétablir l'ordre, envoyant à La Guillotière la compagnie du guet et le corps des arquebusiers pour arrêter les meneurs. Au retour à Lyon, le simple arrêt de travail se transforme en émeute : une partie des grévistes restés à Lyon, surtout leurs femmes et leurs enfants, les dévideuses sans travail par suite de la fermeture des boutiques attendent à l'entrée du pont de La Guillotière le retour des ouvriers, avec d'autant plus d'anxiété qu'elles ont vu partir le guet à leur rencontre. D'après tous les témoignages, ce sont les femmes qui commencèrent à injurier le guet, puis à le lapider, et les quelque 70 soldats envoyés au-devant des grévistes se trouvèrent vite débordés. Il n'y a pas d'autre force dans la ville, le prévôt des marchands cède aussitôt à la pression des émeutiers; il fait relâcher les prisonniers, révoque l'édit royal du 19 juin, proclame par ordonnance le retour au règlement de 1737.

Les lettres du prévôt des marchands, mais surtout de l'intendant Pallu, montrent à quel point les autorités administratives sont désemparées. Pallu supplie « à genoux » le contrôleur général de suspendre l'édit de 1744 : il décrit la ville aux mains des émeutiers, et l'impossibilité de rétablir l'ordre :

« Ils sont actuellement les maîtres; ils nous donnent

la loi et nous ne sommes pas en état de ne la pas subir; la condescendance que leur grand nombre et notre peu de force nous a contraint d'avoir pour eux le premier jour les a portés à un tel degré de hardiesse qu'il n'y a rien qu'ils ne se croient permis, en quoi ils ne se trompent pas quant à présent. L'autorité qui nous est confiée nous devient inutile, parce que nous ne sommes pas en état de faire exécuter les ordres du roi. La justice est dans le même cas... le Procureur du Roi a bien donné son réquisitoire, mais c'est en secret, et ni lui, ni le lieutenant-criminel n'osent informer ni décréter dans les circonstances présentes... »

Une fois maîtres de la ville, une fois en possession de l'ordonnance municipale, dûment revêtue du cachet de l'intendant qui rétablit les anciens règlements, les maîtres ouvriers en soie retrouvent le calme. Il y a encore des signes d'agitation jusqu'au samedi, et on s'en prend à quelques boutiques de marchands, plus particulièrement à celles des maîtres gardes. Mais le lundi 9, tous les ateliers ont repris le travail, et il n'y a même plus d'attroupements en attendant l'arrivée du courrier qui doit apporter de Paris la confirmation officielle de la victoire des ouvriers.

Le mouvement a été incontestablement lancé par une minorité active de maîtres ouvriers, hostiles aux maîtres gardes en exercice, jugés trop timorés et trop serviles à l'égard des marchands. Les compagnons ont suivi, presque tous, mais ne sont sûrement pas à l'origine de l'émeute : une lettre anonyme des marchands-fabricants au contrôleur général prétend sans doute que ce ne fut qu'une « révolte des compagnons de la Fabrique, car il n'y a paru aucun des maîtres », mais les marchands ont intérêt à faire croire comme en 1731 que les maîtres à façon leur sont favorables : leur affirmation est démentie par tous les autres témoignages. Les ouvriers en soie sont seuls à engager le combat, pour des motifs strictement corporatifs, mais, dès le 6 août, un grand nombre d'ouvriers d'autres métiers, des compagnons cette fois, viennent présenter leurs revendications au Consulat affaibli : teinturiers, crocheteurs, charpentiers et faiseurs de bas de soie en particulier, les maçons aussi peut-être. Les autorités de la ville sont tout particulièrement sévères contre ces ouvriers qui ont cherché à profiter du désordre : « Je crois que vous penserez, Monsieur, que ceux des différentes communautés qui à l'occasion de ce premier attroupement sont venus faire des demandes étrangères et ridicules, méritent aussi punition quand on en pourra faire, et ne sont pas les moins coupables. » L'attitude des notables de la ville est également surprenante. Le désarroi du corps consulaire et de l'intendant est complet. Dès le début, ils pensent bien à la punition possible des émeutiers, mais ils sont prêts à céder sur tout, dans la crainte de voir la ville mise à feu et à sang... Pendant près d'une semaine, c'est un véritable pouvoir ouvrier qui est établi à Lyon, et les autorités en place ne se font pas faute de dénoncer d'étranges soutiens dont bénéficièrent les ouvriers en soie grévistes. Les comtes de Lyon se posent en protecteurs et multiplient les démarches de conciliation. On voit aussi s'offrir comme médiateurs des jésuites, et il n'est pas jusqu'à certains négociants qui ne semblent pas tellement mécontents des malheurs qui accablent leurs confrères marchands-fabricants. L'intendant parle d'un marchand-commissionnaire qui prête sa boutique pour les réunions des meneurs des grévistes, et cette alliance surprenante embarrasse le représentant du pouvoir : « La plupart des notables de cette ville, et en général presque tout le monde de quelque état et condition qu'il soit, prend le parti de ces indignes révoltés, tout le monde les plaint, parle des règlements sans les avoir lus, et quand ils les auraient lus ils ne les entendraient pas, mais cela les flatte et les entretient dans leur révolte. J'avoue que j'ai peine à entendre ces discours avec patience, que souvent même je m'échappe. »

L'ensemble de ces faits donne à cette première grève importante des ouvriers en soie un caractère encore très composite. Sans doute la peur a saisi une partie des notables et le Consulat. Mais comme il n'y eut en fait ni pillage, ni incendie, aucune violence en dehors du court affrontement avec le guet, l'ensemble des notables est assez vite rassuré : seuls les administrateurs et les marchands-fabricants conservent leur rancœur et préparent la répression. Mais s'il y a ce courant de sympathie à l'égard des grévistes, c'est que leur action apparaît sous un autre jour que celui d'une révolte ouvrière : en fait ce sont des artisans respectables qui cherchent à défendre leurs droits, leurs privilèges. Parmi eux il y a encore cette classe des marchands-ouvriers qui a déjà accédé à la moyenne bourgeoisie. Les signes, pourtant nets, d'une véritable action ouvrière, sont oubliés et on ne veut plus voir que l'aspect raisonnable des revendications présentées. D'ailleurs la suite des événements montre que les ouvriers en soie sont bien mal organisés, bien mal préparés. La réaction du pouvoir fut lente. Ce n'est qu'au début de 1745 que le comte de Lautrec pénètre à Lyon avec des troupes et dirige la répression. Il y eut plusieurs dizaines d'arrestations; un maître ouvrier en soie et un affaneur furent pendus, comme meneurs des « ouvriers séditieux », plusieurs autres envoyés aux galères. L'ensemble des ateliers resta calme : ni les compagnons, ni les maîtres ne tentèrent la moindre agitation. Le règlement de 1744 est rétabli et les maîtres ouvriers en soie perdent leur dernier espoir de se voir reconnaître la place qu'ils pensaient mériter à l'intérieur de la communauté de la Grande Fabrique.

De 1745 à 1780 il n'y eut pour ainsi dire plus rien. Pendant cette période en apparence calme les ouvriers en soie, par de multiples contacts entre maîtres, d'un atelier à l'autre, mais aussi entre compagnons, mettent au point de nouvelles revendications, préparent de nouvelles formes d'action.

Les premiers mémoires des maîtres à façon, réclamant l'application d'un tarif, paraissent en 1779-1780. Ils marquent le divorce complet entre les marchands et les ouvriers : les marchands veulent maintenir la liberté des prix de façon, discutée de gré à gré entre le marchand-fabricant et son façonnier. La majorité des ouvriers en soie lyonnais refuse cette liberté « meurtrière », disent-ils, « liberté en un mot d'écraser ceux qui l'alimentent et le soutiennent ». La classe marchande profite de la moindre difficulté économique pour faire travailler l'artisan à vil prix, et celui-ci ne peut pas s'opposer aux prétentions des marchands, il lui faut subir toutes les conditions imposées : « Ce n'est point aux dépens de l'étranger, ni du superflu de l'opulence, que le marchand s'enrichit, c'est de la substance de ses concitoyens les plus pauvres qu'il s'engraisse... il fait gémir dans l'indigence des hommes dignes d'un meilleur sort quand ils sont industrieux, économes et actifs. » Le canut lyonnais se considère encore comme un artisan, mais il compare de plus en plus sa condition à celle d'un esclave, entièrement soumis aux exigences des fabricants.

Le tarif accordé en 1780 n'est qu'une illusion, et l'augmentation de 2 sous par aulne, demandée par les ouvriers pour les étoffes unies les plus simples, est payée avec beaucoup de réticences par la plupart des marchands. Pendant la période 1780-1786, les chefs d'atelier et les compagnons, en accord les uns avec les autres, multiplient les requêtes pour obtenir un véritable tarif, général et obligatoire. Ils veulent des sanctions contre les marchands qui refuseraient d'appliquer les prix de façon homologués : en 1744, les maîtres ouvriers luttent encore pour l'égalité à l'intérieur d'une communauté artisanale; en 1786, ils désirent que des lois impératives contraignent les fabricants de la communauté à abandonner leur tyrannie : oppression, despotisme, servitude, esclavage sont les termes qui reviennent à tout moment dans les mémoires ouvriers, et la lutte du tarif est la solution trouvée par les ouvriers en soie pour atténuer cette soumission, non pas sur le plan des statuts et de la condition sociale, mais sur celui qui leur paraît le plus important, celui des salaires. Cette fois aussi les ouvriers en soie ne sont plus seuls : les chapeliers et les canuts ont à peu près les mêmes revendications; leurs points de vue se sont nettement rapprochés.

Les formes de l'action restent les mêmes qu'en 1744. Au début août apparaissent les premiers signes d'agitation, et la grève se propage de la même façon : les ouvriers réunis aux Brotteaux ou aux Charpennes appellent à la grève, font déserter les ouvriers, imposent au Consulat les tarifs préparés. Chapeliers et ouvriers en soie ne coordonnent cependant pas parfaitement leur mouvement, les compagnons chapeliers se réunissant aux travaux Perrache. On retrouve la même inquiétude dans les rapports des autorités lyonnaises, les mêmes discordes. Les chanoines comtes de Lyon jouent le même rôle de conciliateurs, les notables sont divisés, et Tolozan ne manque pas une occasion d'accuser l'égoïsme des marchands, principaux responsables selon lui de l'agitation. Malgré cet apparent soutien, il prend cette fois des mesures beaucoup plus rapides qu'en 1744 : les brigades de maréchaussée sont insuffisantes, mais dès le deuxième jour de la grève, appel est fait au régiment de chasseurs de Gévaudan en garnison à Tournon. Dès l'arrivée de la force armée à Lyon, quelques ouvriers sont arrêtés et jugés par une procédure exceptionnelle par la sénéchaussée : trois ouvriers sont condamnés à mort et pendus le 12 août, cinq jours après le début de l'action. Le tarif fut supprimé, les marchands triomphent une fois encore.

Mais en 1786 la répression ne met pas fin aux revendications ouvrières, comme ce fut le cas en 1744 : d'août à novembre, de multiples marques d'agitations subsistent dans la ville, intéressant toujours avant tout la chapellerie et la Grande Fabrique. Les demandes des ouvriers sont toujours les mêmes, mais les méthodes sont différentes. Comme la manifestation violente a échoué, comme la force n'est plus du côté des ouvriers, ceux-ci agissent plus discrètement, mais aussi efficacement. Cette action des derniers mois de 1786 montre le degré d'organisation auquel sont parvenus les principaux ouvriers. On ne peut parler ni de compagnonnages, ni bien sûr de syndicats, mais des responsables sont désignés dans chaque quartier. Ils se réunissent régulièrement dans des chambres discrètes, changent de lieu de réunion pour déjouer les recherches de la police, distribuent des tracts, font signer des pétitions dans les ateliers, placardent des affiches dénonçant tel ou tel patron qui refuse d'accepter leurs conditions et les tarifs exigés.

Les marchands de leur côté ne restent pas inactifs. Pour répondre aux menaces de leurs ouvriers, les principaux marchands chapeliers tiennent aussi des réunions clandestines pour résister ensemble aux demandes de leur main-d'œuvre. Tout en accusant les marchands de leur conduite odieuse et répréhensible, le Consulat cherche à intimider les ouvriers et à démanteler les réseaux de résistance.

En novembre, le prévôt des marchands fait appréhender un maître ouvrier en soie, Denis Monnet, réputé être un des conseils des ouvriers, d'autant plus qu'il avait commencé des études de praticien dans sa jeunesse. La perquisition faite chez lui permet de découvrir, non seulement des mémoires manuscrits, qui affirment les droits des ouvriers à l'obtention d'un tarif général, mais encore des billets, manuscrits et ornés de fleurs de lys portant la mention : « Nous estimons que si la voie de la représentation ne suffit pas pour obtenir un tarif, il faut, d'un esprit ferme et d'un accord sincère, chacun à part soi, faire monter les prix des façons comme ci-bas... c'est-à-dire un tiers entier en sus du prix actuel. » Emprisonné, Denis Monnet est interrogé pendant plusieurs heures le lendemain par le lieutenant général de la sénéchaussée, à la requête de Tolozan : « Interrogé, si, malgré les avertissements publics et particuliers qui ont été donnés, si, malgré la clémence et les bontés que le Roi a daigné accorder aux ouvriers de cette ville, il n'y a pas encore des gens mal intentionnés qui cherchent à soulever les ouvriers en étoffes de soie, et à leur inspirer des idées et des prétentions aussi contraires au respect qu'à la soumission et la confiance qu'ils doivent à l'autorité bienfaisante qui nous gouverne. » Le ton employé lors de l'interrogatoire est fort intéressant. Les autorités municipales et judiciaires sont persuadées de l'existence d'un complot, et leur action contre Monnet n'est qu'un moyen d'intimidation. Bien que convaincu d'avoir recopié des billets, on ne put rien retenir contre lui, et il fut libéré après un séjour de deux mois en prison.

L'arrestation de Monnet est un fait important : le mécontentement des ouvriers en soie se cristallise autour de son nom, et jusqu'à la Révolution, malgré le chômage et la misère, nombreux sont encore les maîtres ouvriers qui cherchent à obtenir ce tarif que les marchands leur refusent. L'opposition entre les deux classes est alors totale. Les élections de 1789 aux États généraux sont particulièrement caractéristiques. Depuis longtemps dans les communautés, la masse des membres ne participait plus aux élections des maîtres gardes. Pour la première fois, il est cette fois possible à tous de venir exprimer leur voix. Le prévôt des marchands multiplie les mesures de précaution et les rondes de police avant cette réunion, dont il craint qu'elle ne dégénère en manifestation violente. La communauté des passementiers est la première réunie, et elle donne le ton : les têtes étaient « aussi échauffées que déraisonnables », explique Tolozan, et le choix des députés a été « peu convenable » : trois des cinq élus des passementiers sont des factieux, désignés comme tels depuis 1782 et interdits des fonctions de maîtres gardes : mais le prévôt des marchands explique que seules les fortes têtes se sont déplacées pour participer au vote, les personnes paisibles et d'un état honnête restant chez elles. Dans la fabrique de soie, dès le premier jour de scrutin, plus de 2 650 maîtres ouvriers sont présents, ils sont 3 400 le lendemain : cette participation électorale est tout à fait extraordinaire dans une ville où la participation directe n'existe plus depuis longtemps, ou l'information est quand même faible, et dans laquelle les marchands ont fait pression sur beaucoup d'ouvriers pour qu'ils ne viennent pas aux assemblées, craignant bien sûr que le scrutin leur soit défavorable. Les trente-quatre délégués élus sont des ouvriers, aucun marchand-fabricant n'obtient la majorité, et les élus sont parmi les plus « turbulents », des gens surveillés ou inculpés depuis 1786, Denis Monnet en tête. Tolozan ne peut que se résigner à accepter « ce choix légal, même s'il fut déterminé par l'esprit de parti et l'ascendant de la multitude ». Les marchands-fabricants adressèrent vainement une requête à Necker, demandant le droit de se réunir séparément ou avec les autres corps de négociants. Ils ont beau dénoncer la « nullité avilissante » à laquelle ils ont été réduits par la classe des maîtres ouvriers, ils n'obtiennent pas satisfaction.

Cette volonté de revanche des ouvriers en 1789 est l'aboutissement normal de leurs longues déceptions. Tolozan, qui faisait semblant de soutenir les revendications ouvrières en 1786, écrit en 1789 : « En mon particulier, je plains et partage la position des maîtres marchands », et il condamne « l'indiscipline de leurs ouvriers pour tout ce qui les domine, et le ton, qu'à raison de leur nombre, ils ont pris dans l'assemblée ». En ce printemps de 1789, les élections lyonnaises dans tous les corps des manufactures (sauf peut-être la chapellerie, parce que la plupart des compagnons n'ont pas voté) sont dominées par les revendications sociales des ouvriers. Ce n'est pas tellement des représentants aux États généraux que veulent désigner les ouvriers en soie (dont le rôle sera nul dans l'assemblée du tiers), mais ils entendent montrer leur union face aux marchands, faire naître de nouveaux rapports sociaux. En 1791 Denis Monnet, qui joue un rôle important dans les débuts de la révolution lyonnaise, rappelle la signification de l'émeute de 1786 : « L'honteuse avarice, ou plutôt la cupidité de nombre de marchands-fabricants de cette ville, porta, en 1786, le désespoir dans l'âme des maîtres ouvriers qui travaillaient à façon; que, ne pouvant pas se fournir la subsistance en travaillant nuit et jour, ils s'adressèrent aux anciens juges-consuls; mais ils étaient marchands, et ils rejetèrent leurs remontrances et leurs réclamations. Ils prirent alors le parti de convenir entre eux que *pour vivre en travaillant* il ne fallait ouvrer tels et tels genres d'étoffes qu'au prix qu'ils déterminèrent. »

C'est dans cet affrontement des marchands, désireux de maintenir leur domination sur les manufactures, et des ouvriers que prend fin l'Ancien Régime lyonnais. Il y a bien les éléments d'une lutte des classes dans cette situation prérévolutionnaire, mais encore imparfaits et indécis. Les ouvriers en soie, s'ils remportent une victoire sur leurs marchands par les élections aux États généraux, ne sont pas réellement prêts à pousser plus avant leurs revendications. Le pouvoir de la bourgeoisie marchande ne tarde pas à se ressouder. Les premières manifestations de l'été 1789 et de 1790 renforcent les liens des classes possédantes, qui craignent une révolution sociale. La très mauvaise situation économique ne permet pas une action suivie des masses ouvrières, et, assez paradoxalement, l'histoire de la révolution lyonnaise se marque plutôt par un recul des revendications ouvrières et un affaiblissement de leur position. Il faudra de très nombreuses années pour que les ouvriers lyonnais puissent retrouver la cohésion et la force, pour essayer de secouer de nouveau les liens de dépendance qui les soumettent aux marchands-fabricants.

Une lettre du maire girondin Vitet, un des membres de cette bourgeoisie à talents hostile aux marchands, résume assez bien le climat social de la ville, dominée par ses négociants, qui refusent de « donner du travail et du pain » aux ouvriers en soie :

« N'attendez rien des négociants, ils aiment mieux mourir que de perdre leur cher argent; ils aiment mieux être esclaves que de ne pas gagner la même quantité d'argent; ils aiment mieux voir périr leurs femmes et leurs enfants que d'en perdre la plus petite portion. Vous savez comme ils raisonnent sur le présent et sur l'avenir, ou plutôt comme ils sont intéressés. Nous ne les convertirons pas, car ils sont dans l'impossibilité d'être éclairés et de sentir le bien que le nouvel ordre de choses leur prépare. »

CONCLUSION

LYON, UNIQUE ET EXEMPLAIRE?

Au terme de cette étude des milieux humains de la ville de Lyon au XVIIIe siècle, une véritable conclusion est presque inutile.

La date de 1789 n'est pas une véritable coupure, sinon sur le plan politique français. Les forces sociales, les principaux traits économiques ne disparaissent pas en quelques mois, et si l'on aperçoit la montée des tensions dans la société lyonnaise, la Révolution dans sa forme bourgeoise ne peut pas apporter de véritables solutions aux problèmes les plus importants qui se sont posés au cours du XVIIIe siècle.

Il est quand même essentiel de noter combien faible est le rôle de Lyon dans la préparation et le déroulement des faits, qui ont conduit à la Révolution. Il est nécessaire de le répéter : sur le plan politique, cette deuxième ville du royaume, si fière de l'être, est une « mineure », et le cas lyonnais est alors vraiment unique. Des villes beaucoup plus réduites, moins peuplées, moins riches et moins actives, tiennent dans le royaume une place politique autrement plus grande. Tout semble prédisposer Lyon à une place de capitale régionale, mais le simple jeu des institutions de l'ancienne monarchie, privant Lyon de tous les grands corps possédant encore une relative autonomie, réduit la cité rhodanienne à un silence presque total, à une complète absence d'initiative. Ce pourrait être là un facteur important de développement d'une vie locale, voire même d'un certain autonomisme lyonnais au cœur de l'État français. Il est devenu un lieu commun d'opposer Lyon à Paris, et il est incontestable que cette jalousie à l'égard de la capitale a influé considérablement sur les événements de 1793 : mais avant 1789 les libertés et l'indépendance lyonnaises ne sont certainement pas plus grandes qu'au début de la République; la ville ne peut à aucun moment se permettre de prétendre à une politique propre, distincte de celle imposée par la royauté. Même la vie économique subit depuis l'époque de Law l'absolue domination parisienne. En 1720, les grands négociants et banquiers lyonnais ont été attirés comme partout par la spéculation, mais c'est à Paris qu'ils cherchent à faire fortune, délaissant Lyon, trop isolée, trop à l'écart du circuit des affaires. Herbert Luthy a analysé ce processus de la concentration vers Paris des grandes affaires financières, qui caractérise le XVIIIe siècle et qui prive Lyon d'une partie fort importante de ses hommes, de ses capitaux et de son influence. Les grands circuits commerciaux se forment hors de Lyon, et même si les marchands de Lyon font preuve d'initiative et d'opportunisme, en se plaçant sur les marchés espagnols, américains, antillais, ou après 1750 dans l'Europe du nord-est, ils restent cependant au deuxième rang, sans jamais reprendre la première place qui avait été la leur au début de l'époque moderne. Il n'est pas jusqu'à la fabrique de soieries dont la direction économique ne risque de leur échapper au milieu du siècle, quand les marchands parisiens cherchent à s'emparer des principaux réseaux de distribution.

Isolée, faible, réduite à un rôle secondaire, Lyon au XVIIIe siècle est pourtant loin de mourir. Bien au contraire. La ville contemporaine porte encore les signes de sa richesse et de son luxe. Le siècle commençant avait vu Bellecour se parer d'orgueilleuses façades, et les grandes entreprises d'urbanisme du XVIIIe siècle sont d'une ville en expansion et sûre de son avenir. C'est même cette vitalité, dans des conditions politiques défavorables, qui fait de Lyon une ville exemplaire. Que l'on écoute les incessantes plaintes des autorités, du Consulat, de la Chambre de Commerce, des représentants des grandes manufactures, ce n'est jamais que déclin, ruines, banqueroutes, fuite vers l'étranger des hommes, des talents et de l'argent. Et tous les historiens ont répété à l'envi les crises incessantes qui secouent la ville : c'est Sayous et Charléty qui décrivaient les crises de la fin du règne de Louis XIV, c'est Leroudier et L. Trénard qui font des dernières années (ou décennies) de l'Ancien Régime des moments de récession, de misère, de déchéance, à vrai dire portés à le faire par les témoignages contemporains, à commencer par celui d'Arthur Young. Et personne n'a vraiment cherché à voir entre ces deux dates s'il y avait eu renouveau, essor ou prospérité. Il a suffi le plus souvent de cette brutale émeute ouvrière de 1744 pour affirmer que la crise reste larvée pendant tout le siècle, que les structures en place sont incapables d'assurer le moindre progrès, ou le retour à un bien imprécis âge d'or, de toute façon disparu, même si l'on ne sait pas bien quand le situer...

Cet apparent effacement lyonnais, entre 1715 et 1785 — une longue période, la vie de trois générations — fait de Lyon un laboratoire idéal pour l'étude des structures urbaines de la fin de l'Ancien Régime. Comment peut bien vivre une ville sans histoire, une ville sans responsabilité, une sorte de cité oubliée, même si le nombre de ses hommes la place à un rang envié ?

Dans le domaine démographique, l'analyse du comportement lyonnais permet de saisir des attitudes urbaines profondément différentes de l'histoire démographique générale, essentiellement rurale comme la France de l'Ancien Régime. Si l'on retrouve quelques éléments connus : augmentation de la population d'ensemble, disparition des crises anciennes et de leur mortalité considérable, pour le reste les lois démographiques de la ville sont profondément originales. L'envoi en nourrice de la majorité des enfants crée des structures totalement nouvelles : rythme accéléré des naissances, et paradoxalement influence plus réduite de l'enfant, étranger à la ville. Les abandons d'enfants correspondent à la même réalité : les parents pauvres confient aux hôpitaux les nouveau-nés qu'ils ne peuvent élever eux-mêmes, la collectivité prenant en charge cette multitude d'enfants délaissés, dont le poids s'alourdit brutalement à chaque période de crise, de cherté ou de chômage. Le rôle de la femme apparaît aussi comme exceptionnel. Mères, et les femmes de Lyon le sont bien plus souvent que les femmes de la campagne, ces épouses n'élèvent pas leurs enfants, mais vivent constamment comme les hommes, dans l'atelier, dans la boutique, au même rythme que les hommes, mais pas au même niveau. Le travail féminin est indispensable, mais il est entièrement dépendant : la femme, mariée ou célibataire, est une perpétuelle servante, même si sa domesticité la met au service d'une fabrique plus que d'un maître...

L'exemple lyonnais demande ici des comparaisons avec les autres villes françaises. Il y a de fortes probabilités que les caractères soient les mêmes dans toutes les autres villes françaises pour les classes bourgeoises et les milieux artisanaux. La présence de la fabrique de soie peut par contre former un cas assez particulier : bien que d'une condition sociale et économique différente des artisans, les ouvriers en soie se comportent en artisans, dans tous les domaines, dans leur vie professionnelle comme dans leur vie familiale. Dans les villes, même d'industrie textile, mais où le métier demande moins de technicité que le travail de la soie, il se peut que la situation soit différente : à Lyon même, les compagnons chapeliers se distinguent assez nettement des ouvriers en soie.

S'il peut apparaître comme extraordinaire que la natalité dans les villes soit supérieure à celle des campagnes, il est non moins remarquable que l'image de la ville-tombeau de l'humanité, tant répétée par les auteurs du XVIIIe siècle, soit effectivement vraie, même si les explications données sont partiellement fausses. Le séjour des enfants en nourrice à la campagne est le principal responsable du déficit humain des villes; les conditions de vie et de travail, des jeunes femmes en particulier, étant le deuxième motif de la mortalité considérable. Ces vides créés par la mort rendent indispensable l'appel à de nouveaux habitants. La mobilité de la population d'Ancien Régime était connue. L'exemple lyonnais la montre considérable : plus de la moitié de nouveaux venus (pas nécessairement de nouveaux citadins d'ailleurs) dans chaque génération. Ce n'est pas un fait nouveau. Le pouvoir d'attraction des villes et des manufactures s'exerce depuis longtemps, mais le mouvement est peut-être plus limité géographiquement au XVIIIe siècle qu'avant. Une aire d'attraction lyonnaise est assez nettement dessinée dans les provinces voisines, de l'ouest lyonnais d'abord, de l'est et du nord-est ensuite. Hommes et femmes quittent la campagne et les bourgs pour chercher du travail à Lyon, mais le mouvement n'est pas limité aux seules classes laborieuses; il touche tout autant les catégories bourgeoises et marchandes. C'est aussi la réussite sociale, le succès et la notoriété que Lyon offre aux notables des petites villes. Comme beaucoup de ces nouveaux venus ne sont pas d'authentiques ruraux, leur adaptation est facile et rapide, leur intégration ne pose pas de problèmes dans leur ville d'accueil. En tout cas les structures de la société urbaine et des métiers sont assez fortes et oppressives pour que la ville affirme une personnalité propre. La campagne lui fournit les bras nécessaires, les denrées indispensables à sa survie, les maisons de plaisance et les domaines de la bourgeoisie, aussi quelques revenus, mais dans les faubourgs déjà, à la limite du monde rural, on entre dans un milieu différent, incompris, un monde que les citadins ne veulent plus connaître.

La ville, ainsi composée d'éléments hétéroclites, est un étau dans lequel est comprimé chaque individu : l'existence individuelle n'y a pas de place, sauf peut-être pour les négociants, mais même les membres des professions marchandes finissent par se créer des corps spécifiques, dans lesquels ils s'intègrent. Le XVIIIe siècle apparaît alors comme un moment privilégié. Les anciens corps, ceux du métier, ceux des quartiers, ceux de la ville... se sont figés dans des règlements et des coutumes vieillis et désuets. Mais plus ils semblent inadaptés, plus ils cherchent à se refermer dans leur particularisme, plus ils tendent à exclure les éléments étrangers, plus ils renforcent leurs règles, qui augmentent leur isolement et leur sclérose. Et ces communautés vieillottes conservent assez d'importance pour attirer quand même la grande majorité des Lyonnais. Les plus déshérités restent ceux qui ne peuvent pas se rassembler dans une communauté, de quelque forme qu'elle soit, et, même pour ces isolés, se substituent au corps des rapports de clientèle qui sont une autre forme d'intégration à la société urbaine. A la limite, il serait presque possible de dire que même les hôpitaux et les autres établissements charitables sont un moyen de réunir les plus faibles et les isolés.

Si l'association est la règle première de la vie sociale dans les villes, le XVIIIe siècle renforce les rapports de domination entre les diverses associations, et à l'intérieur de chacune d'entre elles entre les différents membres de chaque corps. L'évolution économique est cause de cette hiérarchie de plus en plus marquée. Dans une ville qui n'est que marchande et bourgeoise, la prospérité du XVIIIe siècle creuse les écarts entre la minorité des riches et la masse des travailleurs : dans chaque métier, seuls les maîtres profitent de l'enrichissement, et ils s'opposent alors à l'ascension sociale des compagnons. Dans les fabriques, les bénéfices des marchands-fabricants se constituent sur le refus d'augmenter les salaires des ouvriers et des façonniers. Le résultat de ce monopole de la bourgeoisie est que la société lyonnaise, si mobile par l'afflux d'éléments neufs, est en fait étrangement figée. Les barrières entre les niveaux ne sont pas complètement fermées, mais elles sont à peine entrouvertes, et l'ouverture ne cesse de se réduire, ne laissant plus filtrer que de rares individus. La solidarité des corps et communautés ne joue plus que pour la minorité la plus favorisée, et des rapports de force s'établissent entre les véritables catégories sociales de la ville : avant 1789, dans une ville où la noblesse ne joue qu'un rôle restreint, c'est bien une société de classes qui se forme tout au long du XVIIIe siècle, en dépit de la force des traditions. Par bien des aspects la société lyonnaise du XVIIIe siècle annonce celle du XIXe : la domination de la bourgeoisie sur la main-d'œuvre des manufactures est déjà l'essentiel. A Lyon comme ailleurs, la Révolution, en renforçant le pouvoir politique encore faible de cette bourgeoisie, ne va-t-elle pas simplement donner une impulsion nouvelle à cette domination ?

GRAPHIQUES

UN SIECLE D'EVOLUTION DEMOGRAPHIQUE A LYON (1690-1789)

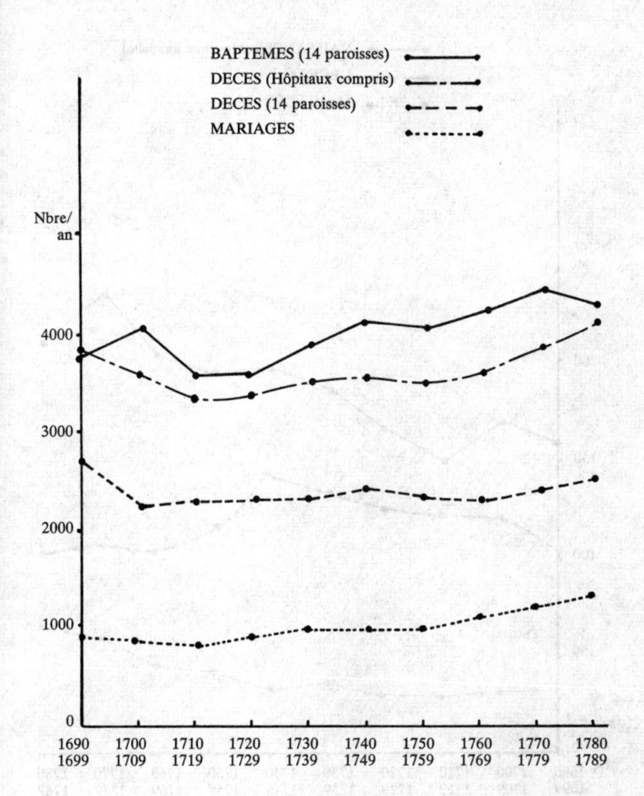

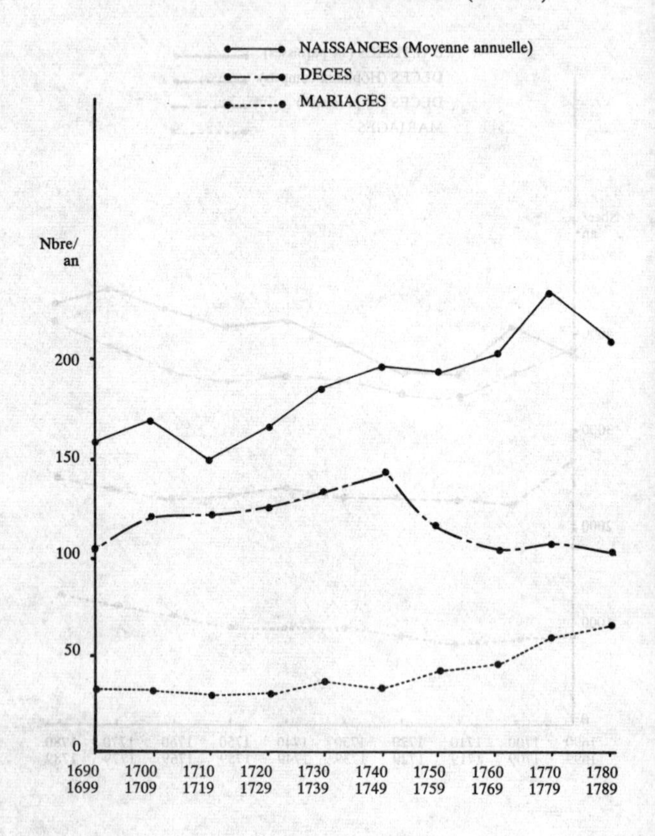
PAROISSE SAINT-GEORGES :
UN SIECLE D'EVOLUTION DEMOGRAPHIQUE (1690-1789)
NAISSANCES (Moyenne annuelle)
DECES
MARIAGES
Nbre/
an
200
150
100
50
0
1690
1699
1700
1709
1710
1719
1720
1729
1730
1739
1740
1749
1750
1759
1760
1769
1770
1779
1780
1789

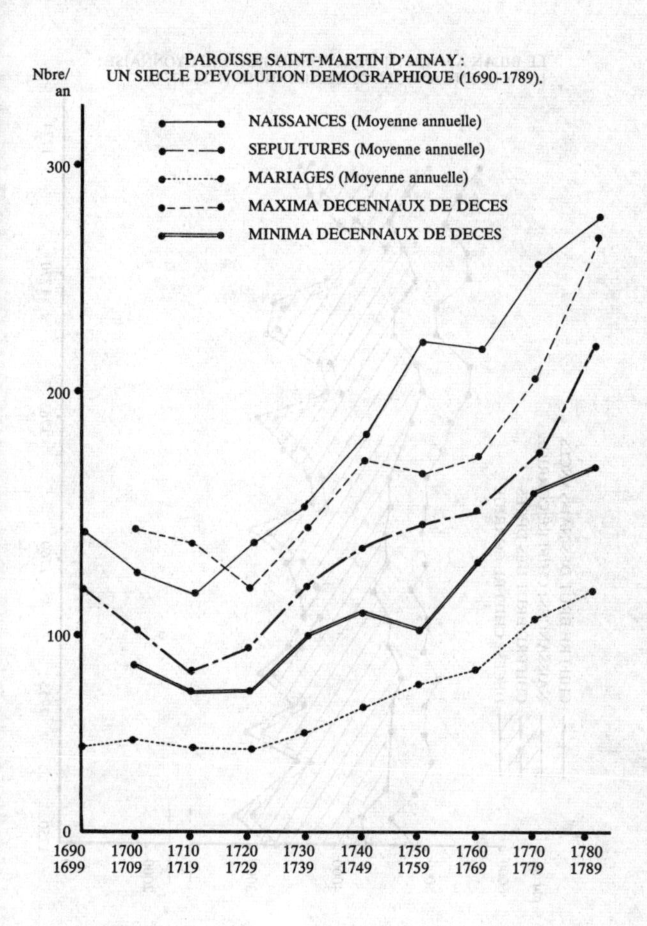
PAROISSE SAINT-MARTIN D'AINAY :
UN SIECLE D'EVOLUTION DEMOGRAPHIQUE (1690-1789).
Nbre/
an
NAISSANCES (Moyenne annuelle)
SEPULTURES (Moyenne annuelle)
MARIAGES (Moyenne annuelle)
MAXIMA DECENNAUX DE DECES
MINIMA DECENNAUX DE DECES
300
200
100
0
1690
1699
1700
1709
1710
1719
1720
1729
1730
1739
1740
1749
1750
1759
1760
1769
1770
1779
1780
1789

LE BILAN APPARENT DE LA DEMOGRAPHIE LYONNAISE :
L'EXCEDENT ANNUEL DES NAISSANCES (1750-1774).

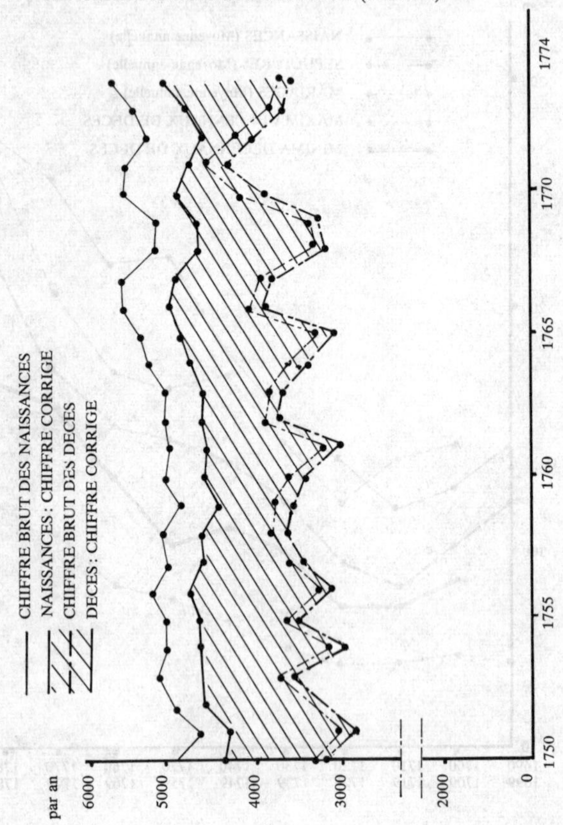

PAROISSES D'ORIGINE DES NOUVEAUX HABITANTS DE LYON
EN PROVENANCE DES PROVINCES DU LYONNAIS
- FOREZ ET BEAUJOLAIS - (1728-1730).

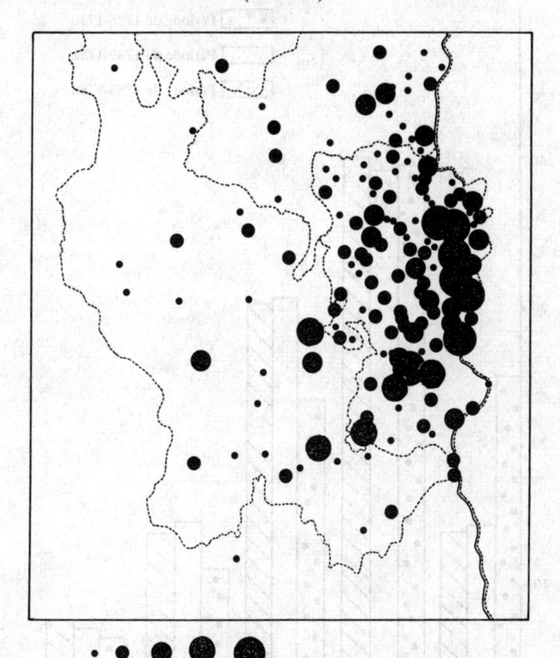

1 à 2 2 à 4 5 à 9 10 à 19 plus de 20 immigrants

LA HIERARCHIE DES FORTUNES DES OUVRIERS EN SOIE AU XVIIIe SIECLE (D'APRES LES CONTRATS DE MARIAGE).

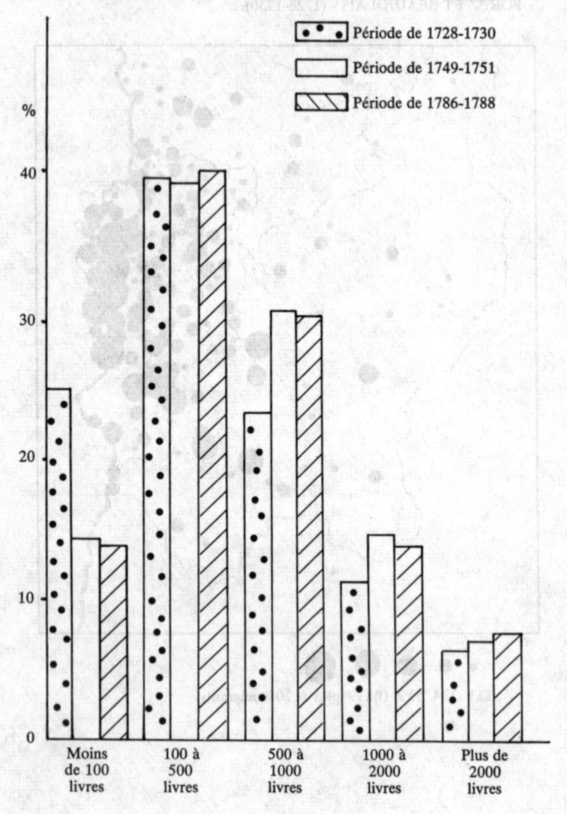

COMPARAISON DU NIVEAU DE FORTUNE
DES COMPAGNONS ET DES MAITRES OUVRIERS EN SOIE AU XVIII[e]
(D'APRES LES APPORTS AU MARIAGE).

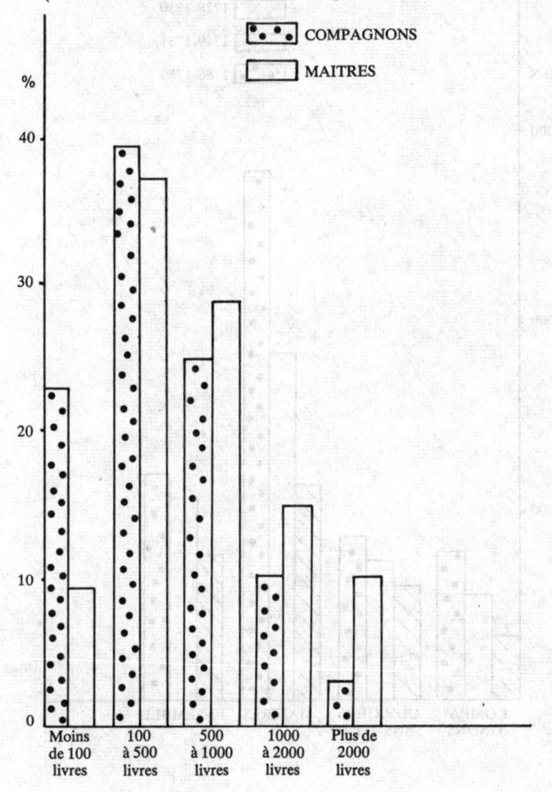

LES ARTISANS LYONNAIS AU XVIIIe SIECLE.
L'IMPORTANCE DU TITRE DE "MAITRE" POUR L'ACCES A LA FORTUNE.

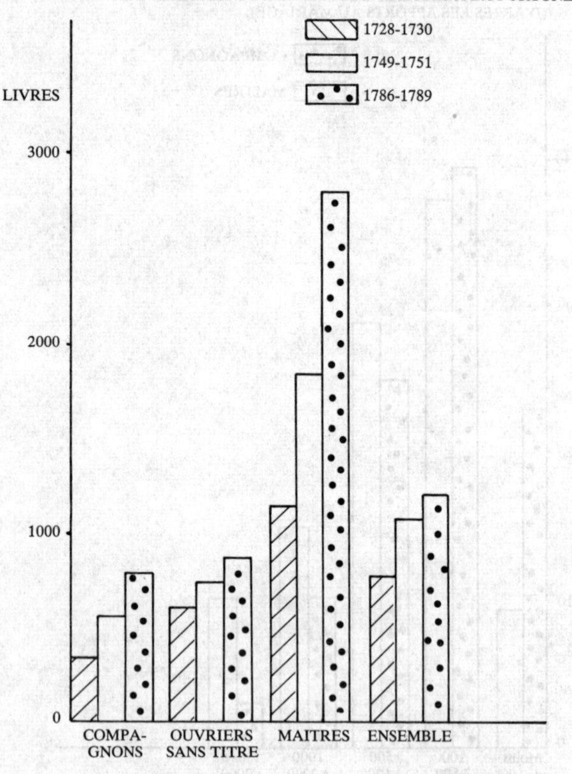

LES ARTISANS LYONNAIS AU XVIIIᵉ SIECLE : LE CREUSEMENT DES ECARTS DE FORTUNE ENTRE LES MAITRES ET LES OUVRIERS AU COURS DU SIECLE. (L'indice 100 est calculé sur la moyenne générale).

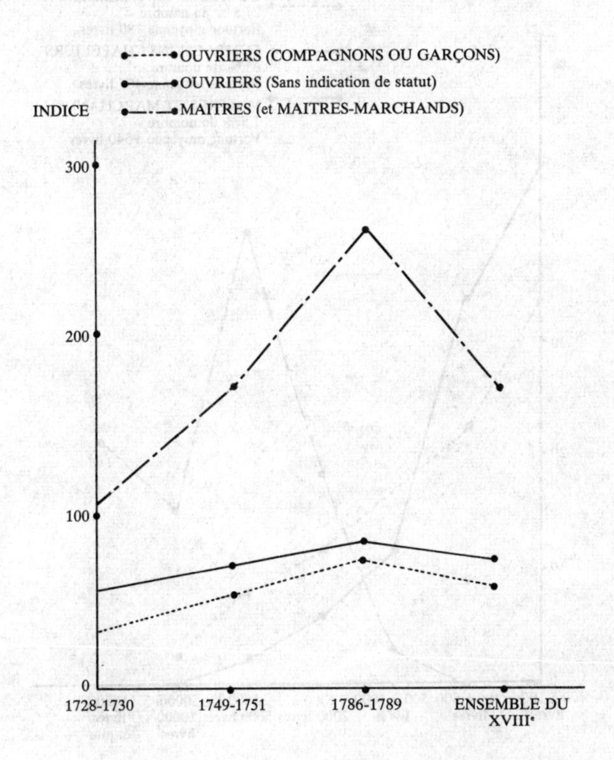

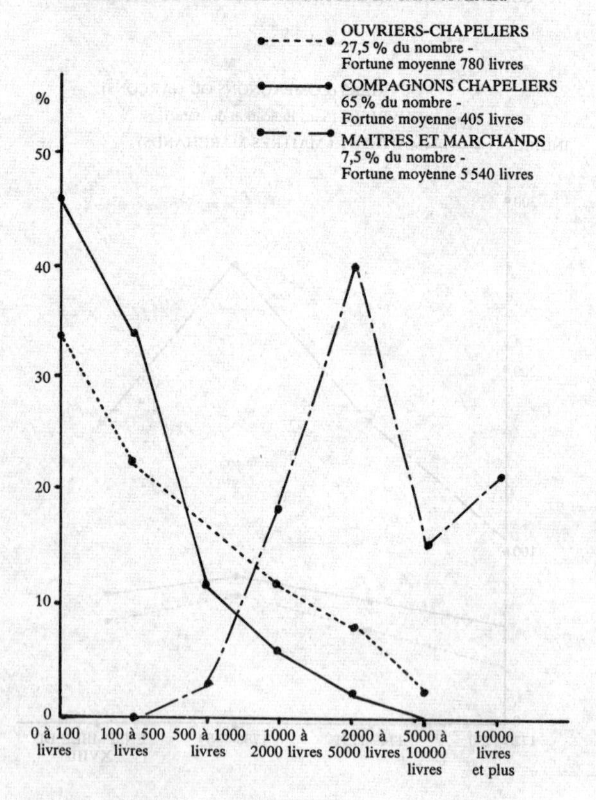
LES CHAPELIERS LYONNAIS AU XVIIIe SIECLE :
DE PUISSANTS MAITRES-MARCHANDS QUI EMPLOIENT DE
NOMBREUX OUVRIERS SANS FORTUNE ET SANS AVENIR.
OUVRIERS-CHAPELIERS
27,5 % du nombre -
Fortune moyenne 780 livres
COMPAGNONS CHAPELIERS
65 % du nombre -
Fortune moyenne 405 livres
MAITRES ET MARCHANDS
7,5 % du nombre -
Fortune moyenne 5 540 livres
%
50
40
30
20
10
0
0 à 100 livres
100 à 500 livres
500 à 1000 livres
1000 à 2000 livres
2000 à 5000 livres
5000 à 10000 livres
10000 livres et plus

LA SUPERIORITE DE LA RICHESSE NOBILIAIRE SUR LES FORTUNES MARCHANDES (CONTRATS DE MARIAGE - 1780-1789).

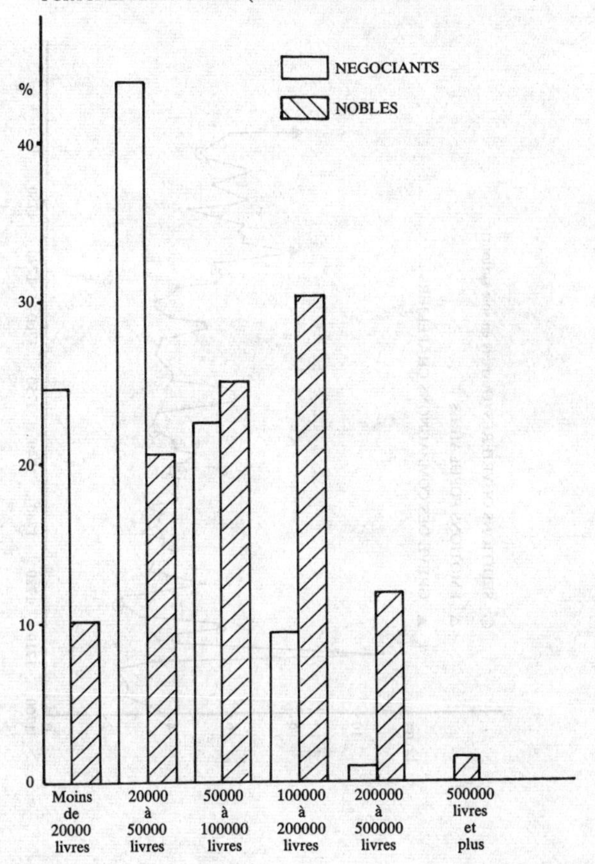

PRIX DU BLE A LYON AU XVIIIe SIECLE ET PRINCIPAUX MOUVEMENTS POPULAIRES.

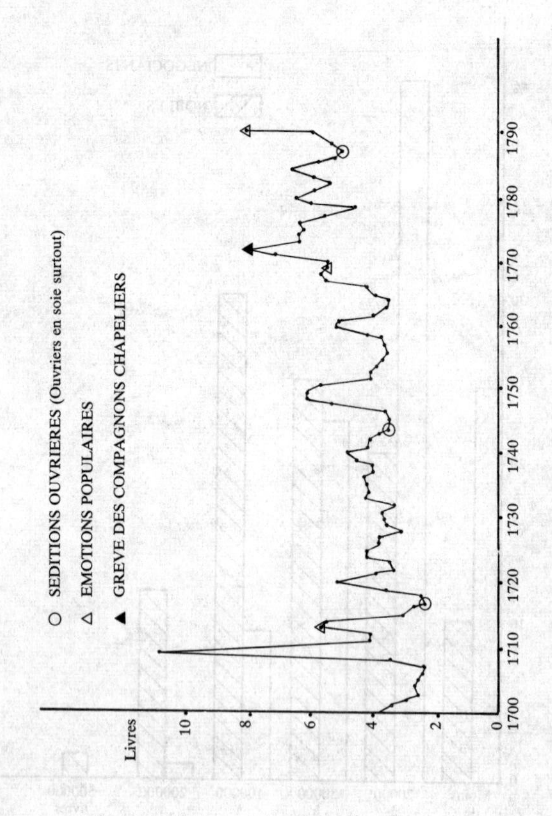

TABLE DES MATIÈRES

PREMIÈRE PARTIE

LA DÉMOGRAPHIE LYONNAISE

CHAPITRE I : *La croissance urbaine* 7

Introduction : Les visions de la ville 7

1. - La mesure de la croissance 10
2. - La population dans la ville : croissance et topographie urbaine 23
   - *a*) L'exiguïté urbaine 23
   - *b*) Les maisons de Lyon : entassement et regroupement urbains 28

CHAPITRE II : *Les comportements démographiques* .. 43

Introduction : Sources et méthodes 43

1. - Une exceptionnelle fécondité 46
2. - L'âge au mariage n'explique rien 54
3. - La mise en nourrice : facteur essentiel de la fécondité 59
   - *a*) Un fait général 59
   - *b*) Un bilan tragique : décès en nourrice et mortalité urbaine 64
   - *c*) La prise de conscience lyonnaise 77

CHAPITRE III : *La clé de la croissance : l'immigration* 85

1. - La politique lyonnaise de l'immigration . 85

2. - La mesure de l'immigration : trois tests. 91
a) Les décès de l'Hôtel-Dieu.......... 92
b) Les apprentis de la Grande Fabrique. 97
c) Les époux lyonnais 105
3. - Natifs et forains 111
4. - Conclusion : l'ampleur et la diversité du renouvellement de la population lyonnaise 117

CONCLUSION DE LA PREMIÈRE PARTIE............ 121

DEUXIÈME PARTIE

LA SOCIÉTÉ LYONNAISE

LA HIÉRARCHIE DES FORTUNES ET LES CATÉGORIES SOCIO-PROFESSIONNELLES

CHAPITRE I : *Les hiérarchies sociales : deux approches globales* 127
1. - Les sources fiscales....................... 127
a) La capitation de 1788 128
b) La contribution mobilière de 1791 ... 135
2. - Les sources notariales 145
a) Les contrats de mariage lyonnais..... 145
b) Les inventaires après décès 155

CHAPITRE II : *Le monde du travail : du « menu peuple » à la bourgeoisie médiocre*........ 159
Introduction 159
1. - Affaneurs et journaliers 164
2. - Domesticité et peuple des faubourgs 176

3. - Ouvriers des manufactures et artisans ... 178
a) L'accès au métier ... 186
b) L'évaluation des fortunes artisanales. 195

CHAPITRE III : *Les ouvriers en soie* ... 207
1. - Leur place dans la cité ... 207
2. - Les conditions de l'accès au métier... 213
3. - La médiocrité de la fortune des ouvriers en soie... 220
4. - Niveau d'instruction et culture ... 238

CHAPITRE IV : *Riches et dominants*... 243
1. - Fortune marchande et... infortunes ... 246
2. - L'apparent paradoxe de la richesse lyonnaise : une grande fortune nobiliaire dans la capitale des négociants... 258

TROISIÈME PARTIE

INDIVIDUS ET SOCIÉTÉS

INTRODUCTION : *Une société lyonnaise ou plusieurs sociétés?* ... 275

CHAPITRE I : *Les corps de « notables » lyonnais : une société « politique » étroite et fermée*.. 281
1. - Le « corps de Ville » : l'exiguïté de sa base sociale ... 282
2. - Les élites divisées ... 290
a) Les rivalités politiques : Consulat et Cours souveraines ... 290
b) Les clivages culturels : Académies et loges maçonniques ... 295

CHAPITRE II : *Du corps de métier à la lutte de classes* 311

1. - Les communautés artisanales : puissance des traditions et renforcement des oligarchies 312
2. - Les moyens d'action des employés contre leurs employeurs : les organisations compagnonniques 320
3. - Le recours à la grève et à la lutte violente : combats d'hier ou de demain? 331

CONCLUSION

LYON, UNIQUE ET EXEMPLAIRE?

DÉJÀ PARUS

ABELLIO Raymond
▲▲▲ **Assomption de l'Europe.**
ADOUT Jacques
▲▲▲ **Les raisons de la folie.**
ALAIN
▲▲▲▲ **Idées.**
ALQUIÉ Ferdinand
▲ **Philosophie du surréalisme.**
ARAGON Louis
▲▲▲ **Je n'ai jamais appris à écrire ou les** ***Incipit*****.**
ARNAUD Antoine, NICOLE Pierre
▲▲▲ **La logique ou l'art de penser.**
AXLINE Dr Virginia
▲▲ **Dibs.**
BADINTER Elisabeth
▲▲▲ **L'amour en plus.**
BARRACLOUGH Geoffrey
▲▲▲▲ **Tendances actuelles de l'histoire.**
BARTHES Roland
▲▲▲ **L'empire des signes.**
BASTIDE Roger
▲▲▲ **Sociologie des maladies mentales.**
BECCARIA Cesare
▲▲ **Des délits et des peines.** Préf. de Casamayor.
BIARDEAU Madeleine
▲▲ **L'hindouisme. Anthropologie d'une civilisation.**
BINET Alfred
▲▲ **Les idées modernes sur les enfants.** Préf. de Jean Piaget.
BOIS Paul
▲▲▲ **Paysans de l'Ouest.**
BONNEFOY Yves
▲▲▲▲ **L'Arrière-pays.**
BRAUDEL Fernand
▲▲▲ **Écrits sur l'histoire.**
BRILLAT-SAVARIN
▲▲▲▲ **Physiologie du goût.**
BROUÉ Pierre
▲ **La révolution espagnole (1931-1939).**
BURGUIÈRE André
▲▲▲ **Bretons de Plozévet.** Préf. de Robert Gessain.
BUTOR Michel
▲▲▲ **Les mots dans la peinture.**
CAILLOIS Roger
▲▲▲ **L'écriture des pierres.**
CARRÈRE D'ENCAUSSE Hélène
▲▲▲ **Lénine, la révolution et le pouvoir.**
▲▲▲ **Staline, l'ordre par la terreur.**
CASTEL Robert
▲▲▲ **Le psychanalysme.**
CHAR René
▲▲▲▲ **La nuit talismanique.**
CHASTEL André
▲▲▲ **Éditoriaux de la Revue de l'art.**
CHAUNU Pierre
▲▲▲▲ **La civilisation de l'Europe des Lumières.**
CHEVÈNEMENT Jean-Pierre
▲▲▲ **Le vieux, la crise, le neuf.**

CHOMSKY Noam
▲▲▲ **Réflexions sur le langage.**
CLAVEL Maurice
▲▲▲ **Qui est aliéné?**
COHEN Jean
▲▲ **Structure du langage poétique.**
CONDOMINAS Georges
▲▲▲▲ **Nous avons mangé la forêt.**
CORBIN Alain
▲▲▲▲ **Les filles de noce.**
DAVY Marie-Madeleine
▲▲▲ **Initiation à la symbolique romane.**
DERRIDA Jacques
▲ **Éperons. Les styles de Nietzsche.**
▲▲▲ **La vérité en peinture.**
DETIENNE Marcel et VERNANT Jean-Pierre
▲▲ **Les ruses de l'intelligence. La métis des Grecs.**
DODDS E.R.
▲▲▲ **Les Grecs et l'irrationnel.**
DUBY Georges
L'économie rurale et la vie des campagnes dans l'Occident médiéval.
▲▲ Tome I.
▲▲▲ Tome II.
▲ **Saint-Bernard. L'art cistercien.**
EINSTEIN Albert et INFELD Léopold
▲▲▲ **L'évolution des idées en physique.**
ÉLIADE Mircéa
▲▲ **Forgerons et alchimistes.**
ERIKSON E.
▲▲▲ **Adolescence et crise.**
ESCARPIT Robert
▲▲ **Le littéraire et le social.**
▲▲ **Les états généraux de la philosophie.**
FABRA Paul
▲▲▲ **L'anticapitalisme.**
FERRO Marc
▲ **La révolution russe de 1917.**
FINLEY Moses
▲ **Les premiers temps de la Grèce.**
FONTANIER Pierre
▲▲▲▲ **Les figures du discours.**
GENTIS Roger
▲▲ **Leçons du corps.**
GERNET Louis
▲▲▲ **Anthropologie de la Grèce antique.**
▲▲▲ **Droit et institutions en Grèce antique.**
GONCOURT E. et J. (de)
▲▲▲▲ **La femme au XVIIIe siècle.** Préface d'E. Badinter.
GOUBERT Pierre
▲▲▲ **100 000 provinciaux au XVIIe siècle.**
GREPH (Groupe de recherches sur l'enseignement philosophique)
▲▲ **Qui a peur de la philosophie?**
GRIMAL Pierre
▲▲▲▲ **La civilisation romaine.**

GUILLAUME Paul
▲▲ **La psychologie de la forme.**
GURVITCH Georges
▲▲ **Dialectique et sociologie.**
HEGEL G.W.F.
▲▲▲ **Esthétique.** Tome I.
Introduction à l'esthétique.
▲▲▲ **Esthétique.** Tome II.
L'art symbolique. L'art classique. L'art romantique.
▲▲▲ **Esthétique.** Tome III.
L'architecture; la sculpture; la peinture; la musique.
▲▲▲ **Esthétique.** Tome IV.
La poésie.
JAKOBSON Roman
▲ **Langage enfantin et aphasie.**
JANKÉLÉVITCH Vladimir
▲▲▲ **La mort.**
▲▲ **Le pur et l'impur.**
▲ **L'ironie.**
▲▲▲▲ **L'irréversible et la nostalgie.**
▲▲▲ **Le sérieux de l'intention.**
JANOV Arthur
▲▲▲ **L'amour et l'enfant.**
▲▲▲ **Le cri primal.**
KRIEGEL Annie
▲▲▲ **Aux origines du communisme français.**
KROPOTKINE Pierre
▲▲ **Paroles d'un révolté.**
KUHN Thomas S.
▲▲▲▲ **La structure des révolutions scientifiques.**
LABORIT Henri
▲▲ **L'homme et la ville.**
LAPLANCHE Jean
▲▲ **Vie et mort en psychanalyse.**
LAPOUGE Gilles
▲▲ **Utopie et civilisations.**
LE GOFF Jacques
▲▲▲ **La civilisation de l'Occident médiéval.**
LEPRINCE-RINGUET Louis
▲ **Science et bonheur des hommes.**
LE ROY LADURIE Emmanuel
▲▲▲ **Les paysans de Languedoc.**
Histoire du climat depuis l'an mil.
▲▲▲▲ Tome I.
▲▲▲▲ Tome II.
LOMBARD Maurice
▲▲▲ **L'Islam dans sa première grandeur.**
LORENZ Konrad
▲▲ **L'agression.**
MANDEL Ernest
▲▲▲ **La crise 1974-1982.**
MARIE Jean-Jacques
▲ **Le trotskysme.**
MEDVEDEV Jaurès
▲▲▲ **Andropov au pouvoir.**
MICHELET Jules
▲ **Le peuple.**
▲▲▲▲ **La femme.**
MICHELS Robert
▲▲ **Les partis politiques.**
MOSCOVICI Serge
▲▲▲ **Essai sur l'histoire humaine de la nature.**

MOULÉMAN MARLOPRÉ
▲▲▲ **Que reste-il du désert?**
NOËL Bernard
Dictionnaire de la Commune.
▲▲ Tome I.
▲▲ Tome II.
ORIEUX Jean
Voltaire
▲▲▲ Tome I.
▲▲▲ Tome II.
PAZ Octavio
▲▲▲▲ **Le singe grammairien.**
POINCARÉ Henri
▲▲ **La science et l'hypothèse.**
PORCHNEV Boris
▲▲▲ **Les soulèvements populaires en France au XVIIe siècle.**
POULET Georges
▲▲▲ **Les métamorphoses du cercle.**
RENOU Louis
▲▲ **La civilisation de l'Inde ancienne d'après les textes sanskrits.**
RICARDO David
▲▲▲ **Des principes de l'économie politique et de l'impôt.**
RICHET Denis
▲ **La France moderne. L'esprit des institutions.**
RUFFIÉ Jacques
De la biologie à la culture.
▲▲▲▲ Tome I.
▲▲▲▲ Tome II.
SCHWALLER DE LUBICZ R.A.
▲▲ **Le miracle égyptien.**
▲▲▲▲ **Le roi de la théocratie pharaonique.**
SCHWALLER DE LUBICZ ISHA
▲▲▲▲ **Her-Bak, disciple.**
▲▲▲▲ **Her-Bak «Pois Chiche».**
SIMONIS Yvan
▲▲▲▲ **Claude Lévi-Strauss ou la «Passion de l'inceste».** Introduction au structuralisme.
STAROBINSKI Jean
▲▲▲ **1789. Les emblèmes de la raison.**
▲▲▲▲ **Portrait de l'artiste en saltimbanque.**
STOETZEL Jean
▲▲▲ **La psychologie sociale.**
STOLERU Lionel
▲▲ **Vaincre la pauvreté dans les pays riches.**
SUN TZU
▲▲ **L'art de la guerre.**
TAPIÉ Victor L.
▲▲▲▲ **La France de Louis XIII et de Richelieu.**
THIS Bernard
▲▲▲▲ **Naître... et sourire**
ULLMO Jean
▲▲▲ **La pensée scientifique moderne.**
VILAR Pierre
▲▲▲ **Or et monnaie dans l'histoire 1450-1920.**
WALLON Henri
▲▲ **De l'acte à la pensée.**

N° d'impression : 11948
IMPRIMERIE OBERTHUR - RENNES
N° d'édition : 9062 — 1er trimestre 1975 — PRINTED IN FRANCE